ENCYCLOPÉDIE DE LA
CUISINE
ASIATIQUE

ENCYCLOPÉDIE DE LA
CUISINE
ASIATIQUE

CIL

Sommaire

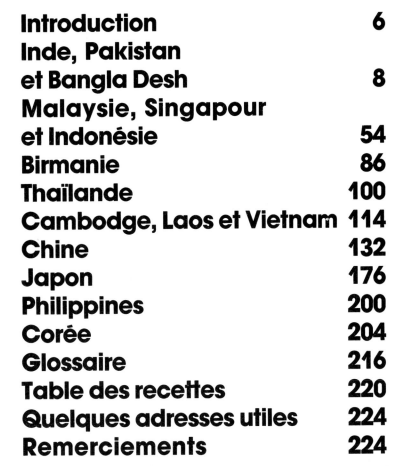

© 1980 Octopus Books Ltd.
Londres

Introduction : Grace Zia Chu
Ouvrage conçu par Jeni Wright
Conseillères : Gloria
Zimmerman, Kitty Sham

Edition française réalisée par
Anke Hérubel
Traduction : Jeanne Bouniort,
Christian Gauffre
Adaptation : Elisabeth Scotto

© 1983 Compagnie
Internationale du Livre, Paris,
pour l'édition française
Dépôt légal : octobre 1983
N° éditeur : 152.
ISBN 2.7318.0102.6
Photocomposition : S.C.P.
Bordeaux
Imprimé par Mandarin
Publishers Ltd., à Hong-Kong

Introduction

Mon profond intérêt pour la cuisine asiatique a, sans aucun doute, pour origine mes trente années d'enseignement de la cuisine chinoise, mais il est dû aussi à une grande rigueur intellectuelle qui m'incite à vouloir connaître à fond ce que je dois enseigner à mes élèves, ainsi qu'à mon insatiable besoin de courir le monde, de questionner, de regarder, de goûter et de me faire de nouveaux amis.

Ma première visite dans un pays s'accompagne toujours d'une sortie au hasard des rues et des échoppes afin de goûter la nourriture des étals. Ce contact direct avec les produits et la cuisine du pays est pour moi la manière la plus sûre de découvrir la facon de vivre de ses habitants.

Un après-midi à Tokyo, je m'assis sur un de ces hauts tabourets alignés devant un comptoir. Un chaudron de riz cuit fumait, et une centaine de petites brochettes de bambou piquées de fruits de mer ou de viande marinée baignaient dans une jatte pleine d'une sauce noire. Je choisis une brochette de crevettes et de moules. La serveuse la fit cuire sur un petit *hibachi*, puis la passa dans la vapeur du riz chaud avant de me la servir.

Un autre jour, je me trouvais à Singapour, où la journée est brûlante et où la nuit, très agréablement refroidie par la brise venue de la mer, apporte la vie et l'animation. Chaque soir, nous participions à de somptueux banquets. Plus tard, à l'aube, nous nous promenions au milieu des étals des marchés, goûtant les douceurs offertes. A une échoppe, nous grignotions des crevettes légèrement parfumées roulées dans des feuilles ; à une autre, nous buvions du lait frais de noix de coco ; ailleurs, des brochettes de viande épicées. C'était comme dans un rêve, comme si nous parcourions un magasin plein de merveilles.

Un hiver, je visitais la Corée, qui, à cette époque de l'année, est l'un des endroits les plus froids de notre terre. Nous sommes entrés dans un restaurant très simple et nous nous sommes assis sur le sol devant des tables basses, comme on le fait aussi au Japon. Les tables formaient un cercle autour d'un gros poële à charbon surmonté d'une grille en cuivre. Il chauffait non seulement la salle mais servait aussi de gril. Chaque client prenait une baguette, piquait un morceau de bœuf mariné et le faisait cuire sur la grille en cuivre, puis il le plaçait sur un bol de riz avant de le manger.

Lors de mon dernier voyage en Asie, j'avais emmené plusieurs membres de ma famille à Kweilin, dans le sud de la Chine. Nous nous étions arrêtés le long de la rivière Li Kiang, dans un restaurant en plein air réputé pour ses fruits de mer, et nous nous étions assis devant une longue table de bois pour déguster des plats de poisson. Après le repas, je me suis rendue dans la modeste cuisine de ce restaurant et je me suis présentée au chef. Il me prépara alors le mets le plus succulent que j'aie jamais mangé : un poisson qu'il alla puiser dans la rivière, derrière la cuisine ; il en découpa immédiatement les filets,

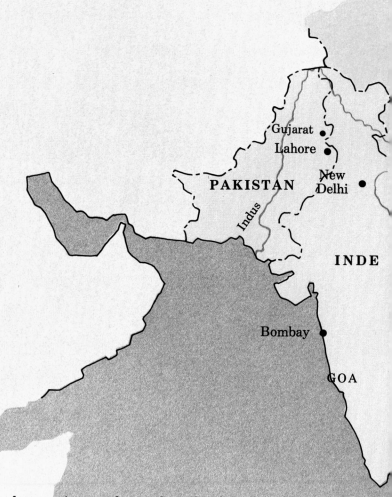

les assaisonna, les roula et les fit cuire avec des légumes. C'est le plat le plus délicieux et le plus frais que j'ai mangé en Chine. Je croyais tout connaître de la cuisine chinoise et, une fois encore, je découvrais un plat inconnu et merveilleux.

Comment se fait-il, me direz-vous, qu'après trente ans d'étude et d'enseignement de la cuisine chinoise, je sois encore surprise par un plat que je ne connaissais pas ? C'est que la cuisine chinoise est infinie, et, vous-même, quelque soit votre connaissance de la cuisine asiatique, vous serez surpris à la lecture de cette encyclopédie, car le sujet est aussi riche et vaste que sa présentation est complète.

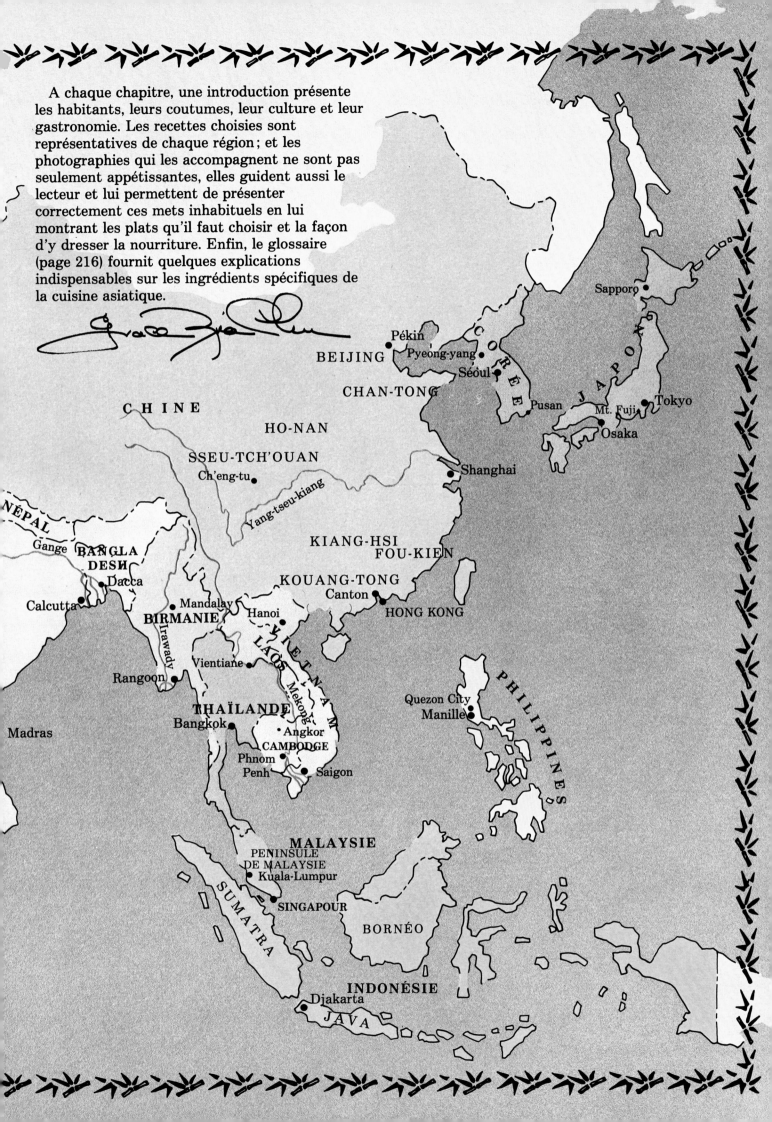

A chaque chapitre, une introduction présente les habitants, leurs coutumes, leur culture et leur gastronomie. Les recettes choisies sont représentatives de chaque région; et les photographies qui les accompagnent ne sont pas seulement appétissantes, elles guident aussi le lecteur et lui permettent de présenter correctement ces mets inhabituels en lui montrant les plats qu'il faut choisir et la façon d'y dresser la nourriture. Enfin, le glossaire (page 216) fournit quelques explications indispensables sur les ingrédients spécifiques de la cuisine asiatique.

Inde Pakistan Bangla Desh

Khalid Aziz

Pour les quelque 600 millions d'habitants de la péninsule indienne, manger n'est, hélas, pas un plaisir mais un besoin vital. Plus que tout autre pays d'Asie, cette région a été touché — et l'est encore — par la famine. Surpopulation ? Manque de matières premières ? Quelles qu'en soient les causes, la famine reste un fléau, et le paysan indien moyen ne mange rien d'autre (lorsqu'il mange) qu'un bol de riz, quelquefois additionné de lentilles, d'ail et de piment : le strict nécessaire pour vivre et pouvoir continuer à travailler.

La cuisine de la péninsule indienne est pourtant riche et variée. Mais il serait plus juste de parler de « cuisines », au pluriel. Selon les régions et les religions, les habitudes alimentaires varient beaucoup. Dans le nord de la péninsule, avec à l'est le Bangla Desh, au centre l'Inde septentrionale et, à l'ouest, le Pakistan, on consomme beaucoup d'agneau et de produits laitiers (comme le yaourt ou le *ghee*), et les diverses galettes tiennent une place plus importante que le riz. Le Pakistan, pays musulman, ne consomme pas de porc. Les parfums sont subtils et le piment est modérement utilisé, sauf dans le nord-est de l'Inde et au Bangla Desh. Le sud de l'Inde offre, lui, une cuisine fort différente : noix de coco, piment, fruits de mer et poissons y sont rois.

Dans toute la péninsule, la religion influe sur le régime alimentaire ; si, comme nous l'avons vu plus haut, les Musulmans ne consomment pas de porc, les Hindous, eux, rejettent le bœuf ; les Bouddhistes ne tuent aucun être vivant ; en effet, les végétariens sont fort nombreux. Il faut noter d'ailleurs le faste de la cuisine végétarienne indienne ; elle est exquise et loin de ce que nous pouvons connaître chez nous : sautés parfumés, purées onctueuses, pains garnis de mélanges de légumes savoureux, riz aux lentilles ou aux légumes... Cette cuisine passionnerait plus d'un grand amateur de viande !

Les ustensiles

Les Indiens utilisent un mortier et un pilon de pierre pour préparer leurs mélanges d'épices. Cette opération peut se faire chez nous dans une moulinette électrique (ou dans un mortier). L'important est de choisir des épices bien parfumées et de conserver les mélanges dans un flacon fermant hermétiquement, dans un endroit frais et sombre (pour éviter toute décoloration).

Pour les cuissons, les Indiens possèdent une sorte de grande poêle incurvée, qui n'est pas sans rappeler le *wok* chinois. On y réalise les grandes fritures de viandes, de légumes ou les divers beignets, salés ou sucrés. Il ne faut pas oublier le *tandoor*, four particulier dans lequel on fait cuire le célèbre Poulet tandoori (voir page 24). Ce four en terre est chauffé au charbon de bois, mais vous pouvez faire cuire les plats *tandoori* dans votre four. Les plats cuits dans ce four portent toujours son nom et ont mariné longtemps avant leur cuisson.

Les pains et les galettes qui sont servis à presque tous les repas sont cuits sur une plaque qui porte le nom de *tawa*, et ceux qui sont frits le sont dans la poêle dont nous avons parlé plus haut ; vous pourrez aussi utiliser votre friteuse ou une poêle remplie de suffisamment d'huile.

Les ingrédients

La cuisine indienne utilise un certain nombre d'ingrédients de base assez particuliers qu'il faut se procurer dans les magasins spécialisés en produits asiatiques. Le plus important est sans doute la matière grasse qui est à la base de toute cuisson : le *ghee*. Il s'agit d'un beurre clarifié qui donne un goût bien particulier aux plats. Vous pouvez toutefois le remplacer par un mélange d'huile et de beurre, ou par du beurre seul ou du saindoux seul. A vous de choisir selon vos goûts et vos habitudes. Le *ghee* se vend également en boîte et se conserve sans problème au réfrigérateur.

Autre ingrédient de base, commun à toute l'Asie : le riz. Le riz cultivé en Inde est différent de celui cultivé en Chine et au Japon. Il s'agit d'un petit riz aux grains allongés et très parfumé. Il en existe plusieurs variétés, le plus exquis étant le riz *basmati*. Vous le trouverez quelquefois dans les épiceries fines ou exotiques, mais vous pouvez toujours le remplacer par un riz aux grains longs. Presque aussi important que le riz : le blé. Il donne la farine qui permet de préparer les pains et galettes qui sont presque toujours servis dans un repas indien, même si l'on consomme du riz. Ils sont toujours préparés au dernier moment, car ils se dégustent chauds. Outre la farine de blé, les Indiens emploient aussi la farine de pois chiches ; elle donne des galettes délicieuses, au goût bien particulier, et n'est

remplaçable par aucune autre farine. Vous la trouverez dans les épiceries exotiques, mais attention, elle craint l'humidité et il faut la conserver, dans un bocal fermant hermétiquement, dans un endroit bien sec.

On range sous le nom de *dal* les légumes secs qui sont très nombreux et qui sont la base de nombreux plats de cuisine végétarienne. On distingue les pois chiches *(kabuli chenna)*, les pois chiches noirs de Bengale *(bengal chenna)*, les lentilles noires *(urid dal)*, les lentilles rouges *(arhar)* et les lentilles jaunes *(moong);* du moins pour les plus connus, car on compte jusqu'à 60 variétés différentes. Ces légumes sont toujours soigneusement lavés, puis trempés pendant plusieurs heures avant leur cuisson.

Les épices
Les Indiens sont peut-être les seuls parmi les autres peuples du sud-est de l'Asie à utiliser autant d'épices différentes. On connaît bien chez nous la poudre de curry, qui est un mélange savamment dosé d'épices. Mais il faut aussi noter le *garam masala* (voir page 12). La plupart des

9

plats contiennent un mélange d'épices ; rarement une épice est employée seule. Les épices les plus utilisées sont la cardamome, le gingembre, la coriandre, le cumin, le curcuma et le piment. Ces épices sont choisies les plus parfumées possibles ; certaines sont employées fraîches (comme le gingembre) ; pour d'autres, il faut noter qu'on les emploie sous forme de graines ou d'herbes fraîches (coriandre). En plus de la coriandre fraîche, il faut signaler l'utilisation courante de la menthe fraîche.

Les techniques de cuisson
Il existe quelques techniques très précises que l'on retrouve dans les recettes de la cuisine indienne :
• la coloration des plats : les Indiens aiment les plats très colorés et ils utilisent pour cela le safran et le curcuma. Ils préparent une infusion de safran avec des filaments trempés dans de l'eau bouillante, et ils colorent une partie du riz de cette solution. Le plat sera donc parsemé de

grains jaune-orangé, ce qui lui donnera une saveur et une beauté particulières ;
• la cuisson des épices : pour que les épices donnent leurs parfums au maximum, elles sont d'abord grillées dans une poêle pendant quelques minutes à feu doux ; on les fait ensuite revenir au *ghee* ;
• la cuisson du *ghee* : les Indiens font une différence entre les curries secs et les curries gras. Les curries secs ont très peu de sauce et les ingrédients sont enrobés d'une sorte de pellicule sèche. Les curries gras, au contraire, sont très riches en sauce. Celle-ci est à point lorsque, à la

fin de la cuisson, le gras (le *ghee*) se détache de la sauce et surnage à la surface. Ces plats-là sont particulièrement parfumés ;
• l'addition du *ghee : baghar, phoran, darka ;* ces trois termes désignent des moments précis où l'on ajoute du *ghee* à une préparation.

Ces techniques permettent d'ajouter parfum et moelleux à un plat.

Le repas

Pour présenter au mieux un repas indien, disposez le plat principal au centre de la table et les autres tout autour. Le riz, le pain et les galettes sont servis au fur et à mesure, bien chauds. Réservez aussi une partie des plats à la cuisine afin qu'ils restent chauds.

Les Indiens n'utilisent aucun couvert, ils mangent de la main droite en s'aidant d'un morceau de pain. (C'est peut-être la raison de la présence permanente de pain à table). Tous les plats sont servis en même temps, avec une boisson fraîche, souvent sucrée, ou du yaourt battu *(lassi)* nature, salé ou sucré. Mais vous pouvez choisir de la bière ou un vin léger, rosé ou blanc, mais évitez-les avec les *raetas* (plats à base de yaourt).

Un repas indien tourne toujours autour d'un plat de viande ou de poisson (sauf, bien sûr, en cas de régime végétarien) et d'un plat de légumes. Les plats de ce type peuvent se multiplier, et l'on peut trouver à un même repas deux plats de légumes, un de volaille et un de viande. Mais on n'oublie jamais le riz, les pains ou les galettes. N'oubliez pas que la cuisine indienne est variée et très surprenante ; réservez-lui tout le soin qu'elle mérite et suivez les recettes que nous vous proposons.

Garam masala

Préparation et cuisson : 20 mn

- 1 1/2 cuil. à café de cardamomes vertes entières*
- 5 cuil. à café de graines de coriandre*
- 1 cuil. à café de graines de cumin*
- 1 1/2 cuil. à café de clous de girofle*
- 6 cuil. à café de grains de poivre noir

1. Allumez le four thermostat 7 (220 °C). Otez l'enveloppe des cardamomes et posez les graines sur une feuille de papier sulfurisé posée sur la plaque du four. Étalez toutes les autres épices.

2. Glissez la plaque au four et laissez les épices griller pendant 10 mn.

3. Retirez les épices du four et laissez les refroidir, puis réduisez-les en une fine poudre soit dans un mortier, soit à la moulinette électrique.

4. Pour le conserver, mettez le garam masala dans une boîte métallique fermant hermétiquement.

Notes :

• Ce garam masala se conserve 5 à 6 mois. Vous pouvez en réaliser une quantité plus ou moins importante.

• Le garam masala ne doit jamais cuire, on l'ajoute à la fin de la cuisson des plats, au moment de les retirer du feu.

Bombay duck

Préparation et cuisson : 5 mn

Le bombay duck — canard de Bombay — est un poisson séché. Il s'agit d'un poisson qui abonde dans les eaux troubles des docks de Bombay (d'où son nom).

Une fois pêché, le poisson est vidé, nettoyé et séché au soleil. Il est ensuite salé. Son goût et son odeur sont assez caractéristiques, et éloignés de nos habitudes occidentales.

Pour le déguster, il faut faire griller ce poisson 1 mn de chaque côté et le servir chaud. En Inde, on le déguste surtout au début du repas.

Les ingrédients suivis d'un astérisque font l'objet d'une explication ou d'une précision dans le glossaire que vous trouverez à la page 216.

Sauce au curry

Pour 4 personnes
Préparation : 15 mn
Cuisson : 15 mn

- 1 oignon
- 2 gousses d'ail
- 1 cuil. à café de coriandre en poudre*
- 1 cuil. à café de curcuma*
- 1 cuil. à café de piment en poudre*
- 1 cuil. à café de garam masala (page 12)
- 100 g de ghee*

1. Pelez l'oignon et émincez-le. Pelez les gousses d'ail et coupez-les en fins éclats.
2. Faites fondre le ghee dans une sauteuse et faites-y blondir ail et oignon à feu doux, en remuant avec une spatule. Ajoutez ensuite la coriandre, le curcuma et le piment. Mélangez, puis ajoutez l'ingrédient de votre choix : viande, poisson, légumes. Mélangez pendant 5 mn.
3. Versez 2 dl d'eau dans la sauteuse et laissez frémir pendant 10 mn, à feu doux et à couvert. Ajoutez ensuite le garam masala, mélangez et retirez du feu.
4. Servez chaud.
Notes :
- Accompagnez ce curry de riz blanc.
- Cette cuisson très rapide de sauce au curry ne peut se faire qu'avec des ingrédients coupés en très fines lanières.

Poppadoms

Les poppadoms sont sans nul doute l'un des aspects les plus connus chez nous de la cuisine indienne. Sans doute ont-ils été mis à la mode par les Britanniques alors qu'ils possédaient leur empire colonial ? Le fait est qu'ils adoraient les déguster avec les plats de riz au curry, les émiettant à la surface. Mais les Indiens, eux, préfèrent les grignoter en même temps que les plats de leur repas, afin d'en apprécier au mieux le côté croustillant.

Préparez soi-même les poppadoms est une opération très délicate, d'autant plus que la farine de pois chiches qui entre dans leur composition est d'un maniement difficile ; elle est en effet très sensible à l'humidité et forme des grumeaux très durs à défaire. Mais les poppadoms se vendent tout prêts sous forme de très fines galettes sèches enfermées dans des boîtes métalliques ou des sachets. Il suffit alors de les plonger dans de la friture chaude pendant quelques secondes : ils dorent très vite ; il faut alors les déguster sans attendre, chauds ou tièdes.

Il existe des poppadoms nature et d'autres pimentés ; choisissez-les selon votre goût et la façon dont vous allez les servir : avec des plats épicés, préférez-les nature et avec des plats plutôt pauvres en épices, choisissez-les pimentés.

Les épices de base servant à la préparation de Garam masala : cardamomes, graines de coriandre, clous de girofle, poivre noir et graines de cumin.

Crêpes roulées; Beignets au curry; Beignets épicés.

Beignets au curry

Pour 4 personnes
Préparation : 10 mn
Réfrigération 1 h
Cuisson : 10 mn

- 250 g de farine
- 2 dl de lait
- 1 cuil. à café de jus de citron
- 50 g de ghee*
- huile pour friture
- 1/2 cuil. à café de sel

Pour la garniture :
- Hachis de bœuf épicé (page 27) ou Légumes épicés (page 36)

1. Tamisez la farine dans une terrine, faites un puits au centre, versez-y le lait et le jus de citron. Ajoutez le sel et le ghee. Travaillez le tout avec les mains jusqu'à ce que vous obteniez une pâte lisse et homogène. Enfermez-le dans un sac plastique alimentaire et laissez reposer au réfrigérateur pendant 1 h au moins.
2. Au bout de ce temps, retirez la pâte du réfrigérateur, roulez-la en un long boudin de 2,5 cm de diamètre. Découpez-y de fines tranches et étalez celles-ci au rouleau à pâtisserie, très finement. Coupez chaque rondelle obtenue en deux.
3. Posez une noix de la garniture choisie au centre de la pâte, humidifiez les bords et soudez-les en pinçant avec les doigts.
4. Faites chauffer l'huile dans une friteuse et plongez-y les beignets et laissez-les cuire jusqu'à ce qu'ils soient bien dorés, pendant 10 mn environ.
5. Retirez les beignets avec une écumoire et égouttez-les sur du papier absorbant.
6. Servez les beignets sans attendre.
Note :
Vous pouvez préparer ces beignets 2 ou 3 jours à l'avance et les conserver dans une boîte métallique fermant hermétiquement. Au moment de servir, faites-les réchauffer pendant quelques minutes, sous la flamme d'un grill, ou dans un four chaud.

Crêpes de riz croustillantes

Pour 25-30 crêpes
Préparation : 10 mn
Repos 4 h + 12 h
Cuisson : 10 mn

- 250 g de riz
- 2 cuil. à soupe de noix de coco déshydratée*
- 1/2 cuil. à café de bicarbonate de soude
- 25 g de beurre
- 1/2 cuil. à café de sel

1. Mettez la noix de coco dans une terrine, ajoutez-y 2 dl d'eau et laissez reposer pendant 4 h.
2. Au bout de ce temps, réduisez le riz en poudre en le passant dans un mixer. Égouttez le noix de coco en la pressant bien et réservez-la pour un autre usage. Versez son jus de trempage dans le riz, ajoutez le sel et le bicarbonate de soude et battez la pâte au fouet jusqu'à ce qu'elle soit lisse. Laissez reposer la pâte au réfrigérateur pendant 12 h.
3. 12 h plus tard, retirez la pâte du froid, et ajoutez-y un peu d'eau en battant au fouet à main, jusqu'à ce qu'elle ait la consistance d'une pâte à crêpe.
4. Faites fondre le beurre dans une poêle ou dans une crêpière de 18 cm de diamètre, puis versez-le dans un bol : vous utiliserez ce beurre fondu pour graisser la poêle entre chaque crêpe. Versez une louche de pâte dans la poêle et remuez celle-ci jusqu'à ce que la pâte s'étale sur toute la surface de la poêle. Laissez cuire pendant environ 30 secondes, jusqu'à ce que la crêpe soit cuite et prise à la surface ; il est inutile de retourner ces crêpes.
5. Dégustez ces crêpes toutes chaudes, au fur et à mesure de leur cuisson.
Note :
En Inde, ces crêpes sont cuites dans une sorte de poêle de terre appelée *chatty*. La pâte est versée dans cette poêle, puis les crêpes sont cuites sur des charbons de bois.

Beignets épicés

Pour 4 personnes
Préparation : 10 mn
Repos : 2 h
Cuisson : 10 mn

- 100 g de farine de pois chiche
- 1,5 dl de yaourt entier
- 1 cuil. à café de jus de citron
- 1/2 cuil. à café de piment en poudre*
- huile pour friture
- 1/2 cuil. à café de sel

1. Tamisez la farine au-dessus d'une terrine. Ajoutez le sel, le piment, le jus de citron et le yaourt. Mélangez bien avec une spatule, jusqu'à ce que vous obteniez une pâte épaisse, lisse et homogène.
2. Couvrez la terrine et laissez reposer la pâte pendant 2 h.
3. Au bout de ce temps, faites chauffer l'huile dans une friteuse. Lorsqu'elle est chaude, plongez-y la pâte en vous aidant d'une cuillère à café. Laissez cuire les beignets jusqu'à ce qu'ils soient bien dorés et remontent à la surface.
4. Retirez les beignets avec une écumoire et égouttez-les sur du papier absorbant.
5. Servez ces beignets tièdes.
Notes :
• Vous pouvez faire cuire ces beignets 3 ou 4 jours à l'avance et les faire réchauffer au moment de servir pendant quelques minutes sous la flamme d'un grill ou dans un four chaud.
• Ces beignets peuvent être transformés en beignets de légumes : plongez dans la pâte des feuilles d'épinards ou de fines tranches d'aubergines et faites cuire les légumes enrobés de leur fine enveloppe de pâte. Dans ce cas, ne les préparez pas à l'avance, mais juste au moment de servir.

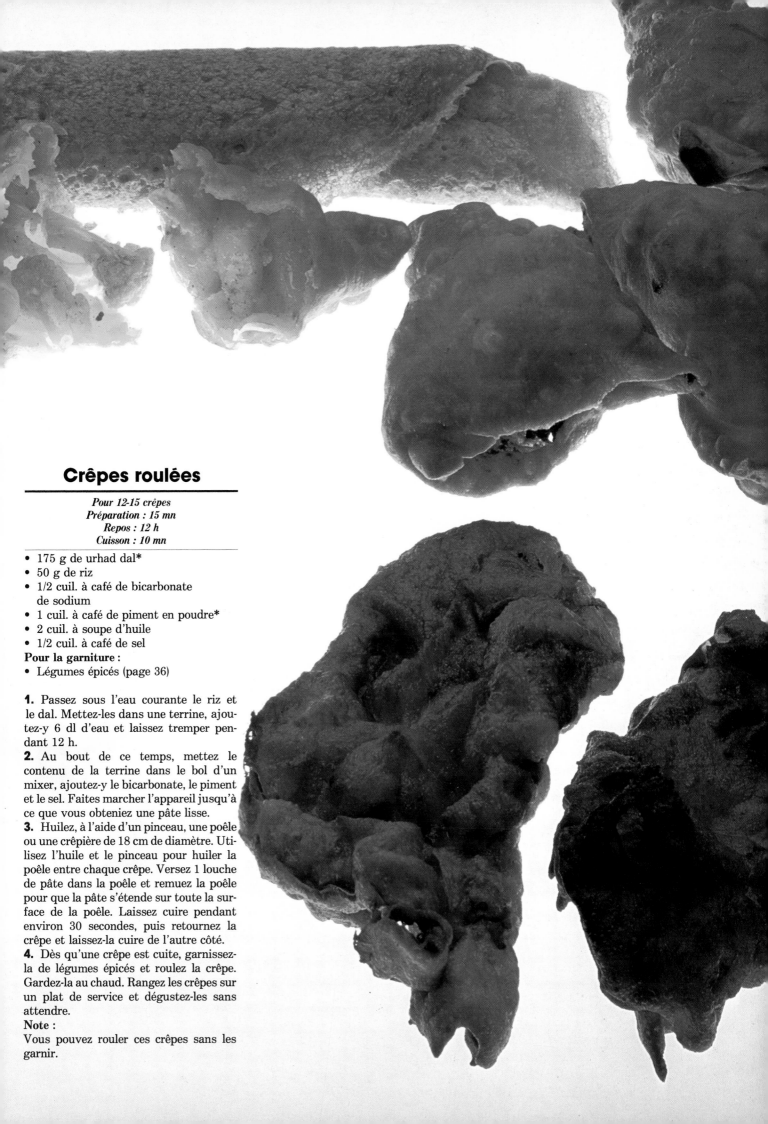

Crêpes roulées

Pour 12-15 crêpes
Préparation : 15 mn
Repos : 12 h
Cuisson : 10 mn

- 175 g de urhad dal*
- 50 g de riz
- 1/2 cuil. à café de bicarbonate de sodium
- 1 cuil. à café de piment en poudre*
- 2 cuil. à soupe d'huile
- 1/2 cuil. à café de sel

Pour la garniture :
- Légumes épicés (page 36)

1. Passez sous l'eau courante le riz et le dal. Mettez-les dans une terrine, ajoutez-y 6 dl d'eau et laissez tremper pendant 12 h.

2. Au bout de ce temps, mettez le contenu de la terrine dans le bol d'un mixer, ajoutez-y le bicarbonate, le piment et le sel. Faites marcher l'appareil jusqu'à ce que vous obteniez une pâte lisse.

3. Huilez, à l'aide d'un pinceau, une poêle ou une crêpière de 18 cm de diamètre. Utilisez l'huile et le pinceau pour huiler la poêle entre chaque crêpe. Versez 1 louche de pâte dans la poêle et remuez la poêle pour que la pâte s'étende sur toute la surface de la poêle. Laissez cuire pendant environ 30 secondes, puis retournez la crêpe et laissez-la cuire de l'autre côté.

4. Dès qu'une crêpe est cuite, garnissez-la de légumes épicés et roulez la crêpe. Gardez-la au chaud. Rangez les crêpes sur un plat de service et dégustez-les sans attendre.

Note :
Vous pouvez rouler ces crêpes sans les garnir.

Soupe
aux épices

Pour 4 personnes
Préparation : 10 mn
Trempage : 4 h
Cuisson : 20 mn

- 1 litre de bouillon de bœuf
  ou de pot-au-feu
- 1 gros oignon
- 2 gousses d'ail
- 50 g de pulpe de tamarin séché*
- 1 cuil. à café de gingembre en poudre*
- 1/2 cuil. à café de fenugrec en poudre*
- 1/2 cuil. à café de piment en poudre*
- 1/2 cuil. à café de curcuma en poudre*
- 2 cuil. à café de poivre fraîchement
  moulu
- 50 g de ghee*
- 1/2 cuil. à café de sel

1. 4 h avant de faire cuire la soupe, met-tez le tamarin dans un bol, couvrez-le à peine d'eau chaude et laissez-le reposer.
2. Pelez l'oignon et émincez-le très fine-ment. Pelez les gousses d'ail et coupez-les en fins éclats.
3. Au bout de 4 h de repos du tamarin, faites fondre le ghee dans une cocotte et faites-y dorer l'ail et l'oignon. Ajoutez alors le gingembre, le fenugrec, le piment, le curcuma et le poivre, et mélangez pen-dant 2 mn. Salez, puis versez le bouillon. Passez l'eau de trempage du tamarin à travers une passoire fine et ajoutez-la dans la cocotte.
4. Portez le bouillon à ébullition et lais-sez cuire à petits frémissements pendant 15 mn, à couvert.
5. Au bout de ce temps, versez la soupe dans une soupière et dégustez-la toute chaude.
Notes :
- Cette soupe a été adaptée par les Anglais d'une soupe indienne appelée *moloo tunny*, bouillon d'eau de trempage du tamarin, assaisonné d'épices et bouilli pendant quelques minutes. Cette soupe est toujours servie avec les curries.
- Il existe de très nombreuses soupes qui portent le nom de *mulligatawny* (le nom indien de cette soupe), mais qui contien-nent de la viande, des poissons ou des légumes.

Œufs brouillés
épicés

Pour 4 personnes
Préparation : 20 mn
Cuisson : 5 mn

- 8 œufs
- 4 tomates mûres
- 1 oignon moyen
- 2 piments verts, frais*
- 1 cuil. à café de curcuma en poudre*
- 1 cuil. à café de coriandre en poudre*
- 50 g de ghee*
- 1 cuil. à café de sel

1. Lavez les tomates, essuyez-les et coupez-les en gros dés, en éliminant les graines. Pelez l'oignon et émincez-le fine-ment. Lavez les piments, essuyez-les, coupez-les en deux, ôtez les graines et hachez finement la pulpe.
2. Cassez les œufs dans une terrine et battez-les à la fourchette.
3. Faites fondre le ghee dans une poêle et faites-y revenir l'oignon pendant 3 mn, en le remuant avec une spatule. Ajoutez les piments, le curcuma, la coriandre et le sel et tournez pendant encore 2 mn
4. Ajoutez les tomates dans la poêle, mélangez, puis versez-y les œufs battus. Laissez-les cuire jusqu'à ce qu'ils soient pris, en les remuant sans arrêt avec la spatule.
5. Mettez les œufs brouillés tout chauds dans un plat de service et dégustez sans attendre.

Crevettes à la sauce au coco, servies avec des Poppadoms (voir page 13).

Crevettes
à la sauce au coco

Pour 4 personnes
Préparation : 10 mn
Réfrigération : 1 h

- 500 g de crevettes roses cuites
- 4 œufs durs
- 50 g de petits pois cuits
- 1 petit oignon
- 3 dl de lait de coco*
- 1 gousse d'ail
- 1 piment vert, frais*
- 1 cuil. à soupe de jus de citron
- 1 cuil. à soupe de coriandre fraîche ciselée*
- 1/2 cuil. à café de sel

1. Écalez les œufs durs et coupez-les en quatre. Décortiquez les crevettes. Mettez les crevettes, les œufs durs et les petits pois dans un plat de service.
2. Pelez l'oignon et la gousse d'ail. Lavez le piment, essuyez-le, coupez-le en deux et ôtez-en les graines. Mettez dans le bol d'un mixer, l'oignon, l'ail, le piment, le lait de coco, le jus de citron et le sel. Faites tourner l'appareil jusqu'à ce que vous obteniez une préparation lisse.
3. Versez la préparation dans le plat de service, couvrez et mettez au réfrigérateur. Laissez refroidir pendant 1 h.
4. Au moment de servir, parsemez le plat de coriandre ciselée.
Note :
Vous pouvez servir ce plat en entrée avec des Poppadoms (page 13) tout chauds.

Crevettes
aux épinards

Pour 4 personnes
Préparation : 15 mn
Cuisson : 15 mn

- 500 g de crevettes roses crues
- 500 g d'épinards frais
- 2 gousses d'ail
- 1 gros oignon
- 1/2 cuil. à café de Garam masala
  (page 12)
- 1 1/2 cuil. à café de coriandre
  en poudre*
- 1/2 cuil. à café de gingembre
  en poudre*
- 1/2 cuil. à café de curcuma en poudre*
- 1/2 cuil. à café de piment en poudre*
- 1 cuil. à café rase de concentré
  de tomates
- 50 g de ghee*
- 1 cuil. à café de sel

1. Lavez les épinards et ôtez-en les tiges ; coupez les épinards en fines lanières. Décortiquez les crevettes en éliminant la tête. Pelez l'oignon et hachez-le. Pelez les

gousses d'ail et coupez-les en fins éclats.
2. Faites fondre le ghee dans une sauteuse et faites-y revenir ail et oignon à feu modéré pendant 3 mn, en remuant avec une spatule. Versez alors le concentré de tomates et remuez, jusqu'à ce qu'il enrobe bien les légumes. Poudrez de coriandre, de curmuma, de piment, de gingembre et de sel. Mélangez pendant 1 mn.
3. Ajoutez les épinards dans la sauteuse et retournez pendant 5 mn à la spatule. Ajoutez ensuite les crevettes et faites-les cuire pendant 5 mn, en remuant de temps en temps.
4. Versez le contenu de la sauteuse dans un plat de service et portez à table sans attendre.

Crevettes aux épinards (en haut); Crevettes au lait de coco; Crevettes comme à Madras.

Crevettes
au lait de coco

Pour 4 personnes
Préparation : 10 mn
Cuisson : 10 mn

- 500 g de crevettes roses crues
- 2 dl de lait de coco*
- 1 cuil. à café de concentré de tomates
- 2 cuil. à soupe de vinaigre
- 1 oignon moyen
- 3 gousses d'ail
- 2 cuil. à café de coriandre en poudre*
- 1 cuil. à café de curcuma en poudre*
- 1 cuil. à café de piment en poudre*
- 1/2 cuil. à café de gingembre
  en poudre*
- 50 g de ghee*
- 1/2 cuil. à café de poivre fraîchement
  moulu
- 1/2 cuil. à café de sel

1. Pelez l'oignon et hachez-le. Pelez les gousses d'ail et coupez-les en fins éclats. Mettez le vinaigre dans un bol, ajoutez-y la coriandre, le curcuma, le piment, le gingembre, le poivre et le sel. Mélangez bien.

2. Faites fondre le ghee dans une poêle et faites-y revenir ail et oignons à feu modéré, en remuant avec une spatule, jusqu'à ce qu'ils soient blonds. Ajoutez les épices au vinaigre et remuez pendant encore 3 mn.

3. Délayez le concentré de tomates dans le lait de coco et versez ce mélange dans la poêle. Laissez frémir pendant 3 mn, puis ajoutez les crevettes et laissez-les cuire pendant 3 mn, en les retournant sans arrêt dans la sauce.

4. Mettez les crevettes et leur sauce dans un plat de service et servez sans attendre.

Crevettes comme à Madras

Pour 4 personnes
Préparation : 10 mn
Cuisson : 5 mn

- 500 g de crevettes roses crues
- 1 petit oignon
- 2 gousses d'ail
- 1 cuil. à café de coriandre en poudre*
- 1/2 cuil. à café de curcuma en poudre*
- 1/2 cuil. à café de cumin en poudre*
- 2 pincées de gingembre en poudre*
- 1 cuil. à soupe de vinaigre
- 50 g de ghee*
- 1/2 cuil. à café de sel

1. Décortiquez les crevettes en éliminant la tête. Pelez l'oignon et hachez-le. Pelez les gousses d'ail et coupez-les en fins éclats.

2. Faites fondre le ghee dans une poêle et faites-y revenir ail et oignon, en remuant sans arrêt avec une spatule, jusqu'à ce qu'ils soient blonds. Ajoutez la coriandre, le curcuma, le cumin, le gingembre et le sel et remuez pendant encore 3 mn.

3. Ajoutez les crevettes et laissez-les cuire à feu doux pendant 3 mn, en les retournant dans la sauce, jusqu'à ce qu'elles soient bien enrobées. Versez alors le vinaigre, remuez pendant 1 mn, puis retirez la poêle du feu.

4. Versez le contenu de la poêle dans un plat de service et dégustez très chaud.

Note :
Vous pouvez poudrer ce plat au tout dernier moment de quelques pincées de piment en poudre.

Crevettes en curry

Pour 4 personnes
Préparation : 10 mn
Cuisson : 10 mn

- 500 g de crevettes roses crues
- 1 petit oignon
- 2 gousses d'ail
- 2 cuil. à café de coriandre en poudre*
- 1/2 cuil. à café de gingembre en poudre*
- 1 cuil. à café de curcuma en poudre*
- 1/2 cuil. à café de cumin en poudre*
- 1/2 cuil. à café de piment en poudre*
- 2 cuil. à soupe de vinaigre
- 50 g de ghee*
- 2 pincées de sel

1. Décortiquez les crevettes en éliminant les têtes. Pelez l'oignon et émincez-le finement. Pelez les gousses d'ail et coupez-les en fins éclats.
2. Versez le vinaigre dans un bol, ajoutez-y la coriandre, le gingembre, le curcuma, le cumin, le piment et le sel. Mélangez bien.
3. Faites fondre le ghee dans une poêle et faites-y revenir ail et oignon, en remuant avec une spatule, jusqu'à ce qu'ils soient blonds.
4. Ajoutez la pâte d'épices et mélangez pendant 3 mn, à feu doux.
5. Mettez les crevettes dans la poêle et laissez-les cuire pendant 5 mn, en les retournant sans cesse dans la sauce, jusqu'à ce qu'elles soient bien enrobées de sauce.
6. Mettez les crevettes et leur sauce dans un plat creux et servez très chaud.
Note :
Accompagnez ce curry, originaire du sud-ouest de l'Inde, de riz blanc.

Poisson aux épices. Sur la page de droite :
Canard à la sauce au coco.

Poisson
aux épices

Pour 4 personnes
Préparation : 20 mn
Marinade : 12 h
Cuisson : 30 mn

- 1 sole de 1 kg
- 3 dl de yaourt entier
- 1 oignon
- 1 gousse d'ail
- 1 cuil. à soupe de vinaigre
- 1 1/2 cuil. à café de cumin en poudre*
- 2 cuil. à soupe de jus de citron
- 2 pincées de piment en poudre*
- 2 pincées de sel

1. Pelez l'oignon et la gousse d'ail et mettez-les dans le bol d'un mixer avec le yaourt, le vinaigre, le cumin et le piment. Faites tourner l'appareil jusqu'à ce que vous obteniez une préparation homogène.
2. Grattez la sole, videz-la, passez-la sous l'eau courante et essuyez-la dans du papier absorbant. Faites des entailles sur la surface du poisson, poudrez-le de sel et arrosez-le de jus de citron sur les deux faces.
3. Posez le poisson dans un plat à four, nappez-le de yaourt aux épices, retournez-le dans cette sauce et laissez-le mariner pendant 12 h, en le retournant plusieurs fois.
4. 12 h plus tard, allumez le four, thermostat 6 (200 °C). Posez une feuille de papier sulfurisé sur le plat et, dès que le four est bien chaud, glissez-y le plat et laissez cuire pendant 20 mn.
5. Au bout de ce temps, ôtez le papier sulfurisé et laissez cuire le poisson pendant encore 10 mn, en l'arrosant du jus qui s'écoule dans le plat.
6. Lorsque le poisson est cuit, mettez-le dans un grand plat et servez-le tout chaud.
Note :
Vous pouvez faire cuire de la même façon des filets de poisson : limande, lieu, cabillaud, merlan...

Canard
à la sauce au coco

Pour 4 personnes
Préparation : 10 mn
Cuisson : 50 mn

- 1 canard de 1,5 kg coupé en 8 morceaux
- 1 gros oignon
- 2 gousses d'ail
- 1 cuil. à café de piment en poudre*
- 1 cuil. à café de gingembre en poudre*
- 2 cuil. à café de cumin en poudre*
- 1 cuil. à café de coriandre en poudre*
- 1 cuil. à soupe de Garam masala (page 12)
- 1,5 dl de vinaigre
- 3 dl de lait de coco*
- 50 g de ghee*
- sel

1. Pelez l'oignon et émincez-le. Pelez les gousses d'ail et coupez-les en fins éclats. Mettez 4 cuillerées à soupe de vinaigre dans un bol, ajoutez-y le cumin, le gingembre, la coriandre et du sel. Mélangez bien.
2. Faites fondre le ghee dans une sauteuse et faites dorer les morceaux de canard, sur toutes leurs faces. Retirez-les de la sauteuse et mettez à leur place ail et oignon. Faites-les dorer en remuant sans arrêt avec une spatule.
3. Ajoutez la pâte d'épices dans la sauteuse et laissez revenir pendant 3 mn avec les oignons. Versez le reste du vinaigre et le lait de coco. Mélangez, puis remettez les morceaux de canard dans la sauteuse. Couvrez et laissez cuire à feu doux pendant 45 mn, en remuant de temps en temps.
4. Au bout de ce temps, ajoutez le garam masala, mélangez, retirez du feu et servez aussitôt.
Note :
Cette recette est originaire de l'île de Goa. Elle peut également être réalisée avec un poulet.

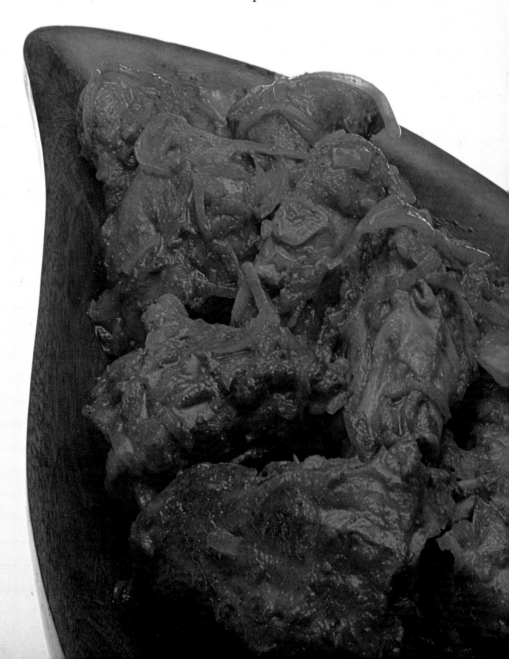

Poulet mariné
au yaourt

Pour 4 personnes
Préparation : 10 mn
Marinade : 12 h
Cuisson : 1 h 05

- 1 poulet de 1,5 kg sans peau
- 1, 75 dl de yaourt entier
- 3 gousses d'ail
- 1 gros oignon
- 1 cuil. à café de gingembre en poudre*
- 1 cuil. à café de curcuma en poudre*
- 1 morceau d'écorce de cannelle de 5 cm*
- 5 clous de girofle*
- 5 cardamomes noires*
- 1 cuil. à café de graines de coriandre*
- 1 cuil. à café de cumin en poudre*
- 1/2 cuil. à café de piment en poudre*
- 1 1/2 cuil. à soupe de noix de coco déshydratée*
- 2 cuil. à soupe d'amandes mondées
- 100 g de ghee*
- sel

1. Pelez 1 gousse d'ail et mettez-la dans le bol d'un mixer avec le yaourt et le curcuma. Faites marcher l'appareil pendant 1 mn.
2. Faites des entailles sur toute la surface du poulet et versez-y le yaourt. Laissez mariner au réfrigérateur pendant 12 heures, en arrosant le poulet de temps en temps.
3. Au bout de ce temps, retirez le poulet du réfrigérateur. Pelez l'oignon et émincez-le. Pelez les autres gousses d'ail et coupez-les en fins éclats.
4. Faites fondre le ghee dans une cocotte et faites-y revenir l'ail et l'oignon pendant 3 mn, en remuant sans arrêt avec une spatule. Ajoutez-le gingembre, la cannelle, les clous de girofle, les cardamomes, les graines de coriandre en les écrasant entre vos doigts, le cumin, le piment et du sel. Mélangez pendant 2 mn.
5. Ajoutez le poulet et sa marinade dans la cocotte, la noix de coco et mélangez bien. Couvrez et laissez mijoter pendant 1 h.
6. 10 mn avant la fin de la cuisson, plongez les amandes dans de l'eau bouillante, puis retirez-les et ôtez la peau brunâtre qui les recouvre. Mettez-les dans une poêle à revêtement antiadhésif et faites-les dorer sans cesser de les remuer avec une spatule.
7. Lorsque le poulet est cuit, mettez-le sur un plat de service et nappez-le de sauce. Otez les cardamomes et les clous de girofle. Parsemez le poulet des amandes grillées et servez aussitôt.
Note :
Cette méthode de préparation du poulet, *korma*, est très populaire en Inde. On peut préparer de la même façon de l'agneau — particulièrement apprécié dans le nord de l'Inde.

Poulet aux légumes ; Poulet mariné au yaourt ; Poulet à la mode de Hyderabad.

Poulet
aux légumes secs

Pour 4 personnes
Préparation et cuisson : 1 h 30

- 1 poulet de 1,5 kg, sans os ni peau
- 250 g de chenna dal*
- 250 g de moong dal*
- 2 gros oignons
- 4 gousses d'ail
- 6 clous de girofle*
- 6 cardamomes noires*
- 1 1/2 cuil. à café de gingembre en poudre*
- 2 cuil. à café de Garam masala* (page 12)
- 500 g d'épinards
- 4 tomates mûres à point
- 150 g de ghee*
- sel

Poulet à la mode d'Hyderabad

Pour 4 personnes
Préparation : 10 mn
Cuisson : 1 h

- 1 poulet de 1,2 kg, sans os ni peau
- la pulpe de 1/2 noix de coco fraîche*
- 1 oignon
- 2 gousses d'ail
- 4 cardamomes noires*
- 4 clous de girofle*
- 1 morceau d'écorce de cannelle de 2,5 cm*
- 2 cuil. à café de Garam masala (page 12)
- 1 cuil. à café de curcuma en poudre*
- 1 cuil. à café de piment en poudre*
- 1 cuil. à café de concentré de tomates
- 100 g de ghee*
- sel

1. Pelez l'oignon et émincez-le. Pelez les gousses d'ail et coupez-les en fins éclats. Coupez le poulet en 10 morceaux. Passez la pulpe de la noix de coco dans une moulinette électrique afin de réduire la pulpe en fines lanières.
2. Faites fondre le ghee dans une cocotte et faites-y revenir ail et oignon à feu doux pendant 2 mn, en remuant avec une spatule. Ajoutez les cardamomes, les clous de girofle, la cannelle, le curcuma, le piment et du sel, et mélangez pendant 3 mn.
3. Ajoutez les morceaux de poulet dans la cocotte et remuez pendant 10 mn, jusqu'à ce que le poulet soit bien doré. Délayez le concentré de tomates dans 2,5 dl d'eau et ajoutez-le dans la cocotte avec la noix de coco. Mélangez, couvrez et laissez mijoter à feu doux pendant 45 mn.
4. Au bout de ce temps, ajoutez le garam masala, mélangez et retirez la cocotte du feu. Otez cannelle, clous de girofle et cardamomes.
5. Mettez le poulet et sa sauce dans un plat creux et servez aussitôt.
Note :
Ce poulet est caractérisé par la présence de noix de coco fraîche ; c'est elle qui donne son goût si particulier et si apprécié à cette préparation.

1. Lavez les deux dals, égouttez-les, puis mettez-les dans une casserole, couvrez-les de 1,5 litre d'eau, portez à ébullition et laissez frémir pendant 20 mn.
2. Pendant ce temps, coupez le poulet en 12 morceaux. Pelez les oignons et l'ail, et hachez-les menu. Lavez les épinards, ôtez-en les tiges et coupez les feuilles en lanières. Plongez les tomates 10 secondes dans de l'eau bouillante, égouttez-les, pelez-les, pressez-les pour en ôter les graines et hachez grossièrement la pulpe.
3. Faites fondre le ghee dans une cocotte et faites-y revenir ail et oignon à feu doux pendant 2 mn. Ajoutez les clous de girofle, le gingembre et les cardamomes, et mélangez pendant 3 mn. Ajoutez ensuite les morceaux de poulet et faites-les dorer pendant 5 mn, en les retournant avec une spatule.

4. Retirez les morceaux de poulet de la cocotte en mettez à leur place tomates et épinards. Faites cuire à feu doux et à couvert pendant 10 mn.
5. Lorsque les dals ont cuit 30 mn, écrasez-les grossièrement à la fourchette, puis ajoutez-les dans la cocotte avec les morceaux de poulet. Salez, couvrez et laissez cuire à feu doux pendant 45 mn.
6. Au bout de ce temps, ajoutez le garam masala, mélangez et retirez du feu. Mettez le poulet, ses légumes et sa sauce — ôtez-en clous de girofle et cardamomes — dans un plat creux et servez.
Notes :
• Si vous ne trouvez pas les deux types de dal, utilisez indifféremment l'un ou l'autre en doublant la quantité.
• Si vous ne trouvez aucun des deux types, utilisez des lentilles de chez nous.

Poulet tandoori

Pour 4 personnes
Préparation : 15 mn
Marinade : 12 h
Cuisson : 45 mn

- 1 poulet de 1,2 kg, sans peau
- 4 cuil. à soupe de jus de citron
- 2 gousses d'ail
- 1 gros oignon
- 1 cuil. à café de gingembre en poudre*
- 1 cuil. à café de graines de coriandre*
- 1/2 cuil. à café de piment en poudre*
- 4 cuil. à soupe de jus de citron
- 2 cuil. à café de sel

Pour servir :
- 1 cœur de laitue
- 1 gros oignon doux
- 1 tomate
- 1 citron

1. Demandez à votre volailler de couper le poulet en 4 morceaux. Faites des entailles au couteau dans la chair du poulet, arrosez-le de jus de citron et frottez-le de sel.
2. Pelez les gousses d'ail et l'oignon et mettez le tout dans le bol d'un mixer. Ajoutez-y le gingembre, les graines de coriandre et le piment. Faites tourner l'appareil jusqu'à ce que vous obteniez une préparation lisse.
3. Mettez le poulet dans une terrine, nappez-le de la préparation précédente et mélangez. Couvrez et laisser mariner au réfrigérateur pendant 12 h.
4. Au bout de ce temps, allumez le four, thermostat 8 (250°). Posez les morceaux de poulet sur la grille du four, au-dessus de la lèchefrite. Lorsque le four est bien chaud, mettez le poulet au four et laissez-le cuire pendant 45 mn, en le retournant plusieurs fois et en l'arrosant de la marinade.

5. Pendant ce temps, effeuillez la salade, lavez-la et essorez-la. Pelez l'oignon et coupez-le en rondelles. Lavez la tomate et coupez-la en tranches. Coupez le citron en quartiers.
6. Lorsque le poulet est cuit, retirez-le du four. Rangez les feuilles de salade sur un plat de service et déposez-y les morceaux de poulet. Rangez tout autour citron, tomate et oignon, et servez.

Notes :
- Vous pouvez déguster ce poulet froid.
- Les Indiens ajoutent à la marinade un peu de colorant rouge, ce qui donne cette couleur bien particulière au poulet une fois cuit.
- Il existe, dans les épiceries indiennes, une pâte pour tandoori à laquelle il est juste nécessaire d'ajouter du yaourt. Il faut ensuite faire mariner et cuire le poulet comme il est indiqué dans la recette.
- Le nom de «tandoori» vient du four où les Indiens font cuire le poulet : le tandoor. C'est une sorte de boîte qui s'ouvre par le dessus et à l'intérieur de laquelle on fait brûler des charbons de bois. Dans ce four sont disposées des grilles sur lesquelles sont posés les aliments à cuire. On fait aussi cuire les Galettes levées (voir page 45) à l'intérieur de ce four, en les collant contre les parois.

Poulet tandoori, servi avec des Galettes levées (voir page 45).

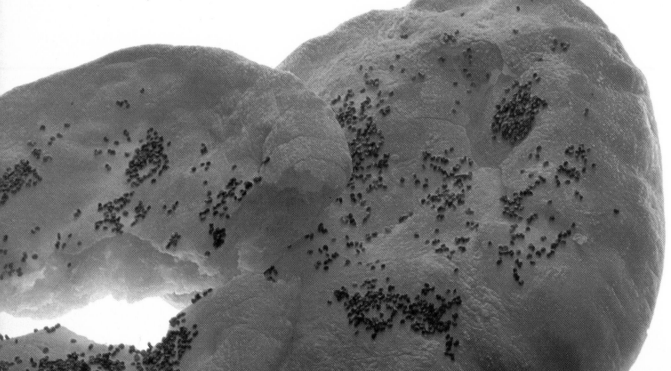

Poulet épicé rôti

Pour 4 personnes
Préparation : 30 mn
Marinade : 12 h
Cuisson : 50 mn

- 1 poulet de 1,5 kg, sans peau, coupé en 8 morceaux
- 1,75 dl de yaourt entier
- 1 oignon
- 3 gousses d'ail
- 3 piments frais*
- 10 cardamomes*
- 10 clous de girofle*
- 1 cuil. à café de gingembre en poudre*
- 1 cuil. à café de poivre noir fraîchement moulu
- 2 pincées de filaments de safran*
- 1 morceau d'écorce de cannelle de 2,5 cm*
- 100 g de ghee*
- sel

1. La veille, pelez les gousses d'ail et l'oignon. Lavez les piments, essuyez-les, coupez-les en deux, ôtez les graines et les pédoncules. Mettez l'ail, l'oignon, les piments et le yaourt dans le bol d'un mixer et faites tourner l'appareil, jusqu'à ce que vous obteniez une crème lisse.
2. Faites des entailles sur les morceaux de poulet, mettez-les dans une terrine, nappez-les de yaourt et laissez mariner pendant 12 h au réfrigérateur en remuant de temps en temps.
3. Le lendemain, mettez le safran dans un bol, versez-y 1 cuillerée à soupe d'eau bouillante et laissez reposer pendant 20 mn.
4. Allumez le four, thermostat 5 1/2 (190 °C). Égouttez les morceaux de poulet et réservez la marinade. Faites fondre le ghee dans une cocotte allant au four et faites-y revenir les morceaux de poulet pendant 15 mn, en les remuant sans arrêt, jusqu'à ce qu'ils soient bien dorés. Ajoutez cardamomes, clous de girofle, cannelle, gingembre, poivre et sel, et remuez pendant 2 mn.
5. Ajoutez la marinade et le safran, avec son eau, dans la cocotte, couvrez et glissez la cocotte au four. Laissez cuire pendant 30 mn, jusqu'à ce que le poulet soit tendre et la sauce épaisse.
6. Mettez le poulet et sa sauce dans un plat creux et servez bien chaud.

1. Pelez l'oignon et émincez-le. Pelez la gousse d'ail et coupez-la en fines lamelles. Lavez les piments, essuyez-les, coupez-les en deux, ôtez les graines et le pédoncule et hachez finement la pulpe.
2. Faites fondre le ghee dans une cocotte, ajoutez-y l'ail et l'oignon et faites-les revenir pendant 3 mn, à feu doux, en remuant avec une spatule. Ajoutez le piment, le curcuma et la coriandre, et remuez encore pendant 2 mn.
3. Ajoutez les morceaux de poulet dans la cocotte et faites-les revenir, jusqu'à ce qu'ils soient dorés de tous côtés. Versez le lait de coco et laissez cuire à feu doux, pendant 45 mn, en retournant le poulet de temps en temps.
4. Versez le jus de citron dans la cocotte et laissez frémir pendant encore 10 mn.
5. Mettez le poulet et son jus dans un plat creux et servez chaud.
Note :
Accompagnez ce plat, originaire de Sri-Lanka (Ceylan), de riz blanc.

Poulet au curry

Pour 4 personnes
Préparation : 20 mn
Cuisson : 1 h

- 1 poulet de 1,5 kg, sans peau, coupé en 8 morceaux
- 6 dl de lait de coco*
- 1 gros oignon
- 4 piments frais*
- 3 gousses d'ail
- 2 cuil. à café de coriandre en poudre*
- 1 1/2 cuil. à café de curcuma en poudre*
- 1 cuil. à soupe de jus de citron
- 50 g de ghee*
- sel

Curry
de porc

Pour 4 personnes
Trempage : 2 h
Préparation et cuisson : 2 h

- 750 g de porc sans os : échine ou palette
- 1 gros oignon
- 3 gousses d'ail
- 2 piments frais*
- 100 g de tamarin*
- 3 clous de girofle*
- 1 morceau de bâton de cannelle de 5 cm*
- 1 cuil. à café de coriandre en poudre*
- 1 cuil. à café de curcuma en poudre*
- 1/2 cuil. à café de piment en poudre*
- 1/2 cuil. à café de graines de cumin*
- 50 g de ghee*
- sel

1. Mettez le tamarin dans une terrine et couvrez-le de 2,5 dl d'eau bouillante. Laissez tremper pendant 2 h.
2. Pendant ce temps, pelez l'oignon et émincez-le. Pelez les gousses d'ail et coupez-les en fines lamelles. Lavez les piments, coupez-les en deux, ôtez les graines et le pédoncule et hachez finement la pulpe. Coupez le porc en cubes de 2,5 cm de côté.
3. Faites fondre le ghee dans une sauteuse et faites-y revenir ail et oignon à feu doux pendant 3 mn, en remuant avec une spatule. Ajoutez le piment, les clous de girofle, la cannelle, la coriandre, le curcuma, le piment en poudre et le cumin. Laissez cuire pendant encore 2 mn, en remuant sans arrêt.
4. Ajoutez les cubes de porc dans la cocotte et laissez-les cuire pendant 5 mn, en les retournant sans arrêt afin qu'ils soient bien enrobés d'épices.
5. Égouttez le tamarin et ôtez les graines. Ajoutez le tamarin et son eau de trempage dans la cocotte. Salez. Portez à ébullition et laissez cuire pendant 1 h 15, en remuant de temps en temps.
6. Au bout de ce temps, mettez le curry dans un plat creux et servez très chaud.

Curry de porc
vindaloo

Pour 4 personnes
Préparation : 20 mn
Cuisson : 1 h 10

- 750 g de porc, sans os : échine ou palette
- 2 dl de vinaigre de vin rouge
- 5 gousses d'ail
- 1 cuil. à café de graines de cardamome*
- 1 cuil. à café de clous de girofle en poudre*
- 1 cuil. à café de gingembre en poudre*
- 1 1/2 cuil. à café de coriandre en poudre*
- 1 cuil. à soupe de piment en poudre*
- 1 1/2 cuil. à café de cumin en poudre*
- 50 g de ghee*
- 1 cuil. à café de poivre noir moulu
- sel

1. Coupez le porc en cubes de 4 cm de côté. Pelez les gousses d'ail et coupez-les en fines lamelles.
2. Mettez la moitié du vinaigre dans une terrine, ajoutez-y les graines de cardamome, les clous de girofle, le gingembre, la coriandre, le piment, le cumin, le poivre et le sel. Mélangez le tout, jusqu'à ce que vous obteniez une pâte. Ajoutez le porc et mélangez.
3. Faites fondre le ghee dans une cocotte, ajoutez-y l'ail en lamelles et faites-le revenir pendant 2 mn, en remuant avec une spatule. Ajoutez le porc et le reste du vinaigre, mélangez, portez à ébullition, couvrez et laissez cuire à feu doux et à couvert pendant 1 h, jusqu'à ce que la viande soit tendre.
4. Mettez la viande et sa sauce dans un plat creux et servez très chaud.
Notes :
- Accompagnez ce plat de Galettes non

Hachis de bœuf épicé, servi avec des Galettes non levées (voir page 44) et du Yaourt maison (voir page 34).

levées (page 44) et de Yaourt maison (page 34).

• Les préparations *vindaloo* sont très épicées ; elles sont originaires du sud du pays. Le porc préparé ainsi est excellent, mais vous pouvez aussi préparer toutes les autres viandes de la même façon.

Hachis de bœuf épicé

Pour 4 personnes
Préparation : 15 mn
Cuisson : 30 mn

- 750 g de bœuf haché
- 2 gros oignons
- 2 gousses d'ail
- 1 cuil. à café de curcuma en poudre*
- 2 cuil. à café de piment en poudre*
- 1/2 cuil. à café de coriandre en poudre*
- 1/2 cuil. à café de graines de cumin*
- 50 g de ghee*
- 1 cuil. à café de poivre fraîchement moulu
- sel

1. Pelez les oignons et émincez-les très finement. Pelez les gousses d'ail et coupez-les en fines lamelles.
2. Faites fondre le ghee dans une poêle et

faites-y revenir ail et oignons à feu doux pendant 5 mn, en remuant avec une spatule. Ajoutez le curcuma, le piment, la coriandre, le cumin et le poivre et laissez cuire pendant 2 mn en tournant sans arrêt.
3. Mettez la viande dans la poêle et laissez cuire pendant 10 mn, en l'écrasant et en la séparant avec une fourchette afin qu'elle cuise uniformément. Salez en fin de cuisson.
4. Servez ce hachis épicé très chaud.
Note :
Vous pouvez agrémenter ce hachis de petits pois ou de cubes de pommes de terre préalablement cuits à l'eau.

Curry de Madras

Pour 4 personnes
Préparation : 15 mn
Cuisson : 1 h 45

- 750 de bœuf : gîte à la noix, macreuse
- 2 gros oignons
- 4 gousses d'ail
- 2 cuil. à café de coriandre en poudre*
- 2 cuil. à café de curcuma en poudre*
- 2 cuil. à café de gingembre en poudre*
- 2 cuil. à café de cumin en poudre*
- 3 cuil. à café de Garam masala (page 12)
- 3 cuil. à café de piment en poudre*
- 100 g de ghee*
- 2 cuil. à café de poivre fraîchement moulu
- sel

1. Pelez l'oignon et émincez-le finement. Pelez les gousses d'ail et coupez-les en fines lamelles. Coupez la viande en cubes de 2,5 cm de côté.
2. Faites fondre le ghee dans une cocotte et faites-y revenir les cubes de viande, jusqu'à ce qu'ils soient bien dorés. Retirez-les avec une écumoire et mettez à leur place l'ail et l'oignon. Laissez-les cuire pendant 3 mn, en remuant à la spatule. Ajoutez la coriandre, le cumin, le gingembre, le curcuma, le piment, le poivre et du sel. Mélangez pendant encore 2 mn.
3. Remettez la viande dans la cocotte et retournez-la dans les épices, jusqu'à ce qu'elle en soit bien enrobée. Versez alors 2,5 dl d'eau, portez à ébullition, couvrez et laissez mijoter pendant 1 h 30.
4. Au bout de ce temps, ajoutez le garam masala dans la cocotte, mélangez et retirez du feu.
5. Mettez la viande et sa sauce dans un plat creux et servez très chaud.
Note :
Ce curry est l'un des plus épicés de toute l'Inde. Accompagnez-le de Riz blanc (page 44).

Curry de Calcutta

Pour 4 personnes
Préparation et cuisson : 2 h 10

- 750 g de bœuf : gîte à la noix, macreuse
- 1 gros oignon
- 1 gousse d'ail
- 2 cuil. à café de coriandre en poudre*
- 1 cuil. à café de curcuma en poudre*
- 1 cuil. à café de cumin en poudre*
- 1 cuil. à soupe de lait
- 50 g de ghee*
- 1 cuil. à café de poivre fraîchement moulu
- sel

Pour servir :
- 1 cuil. à soupe de coriandre ou de menthe fraîche ciselée

1. Coupez le bœuf en cubes de 2.5 cm de côté. Versez 1/2 litre d'eau dans une casserole, portez à ébullition et plongez-y les cubes de bœuf. Laissez frémir pendant 30 mn.
2. Pendant ce temps, pelez l'oignon et émincez-le finement. Pelez la gousse d'ail et coupez-la en fines lamelles. Mettez la coriandre, le curcuma, le poivre, le cumin et du sel dans un bol, ajoutez le lait et travaillez le tout jusqu'à obtention d'une pâte homogène.
3. Lorsque la viande a cuit pendant 30 mn, égouttez-la et faites réduire son eau de cuisson de moitié, à feu vif. Passez-le ensuite à travers une passoire fine.
4. Faites fondre le ghee dans une cocotte et faites-y revenir ail et oignon à feu doux pendant 2 mn. Ajoutez la pâte d'épices et laissez cuire encore 1 mn, en remuant sans arrêt. Ajoutez alors la viande et son eau de cuisson. Portez à ébullition, couvrez et laissez mijoter pendant 1 h 30.
5. Au bout de ce temps, mettez la viande et sa sauce dans un plat creux. Parsemez de coriandre ou de menthe et servez sans attendre.
Note :
Accompagnez ce plat de Riz au safran (page 45).

Boulettes de bœuf au curry

Pour 4 personnes
Préparation : 20 mn
Cuisson : 1 h

- 750 g de bœuf haché
- 3 gros oignons
- 4 gousses d'ail
- 3 cuil. à café de curcuma en poudre*
- 3 cuil. à café de piment en poudre*
- 3 cuil. à café de coriandre en poudre*
- 2 cuil. à café de cumin en poudre*
- 2 cuil. à café de gingembre en poudre*
- 2 œufs
- huile pour friture
- 50 g de ghee*
- sel

Pour servir :
- feuilles de coriandre* ou de menthe fraîche*

1. Pelez les gousses d'ail et les oignons et hachez-les finement. Mélangez le curcuma, le piment, la coriandre, le cumin, le gingembre et du sel dans un bol, puis divisez-le en 2 tas égaux.
2. Mettez le bœuf dans une terrine, ajoutez-y la moitié du hachis d'ail et d'oignon et la moitié des épices. Cassez-y les œufs et travaillez le tout à la fourchette afin d'obtenir une préparation homogène. Séparez-la en 24 boulettes.
3. Faites chauffer l'huile dans une friteuse et plongez-y les boulettes. Laissez-les cuire, jusqu'à ce qu'elles soient bien dorées. Retirez-les avec une écumoire et égouttez-les sur du papier absorbant.
4. Faites fondre le ghee dans une sauteuse et faites-y revenir le reste du hachis d'ail et d'oignon pendant 3 mn, en remuant avec une spatule. Ajoutez le reste d'épices et mélangez pendant encore 2 mn.
5. Ajoutez les boulettes dans la sauteuse et retournez-les dans les épices afin qu'elles soient bien enrobées. Versez 2,5 dl d'eau dans la sauteuse, mélangez, couvrez et laissez mijoter pendant 30 mn.
6. Au bout de ce temps, mettez les boulettes et leur sauce dans un plat creux, décorez de feuilles de coriandre ou de menthe fraîche et servez aussitôt.
Note :
Dégustez ces boulettes avec des Aubergines aux tomates (page 36).

Curry de Calcutta; Boulettes de bœuf au curry, servies avec des Aubergines aux tomates (voir page 36) et du Riz safrané (voir page 45).

Bœuf au yaourt ; Sauté de bœuf express, servi avec du Yaourt au concombre (voir page 35).

Sauté de bœuf express

Pour 4 personnes
Préparation et cuisson : 30 mn

- 750 g de bœuf : rumsteck
- 1 gros oignon
- 3 gousses d'ail
- 1 1/2 cuil. à café de piment en poudre*
- 1 1/2 cuil. à café de cumin en poudre*
- 1 1/2 cuil. à café de Garam masala (page 12)
- 1 piment frais*
- 50 g de ghee*
- 1 cuil. à café de poivre fraîchement moulu
- sel

1. Coupez le bœuf en fines lanières. Pelez l'oignon et émincez-le en très fines lanières. Lavez le piment, coupez-le en deux, ôtez les graines et le pédoncule et hachez la pulpe.
2. Faites fondre le ghee dans une grande poêle et faites-y revenir les lanières de viande à feu vif, en remuant avec une spatule, pendant 5 mn. Retirez-les avec une écumoire et mettez à leur place l'ail et l'oignon. Laissez-les revenir à feu modéré pendant 3 mn, jusqu'à ce qu'ils soient blonds. Ajoutez le piment en poudre, le cumin, le poivre et du sel. Mélangez pendant encore 2 mn.
3. Remettez la viande dans la poêle, ajoutez le piment et mélangez pendant 2 mn.
4. Poudrez la viande de garam masala, mélangez et retirez du feu.
5. Mettez la viande dans un plat creux et servez chaud.
Notes :
- Accompagnez de Riz blanc (page 44), et de Yaourt au concombre (page 35).
- Ce sauté est traditionnellement très sec, avec une sauce très courte. On peut préparer de la même façon des légumes coupés en fines lamelles.

Curry d'agneau

Pour 4 personnes
Préparation : 20 mn
Cuisson : 1 h 10

- 750 g d'agneau : épaule ou gigot, sans os
- 2 gros oignons
- 4 gousses d'ail
- 3 cuil. à café de coriandre en poudre*
- 2 cuil. à café de curcuma en poudre*
- 2 cuil. à café de cumin en poudre*
- 1 piment frais*
- 1 cuil. à café de piment en poudre*
- 100 g de ghee*
- 1 cuil. à café de poivre fraîchement moulu
- sel

1. Coupez l'agneau en cubes de 2,5 cm de côté. Pelez les oignons et émincez-les finement. Pelez les gousses d'ail et coupez-les en fines lamelles. Lavez le piment, coupez-le en deux, ôtez les graines et le pédoncule et hachez finement la pulpe.
2. Faites fondre le ghee dans une cocotte et faites-y dorer les cubes de viande en les remuant avec une spatule. Retirez-les avec une écumoire et mettez à leur place l'ail et les oignons. Laissez-les revenir pendant 2 mn, ajoutez le piment frais, mélangez pendant 1 mn. Ajoutez la coriandre, le curcuma, le cumin, le piment en poudre, le poivre et du sel. Remuez pendant 1 mn, puis remettez les cubes de viande et versez 2,5 dl d'eau. Portez à ébullition, couvrez et laissez cuire pendant 1 h à feu doux.
3. Lorsque la viande est cuite, mettez-la dans un plat creux, nappez-la de sauce et servez tout chaud.

Bœuf au yaourt

Pour 4 personnes
Marinade : 12 h
Préparation et cuisson : 2 h

- 750 g de bœuf : gîte à la noix, macreuse
- 1/2 litre de yaourt entier
- 2 gros oignons
- 4 gousses d'ail
- 2 cuil. à café de gingembre en poudre*
- 2 cuil. à café de coriandre en poudre*
- 2 cuil. à café de piment en poudre*
- 1 cuil. à café de cumin en poudre*
- 2 cuil. à café de curcuma en poudre*
- 2 cuil. à café de Garam masala (page 12)
- 100 g de ghee*
- sel

1. 12 h avant de faire cuire le bœuf, coupez-le en fines lamelles, mettez-le dans une terrine, puis salez et ajoutez le yaourt. Mélangez bien, couvrez et laissez mariner pendant 12 h au réfrigérateur.
2. Au bout de ce temps, retirez la terrine du réfrigérateur. Pelez les oignons et émincez-les finement. Pelez les gousses d'ail et coupez-les en fines lamelles.
3. Faites fondre le ghee dans une cocotte et faites-y revenir ail et oignons à feu modéré pendant 3 mn, en remuant avec une spatule. Ajoutez le gingembre, la coriandre, le piment, le cumin et le curcuma. Mélangez pendant 2 mn, puis ajoutez la viande et sa marinade. Portez à ébullition, couvrez et laissez cuire pendant 1 h 30.
4. Au bout de ce temps, ajoutez le garam masala, mélangez et retirez du feu.
5. Mettez le bœuf et sa sauce dans un plat creux et servez chaud.
Note :
Ce plat du nord de l'Inde peut se préparer avec de l'agneau.

Brochettes d'agneau épicées

Pour 4 personnes
Préparation : 20 mn
Marinade : 12 h
Cuisson : 20 mn

- 750 g d'agneau : épaule ou gigot, sans os
- 3 dl de yaourt entier
- 8 petits oignons
- 1 gros poivron vert
- 4 cuil. à soupe de jus de citron
- 5 gousses d'ail
- 2 cuil. à soupe de vinaigre de vin
- 1 cuil. à café de curcuma en poudre*
- 1 cuil. à café de poivre fraîchement moulu
- sel

1. 12 h avant de commencer la cuisson de l'agneau, préparez une marinade : pelez 4 oignons et les gousses d'ail. Mettez-les dans le bol d'un mixer avec le jus de citron, le vinaigre, le yaourt, le curcuma et le poivre. Salez et faites tourner l'appareil jusqu'à ce que vous obteniez une préparation lisse.
2. Coupez l'agneau en cubes de 2,5 cm de côté. Mettez-les dans une terrine et arrosez-les de marinade. Mélangez, couvrez et laissez mariner au réfrigérateur pendant 12 h.
3. Au bout de ce temps, préparez les braises d'un barbecue ou allumez le grill du four. Pelez les oignons restants et coupez-les en quatre dans le sens de la hauteur. Lavez le poivron, coupez-le en deux, ôtez-en les graines et le pédoncule et coupez la pulpe en morceaux de 2,5 cm de côté.
4. Sortez la viande du réfrigérateur. Enfilez sur des brochettes, en alternance, cubes de viande, morceaux d'oignon et de poivron. Faites griller les brochettes en les retournant souvent et en les arrosant de marinade, pendant 12 mn environ, jusqu'à ce qu'elles soient bien dorées.
5. Mettez les brochettes sur un plat de service et dégustez sans attendre.
Notes :
- Accompagnez ces brochettes très parfumées de Galettes levées (page 45) et de quartiers de citron.
- Ces brochettes se vendent dans la rue, dans toutes les villes du nord de l'Inde ; elles sont grillées sur des barbecues alimentés au charbon de bois.

Agneau épicé au yaourt

Pour 4 personnes
Marinade : 12 h
Préparation et cuisson : 1 h 40

- 750 g d'agneau : épaule ou gigot, sans os
- 4 dl de yaourt entier
- 2 dl de jus de tomate
- 4 gros oignons
- 5 gousses d'ail
- 2 cuil. à café de gingembre en poudre*
- 1 cuil. à café de piment en poudre*
- 2 cuil. à café de cumin en poudre*
- 2 cuil. à café de coriandre en poudre*
- 2 cuil. à soupe de jus de citron
- 150 g de ghee*
- 1 cuil. à café de poivre fraîchement moulu
- sel

1. 12 h avant de commencer la préparation du plat, coupez l'agneau en cubes de 2,5 cm de côté. Mettez-les dans une terrine, ajoutez-y le jus de citron et du sel, mélangez, puis versez le yaourt. Mélangez à nouveau, couvrez et laissez mariner au réfrigérateur.
2. Au bout de 12 h, retirez la terrine du réfrigérateur. Pelez les oignons et émincez-les finement. Pelez les gousses d'ail et coupez-les en fines lamelles.

3. Faites fondre le ghee dans une cocotte et faites-y revenir ail et oignon pendant 3 mn à feu doux. Ajoutez le gingembre, le piment, le cumin, la coriandre, le poivre et du sel. Remuez pendant 2 mn. Ajoutez ensuite la viande et sa marinade et laissez cuire pendant 10 mn, en remuant sans arrêt.
4. Versez le jus de tomate dans la cocotte, mélangez, portez à ébullition, couvrez et laissez cuire pendant 1 h à feu doux.
5. Mettez la viande et sa sauce dans un plat creux et servez aussitôt.
Note :
Ce plat est originaire du nord de l'Inde.

La cuisson des Brochettes d'agneau épicées sur un barbecue au charbon de bois.

Agneau épicé
aux oignons

Pour 4 personnes
Préparation et cuisson : 1 h 45

- 500 g d'agneau : épaule ou gigot, sans os
- 1 kg de gros oignons
- 2 cuil. à soupe de cumin en poudre*
- 1 cuil. à soupe de fenugrec en poudre*
- 1 cuil. à soupe de curcuma en poudre*
- 2 cuil. à soupe de Garam masala (page 12)
- 3 piments frais*
- 150 g de ghee*
- sel

1. Pelez les oignons et émincez-les finement. Faites fondre le ghee dans une cocotte et faites-y revenir les oignons à feu doux pendant 10 mn, en remuant de temps en temps.
2. Coupez la viande en cubes de 2,5 cm de côté. Lavez les piments, coupez-les en deux, ôtez les graines et le pédoncule et hachez finement la pulpe.
3. Au bout de 10 mn de cuisson des oignons, retirez-en la moitié de la cocotte et mettez-y les cubes de viande et les piments. Laissez-les cuire en les remuant sans arrêt, jusqu'à ce que la viande soit bien dorée.
4. Ajoutez dans la cocotte, le cumin, le fenugrec, le curcuma et du sel. Mélangez pendant 2 mn, puis versez 2,5 dl d'eau. Portez à ébullition et laissez cuire pendant 1 h.
5. Au bout de ce temps, ajoutez le reste des oignons et laissez cuire pendant encore 5 mn.
6. Poudrez de garam masala, mélangez et retirez la cocotte du feu.
7. Mettez l'agneau et sa sauce aux oignons dans un plat creux et servez chaud.
Note :
Dopiazah (le nom de cette préparation) est un terme appliqué aux plats contenant une quantité d'oignons double — ou plus — de la normale. *Doh* signifie deux, et *piazah*, oignons. L'intérêt de ce plat est la façon dont les oignons sont cuits : la première moitié donne une sauce moelleuse et liée, tandis que la seconde moitié reste ferme et est, par là même, un véritable légume.

Chutney
à la menthe

Pour 4 personnes
Préparation : 10 mn

- 2 gros bouquets de menthe fraîche*
- 1,5 dl de yaourt entier
- 2 piments frais*
- 3 cuil. à soupe de jus de citron
- sel

1. Lavez la menthe, essorez-la et mettez-en les feuilles dans le bol d'un mixer après en avoir éliminé les tiges. Ajoutez-y le yaourt et du sel.
2. Lavez les piments, coupez-les en deux, ôtez-en les graines et le pédoncule et hachez grossièrement la pulpe. Ajoutez-la dans le bol. Faites tourner l'appareil jusqu'à ce que vous obteniez une préparation lisse. Versez-la dans une terrine et couvrez. Mettez au réfrigérateur jusqu'au moment de servir.
Note :
Vous pouvez préparer ce chutney plusieurs heures avant de le servir ; il accompagnera avec bonheur tous les curries, et il adoucira en particulier ceux qui seront un peu trop épicés.

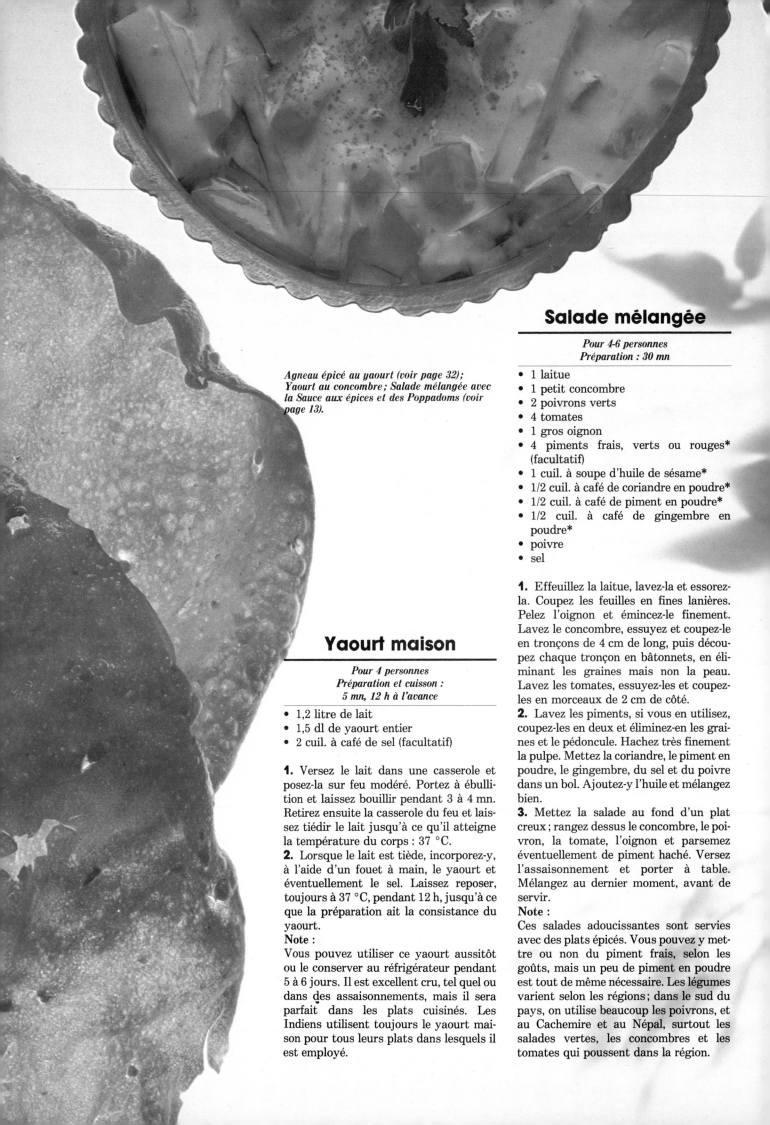

Agneau épicé au yaourt (voir page 32); Yaourt au concombre; Salade mélangée avec la Sauce aux épices et des Poppadoms (voir page 13).

Yaourt maison

Pour 4 personnes
Préparation et cuisson :
5 mn, 12 h à l'avance

- 1,2 litre de lait
- 1,5 dl de yaourt entier
- 2 cuil. à café de sel (facultatif)

1. Versez le lait dans une casserole et posez-la sur feu modéré. Portez à ébullition et laissez bouillir pendant 3 à 4 mn. Retirez ensuite la casserole du feu et laissez tiédir le lait jusqu'à ce qu'il atteigne la température du corps : 37 °C.
2. Lorsque le lait est tiède, incorporez-y, à l'aide d'un fouet à main, le yaourt et éventuellement le sel. Laissez reposer, toujours à 37 °C, pendant 12 h, jusqu'à ce que la préparation ait la consistance du yaourt.
Note :
Vous pouvez utiliser ce yaourt aussitôt ou le conserver au réfrigérateur pendant 5 à 6 jours. Il est excellent cru, tel quel ou dans des assaisonnements, mais il sera parfait dans les plats cuisinés. Les Indiens utilisent toujours le yaourt maison pour tous leurs plats dans lesquels il est employé.

Salade mélangée

Pour 4-6 personnes
Préparation : 30 mn

- 1 laitue
- 1 petit concombre
- 2 poivrons verts
- 4 tomates
- 1 gros oignon
- 4 piments frais, verts ou rouges* (facultatif)
- 1 cuil. à soupe d'huile de sésame*
- 1/2 cuil. à café de coriandre en poudre*
- 1/2 cuil. à café de piment en poudre*
- 1/2 cuil. à café de gingembre en poudre*
- poivre
- sel

1. Effeuillez la laitue, lavez-la et essorez-la. Coupez les feuilles en fines lanières. Pelez l'oignon et émincez-le finement. Lavez le concombre, essuyez et coupez-le en tronçons de 4 cm de long, puis découpez chaque tronçon en bâtonnets, en éliminant les graines mais non la peau. Lavez les tomates, essuyez-les et coupez-les en morceaux de 2 cm de côté.
2. Lavez les piments, si vous en utilisez, coupez-les en deux et éliminez-en les graines et le pédoncule. Hachez très finement la pulpe. Mettez la coriandre, le piment en poudre, le gingembre, du sel et du poivre dans un bol. Ajoutez-y l'huile et mélangez bien.
3. Mettez la salade au fond d'un plat creux ; rangez dessus le concombre, le poivron, la tomate, l'oignon et parsemez éventuellement de piment haché. Versez l'assaisonnement et porter à table. Mélangez au dernier moment, avant de servir.
Note :
Ces salades adoucissantes sont servies avec des plats épicés. Vous pouvez y mettre ou non du piment frais, selon les goûts, mais un peu de piment en poudre est tout de même nécessaire. Les légumes varient selon les régions ; dans le sud du pays, on utilise beaucoup les poivrons, et au Cachemire et au Népal, surtout les salades vertes, les concombres et les tomates qui poussent dans la région.

Yaourt au concombre

Pour 4 personnes
Préparation : 10 mn
Réfrigération : 1 h

- 3 dl de yaourt entier
- 1 petit oignon
- 1 petite tomate (facultatif)
- 1 petit concombre
- sel

Pour servir :
- 2 cuil. à soupe de coriandre fraîche ciselée*
- 1/2 cuil. à café de piment en poudre

1. Lavez éventuellement la tomate et coupez-la en deux ; ôtez-en les graines et hachez finement la pulpe. Pelez l'oignon et hachez-le. Lavez le concombre, essuyez-le, coupez-le en deux et ôtez les graines à l'aide d'une petite cuillère. Coupez-le en fins bâtonnets.
2. Mettez le yaourt dans une terrine, battez-le au fouet à main, en y incorporant le sel. Ajoutez-y les légumes préparés et mélangez. Couvrez et mettez au réfrigérateur. Laissez reposer pendant 1 h.
3. Au bout de ce temps, versez le yaourt au concombre dans un plat creux, poudrez-le de piment et parsemez de coriandre. Servez bien frais.

Notes :
• Cette *Raeta*, appelée aussi chez nous *raïta*, est une préparation à base de yaourt et de légumes. Très peu épicée, elle accompagne tous les curries forts en piment.
• Vous pouvez remplacer le concombre par de la menthe fraîche ou de la coriandre fraîche finement ciselée, par des courgettes ou des aubergines cuites à la poêle dans peu d'huile, puis hachées, ou encore par des pommes de terre cuites à l'eau, puis découpées en petits dés. Servez ce yaourt toujours bien frais et dégustez-le en petite quantité, en en mettant quelques cuillerées dans votre assiette.

Sauce aux épices

Pour 4 personnes
Préparation et cuisson : 15 mn

- 1 gros oignon
- 2 gousses d'ail
- 2 piments frais*
- 1 cuil à café de curcuma en poudre*
- 1/2 cuil. à café de gingembre en poudre*
- 1/2 cuil. à café de cumin en poudre*
- 1/2 cuil. à café de piment en poudre*
- 50 g de ghee*

1. Pelez l'oignon et les gousses d'ail et hachez-les finement. Lavez les piments, coupez-les en deux, ôtez-en les graines et le pédoncule et hachez finement la pulpe.
2. Faites fondre le ghee dans une poêle et faites-y revenir ail et oignon à feu doux, en remuant avec une spatule, pendant 5 mn. Ajoutez alors les piments hachés, le piment en poudre, le cumin, le gingembre et le curcuma. Laissez cuire pendant encore 3 mn, en remuant sans arrêt.
3. Retirez la poêle du feu : la sauce est prête à l'emploi.

Note :
Cette sauce est servie dans le sud de l'Inde, comme accompagnement des plats principaux. D'autres ingrédients peuvent lui être ajoutés : 2 cuillerées de lait de coco, par exemple, en feront un accompagnement idéal pour les plats à base de crevettes.

Aubergines aux tomates

Pour 4 personnes
Préparation : 20 mn
Cuisson : 35 mn

- 500 g d'aubergines longues
- 500 g de tomates mûres
- 1 gros oignon
- 2 gousses d'ail
- 1 morceau de bâton de cannelle de 2,5 cm de long*
- 1 cuil. à soupe de concentré de tomates
- 1 cuil. à café de coriandre en poudre*
- 1 cuil. à café de piment en poudre*
- 100 g de ghee*
- 1 cuil. à café de poivre fraîchement moulu
- sel

1. Pelez l'oignon et émincez-le finement. Pelez les gousses d'ail et coupez-les en lamelles. Lavez les tomates, essuyez-les, coupez-les en deux, ôtez-en les graines et coupez la pulpe en morceaux de 1 cm de côté. Lavez les aubergines, essuyez-les, ne les pelez pas, puis coupez-les dans le sens de la longueur. Coupez chaque demi-aubergine en dés de 1 cm de côté.

2. Faites fondre le ghee dans une sauteuse et faites-y revenir ail et oignon à feu doux pendant 3 mn en remuant avec une spatule. Ajoutez ensuite la cannelle, la coriandre, le piment, le poivre et du sel et laissez cuire pendant encore 2 mn, sans cesser de remuer.

3. Ajoutez les aubergines et les tomates et mélangez-les au contenu de la sauteuse, jusqu'à ce qu'elles soient bien enrobées d'épices. Délayez le concentré de tomates dans 2 dl d'eau tiède et versez ce mélange dans la sauteuse. Remuez et laissez mijoter à feu doux, pendant 30 mn environ, jusqu'à ce que les aubergines soient tendres et la sauce onctueuse. Si ce n'était pas le cas, laissez la cuisson se poursuivre pendant le temps nécessaire à découvert.

4. Lorsque les aubergines aux tomates sont cuites, mettez-les dans un plat creux et servez chaud.

Note :
Ces aubergines sont excellentes avec les plats préparés en *tandoori* (voir Poulet tandoori, page 24).

Épinards aux oignons

Pour 4 personnes
Préparation : 15 mn
Cuisson : 10 mn

- 1 kg d'épinards frais
- 2 gros oignons
- 1 cuil. à soupe de Garam masala (page 12)
- 50 g de ghee*
- sel

1. Équeutez les épinards, lavez-les et essorez-les. Pelez les oignons et coupez-les en rondelles.

2. Faites fondre le ghee dans une sauteuse et faites-y revenir les oignons à feu doux pendant 3 mn, en les remuant avec une spatule. Ajoutez ensuite les épinards, en deux fois, en les retournant dans la sauteuse. Laissez-les cuire pendant 5 à 8 mn, jusqu'à ce qu'ils soient tendres et qu'il n'y ait plus d'eau dans la sauteuse. Salez pendant la cuisson.

3. Lorsque les épinards sont cuits, poudrez-les de garam masala, mélangez et retirez la sauteuse du feu.

4. Servez les épinards tout chauds.

Légumes épicés

Pour 6 personnes
Préparation et cuisson : 1 h

- 1 kg de pommes de terre
- 1 chou-fleur de 500 g
- 2 gros oignons
- 4 gousses d'ail
- 2 cuil. à café de Garam masala (page 12)
- 2 cuil. à café de piment en poudre*
- 2 cuil. à café de curcuma en poudre*
- 1 cuil. à café de coriandre en poudre*
- 100 g de ghee*
- 1/2 cuil. à café de poivre fraîchement moulu
- sel

1. Lavez le chou-fleur et égouttez-le; séparez-le en petits bouquets. Pelez les oignons et émincez-les finement. Pelez les gousses d'ail et coupez-les en lamelles. Pelez les pommes de terre, lavez-les, égouttez-les et coupez-les en cubes de 2,5 cm de côté.

2. Faites fondre le ghee dans une sauteuse et faites-y revenir les pommes de terre pendant 1 mn, en les retournant à l'aide d'une spatule. Retirez-les ensuite avec une écumoire.

3. Mettez ail et oignons à la place des pommes de terre et laissez cuire pendant 5 mn, en remuant de temps en temps. Ajoutez ensuite le piment, le curcuma, la coriandre, le poivre et du sel. Mélangez pendant 2 mn, puis remettez les pommes de terre dans la sauteuse. Versez 1 litre d'eau, portez à ébullition, couvrez et laissez mijoter pendant 10 mn.

4. Au bout de ce temps, ajoutez les petits bouquets de chou-fleur dans la sauteuse et laissez cuire pendant encore 15 mn, ou plus, jusqu'à ce que les légumes soient cuits à point et que la sauce soit épaisse. Si ce n'est pas le cas, laissez la cuisson se poursuivre à découvert.

5. Lorsque les légumes sont cuits, ajoutez le garam masala dans la sauteuse, mélangez et retirez du feu.

6. Mettez les légumes dans un plat creux et servez tout chaud.

Aubergines aux tomates; Légumes épicés; Épinards aux oignons.

Petits pois au fromage

Pour 4 personnes
Préparation : 15 mn
Cuisson : 20 mn

- 500 g de petits pois surgelés
- 500 g de Fromage blanc
  (page ci-contre)
- 2 tomates mûres
- 1 oignon
- 1 cuil. à café de gingembre en poudre*
- 1/2 cuil. à café de cumin en poudre*
- 1/2 cuil. à café de piment en poudre*
- 100 g de ghee*
- sel

1. Coupez le fromage blanc en cubes de 2 cm de côté. Lavez les tomates, essuyez-les, coupez-les en deux, ôtez-en les graines et coupez la pulpe en tous petits carrés. Pelez l'oignon et coupez-le en rondelles.
2. Faites fondre le ghee dans une sauteuse et faites-y dorer les cubes de fromage blanc de tous côtés, puis retirez-les de la sauteuse avec une écumoire et égouttez-les sur du papier absorbant.
3. Mettez l'oignon dans la sauteuse et faites-le revenir pendant 3 mn, à feu doux, en le tournant avec une spatule. Ajoutez le gingembre, le cumin, le piment et du sel. Mélangez pendant 2 mn
4. Mettez les tomates et les petits pois tout gelés dans la sauteuse, mélangez pendant 3 mn, jusqu'à ce que les petits pois soient bien séparés les uns des autres. Ajoutez les cubes de fromage blanc dorés, couvrez et laissez cuire pendant 5 à 8 mn, jusqu'à ce que les petits pois soient cuits.
5. Mettez les petits pois au fromage dans un plat creux et servez chaud.

Fromage blanc

Pour 500 g environ
Préparation et cuisson : 40 mn
Repos : 3 h

- 1,5 litre de lait
- 3 cuil. à soupe de jus de citron
- 1 cuil. à café de sel

1. Versez le lait dans une casserole et portez-le à ébullition. Dès qu'il bout, retirez-le du feu et ajoutez-y le sel et le jus de citron. Laissez-le reposer pendant 5 mn environ pour obtenir d'un côté le fromage et de l'autre le petit lait.
2. Au bout de 5 mn, tapissez une passoire d'une mousseline et versez-y le fromage, délicatement. Laissez-le s'égoutter pendant 30 mn au moins, puis donnez-lui une forme rectangulaire et posez un poids dessus. Laissez reposer le fromage pendant au moins 3 h : il sera moelleux. Vous pouvez aussi le laisser reposer plus longtemps, il sera plus sec.
Note :
Cet excellent fromage entre dans la composition de nombreux plats indiens, où il est cuit, le plus souvent, à la poêle dans du ghee.

Petits pois au fromage ; Gombos épicés.

Gombos à la noix de coco

Pour 4 personnes
Préparation : 30 mn
Cuisson : 10 mn

- 500 g de gombos frais*
- 1 gros oignon
- 3 gousses d'ail
- 2 cuil. à café de noix de coco déshydratée*
- 1 morceau de gingembre frais de 25 g*
- 2 piments frais*
- 1/2 cuil. à café de piment en poudre*
- 50 g de ghee*
- sel

1. Otez la queue des gombos, lavez-les très rapidement sous l'eau courante et coupez-les en tronçons de 1 cm de long. Pelez l'oignon et coupez-le en rondelles. Pelez les gousses d'ail et coupez-les en fines lamelles.
2. Lavez les piments, coupez-les en deux, ôtez-en les graines et le pédoncule et hachez-en finement la pulpe. Pelez le gingembre et râpez-le.
3. Faites fondre le ghee dans une sauteuse, ajoutez-y l'oignon, l'ail, le gingembre, le piment frais et le piment en poudre et faites revenir le tout pendant 5 mn, en remuant avec une spatule.
4. Au bout de ce temps, ajoutez les gombos dans la sauteuse et versez-y 2 dl d'eau. Portez à ébullition, couvrez et laissez cuire pendant 5 mn. Ensuite, enlevez le couvercle, ajoutez la noix de coco, du sel et laissez cuire à découvert pendant 3 mn environ, jusqu'à ce que les gombos soient tendres.
5. Mettez les gombos dans un plat creux et servez sans attendre.

Gombos épicés

Pour 4 personnes
Préparation : 30 mn
Cuisson : 15 mn

- 500 g de gombos frais*
- 1 oignon
- 2 gousses d'ail
- 1 cuil. à café de coriandre en poudre*
- 1 cuil. à café de curcuma en poudre*
- 1/2 cuil. à café de Garam masala (page 12)
- 100 de ghee*
- 1/2 cuil. à café de poivre fraîchement moulu
- sel

1. Otez la queue des gombos, lavez-les très rapidement sous l'eau courante et coupez-les en tronçons de 1 cm de long. Pelez l'oignon et coupez-le en fines rondelles. Pelez les gousses d'ail et coupez-les en fines lamelles.
2. Faites fondre le ghee dans une sauteuse, ajoutez-y l'ail et l'oignon et faites-les revenir pendant 3 mn, en les remuant avec une spatule. Ajoutez-y ensuite la coriandre, le curcuma, le poivre et du sel et mélangez pendant encore 2 mn.
3. Ajoutez les gombos dans la sauteuse, mélangez-les pendant 1 mn afin qu'ils s'imprègnent bien d'épices, puis versez 1,5 dl d'eau. Portez à ébullition, couvrez et laissez cuire pendant 5 mn. Ensuite, enlevez le couvercle et laissez s'évaporer l'eau de cuisson pendant 2 mn, en remuant délicatement.
4. Lorsqu'il n'y a plus d'eau dans la sauteuse, ajoutez-y le garam masala, mélangez et retirez la sauteuse du feu. Mettez les gombos dans un plat creux et servez sans attendre.

Riz sauté

Pour 4-6 personnes
Trempage : 2 h
Préparation et cuisson : 45 mn

- 500 g de riz
- 1 oignon
- 2 gousses d'ail
- 50 g d'amandes mondées
- 10 clous de girofle*
- 10 cardamomes noires*
- 1 morceau d'écorce de cannelle de 5 cm de long*
- 200 g de ghee*
- sel

1. Lavez le riz dans plusieurs eaux, puis couvrez-le d'eau froide et laissez-le tremper pendant 2 h.

2. Au bout de ce temps, pelez l'oignon et émincez-le finement. Pelez les gousses d'ail et coupez-les en fines lamelles. Plongez les amandes dans de l'eau bouillante pendant 1 mn, puis égouttez-les et retirez la peau sombre qui recouvre les fruits. Égouttez le riz.

3. Versez 1,2 litre d'eau dans une casserole et portez à ébullition. Faites fondre le ghee dans une cocotte et faites-y dorer les amandes. Retirez-les ensuite avec une écumoire et égouttez-les sur du papier absorbant.

4. Mettez ail et oignon dans la cocotte et faites-les revenir pendant 2 mn, jusqu'à ce qu'ils soient blonds. Ajoutez le riz et faites-le revenir pendant 3 mn, jusqu'à ce que les grains deviennent translucides et soient bien enrobés de matière grasse. Versez délicatement l'eau, portez à ébullition, ajoutez les clous de girofle, les cardamomes et la cannelle, couvrez et laissez cuire à feu doux et à couvert pendant 20 à 25 mn, jusqu'à ce que le riz soit tendre et ait absorbé toute l'eau de cuisson.

5. Lorsque le riz est cuit, salez-le à votre goût, retirez les clous de girofle, les cardamomes et la cannelle et servez-le tout chaud, parsemé d'amandes dorées.

Riz sauté aux légumes.

Riz sauté aux légumes

Pour 4-6 personnes
Préparation : 30 mn
Cuisson : 25 mn

- 500 g de Riz sauté (page ci-contre)
- 1 gros oignon
- 2 gousses d'ail
- 200 g de carottes
- 200 g de haricots verts
- 200 g de navets
- 100 g de petits pois surgelés
- 1 cuil. à café de piment en poudre*
- 1/2 cuil. à café de graines de cumin*
- 2 cuil. à café de coriandre en poudre*
- 50 g de ghee*
- 1 cuil. à café de poivre fraîchement moulu
- sel

1. Pelez l'oignon et émincez-le. Pelez les gousses d'ail et coupez-les en fines lamelles. Pelez les carottes, lavez-les et coupez-les en quatre dans le sens de la longueur, puis en tronçons de 1 cm. Équeutez les haricots verts, lavez-les et égouttez-les. Pelez les navets, lavez-les et coupez-les en dés de 2 cm de côté.
2. Faites fondre le ghee dans une cocotte et faites-y revenir l'ail et l'oignon pendant 3 mn, sur feu doux. Ajoutez le piment, le cumin, la coriandre et le poivre et mélangez pendant 2 mn. Ajoutez les carottes, les haricots et les navets et mélangez-les pendant 1 mn, afin qu'ils soient bien enrobés d'épices. Versez 1/2 litre d'eau, portez à ébullition, salez, couvrez et laissez cuire pendant 15 mn.
3. Au bout de ce temps, ajoutez les petits pois dans la cocotte et laissez cuire pendant encore 5 mn, jusqu'à ce que les légumes soient cuits à point, enrobés d'une sauce épaisse. Si ce n'est pas le cas, laissez-la réduire à feu vif et à découvert.
4. Lorsque les légumes sont cuits, séparez-les en deux parties égales. Mélangez la première au riz sauté chaud, délicatement et mettez ce mélange dans un plat de service. Ajoutez la seconde moitié de légumes autour et servez chaud.

Riz aux lentilles

Pour 4-6 personnes
Trempage : 2 h
Préparation et cuisson : 45 mn

- 350 g de riz
- 200 g de lentilles oranges*
- 1 gros oignon
- 2 gousses d'ail
- 1 1/2 cuil. à café de curcuma*
- 10 clous de girofle*
- 6 cardamomes noires*
- 1 morceau d'écorce de cannelle de 7 cm de long*
- 100 g de ghee*
- 1 cuil. à café de poivre fraîchement moulu
- sel

1. 2 h avant de préparer le plat, lavez le riz et les lentilles dans plusieurs eaux, égouttez-les, puis mettez-les dans une terrine, couvrez-les largement d'eau froide et laissez-les tremper pendant 2 h.
2. Au bout de ce temps, pelez l'oignon et émincez-le finement. Pelez les gousses d'ail et coupez-les en lamelles. Égouttez le riz et les lentilles.
3. Faites bouillir 9 dl d'eau dans une casserole. Faites fondre le ghee dans une cocotte, ajoutez-y l'ail et l'oignon et faites-les revenir à feu doux pendant 3 mn. Ajoutez le curcuma, les clous de girofle, les cardamomes et la cannelle et mélangez pendant encore 2 mn.

4. Ajoutez le riz et les lentilles dans la cocotte et mélangez-les pendant 5 mn, jusqu'à ce qu'ils soient bien enrobés de ghee et d'épices. Versez ensuite l'eau bouillante, portez à ébullition, couvrez et laissez cuire pendant 30 mn environ, jusqu'à ce que riz et lentilles soient cuits. Salez en fin de cuisson.
5. Mettez le riz et les lentilles dans un plat creux, ôtez les clous de girofle, les cardamomes et la cannelle et servez tout chaud.
Note :
Le *kitcheri* (le nom indien de cette préparation) est toujours un plat de riz soit avec des légumes, soit avec du poisson et des fruits de mer. Il a donné naissance à un plat britannique, le *kedgeree,* qui n'a plus rien à voir avec la recette de base : il s'agit de riz mélangé à un reste de poissons ou de coquillages.

Lentilles rouges en purée

Pour 4 personnes
Préparation et cuisson : 30 mn

- 250 g de lentilles rouges*
- 2 cuil. à café de coriandre en poudre*
- 1 cuil. à café de curcuma en poudre*
- 1/2 cuil. à café de piment en poudre*
- 1 cuil. à café de poivre fraîchement moulu
- 1 gros oignon
- 2 gousses d'ail
- 50 g de ghee*
- 1 cuil. à soupe de vinaigre
- sel

Pour le tarka :

- 1 gousse d'ail
- 1 piment frais*
- 1 cuil. à café de graines de coriandre*
- 1 cuil. à soupe d'huile de sésame*

1. Lavez les lentilles dans plusieurs eaux et égouttez-les. Pelez les gousses d'ail et coupez-les en fines lamelles. Pelez l'oignon et hachez-le menu. Versez le vinaigre dans un bol, ajoutez-y la coriandre, le curcuma, le piment, le poivre et du sel, et réduisez le tout en pâte.

2. Faites fondre le ghee dans une sauteuse et faites-y revenir ail et oignon à feu doux pendant 3 mn, puis ajoutez-y la pâte d'épices et mélangez pendant 3 mn. Ajoutez enfin les lentilles et remuez pendant 1 mn.

3. Versez 6 dl d'eau dans la sauteuse, mélangez, portez à ébullition et laissez cuire pendant 15 mn environ, jusqu'à ce que les lentilles soient très tendres et s'écrasent.

4. Préparez le tarka : lavez le piment, essuyez-le, ôtez-en le pédoncule et les graines et hachez finement la pulpe. Pelez

la gousse d'ail et hachez-la. Mettez l'ail, le piment, les graines de coriandre et l'huile de sésame dans une petite poêle. Faites chauffer le tout à feu très doux, puis retirez du feu.

5. Lorsque les lentilles sont cuites, retirez la sauteuse du feu et ajoutez-y le tarka. Mélangez bien, puis versez les lentilles dans un plat creux et servez sans attendre.

Riz doré à la viande

Pour 4 personnes
Préparation et cuisson : 30 mn

- 350 g de riz basmati*
- 500 g de viande cuite (agneau ou bœuf) ou de poulet cuit
- 1 1/2 cuil. à café de curcuma en poudre*
- 1/2 cuil. à café de coriandre en poudre*
- 4,5 dl de Sauce au curry (page 13)
- sel

Pour servir :

- rondelles de tomates, d'œufs durs, de poivrons
- feuilles de coriandre*
- feuille de varak*

1. Lavez le riz dans plusieurs eaux, puis égouttez-le. Versez 7,5 dl d'eau dans une casserole et portez à ébullition. Ajoutez-y le riz, salez et laissez bouillir pendant exactement 10 mn.

2. Pendant ce temps, versez la sauce au curry dans une cocotte. Découpez la viande ou le poulet en cubes de 2,5 cm de côté et ajoutez-les dans la cocotte avec le curcuma et la coriandre. Posez la cocotte sur feu très doux et laissez chauffer sans atteindre l'ébullition.

3. Lorsque le riz a cuit 10 mn, égouttez-le dans une passoire et ajoutez-le dans la cocotte. Mélangez délicatement pour ne pas briser les morceaux de viande ou de poulet. Couvrez et laissez mijoter à feu très doux pendant 10 à 15 mn, jusqu'à ce que le riz soit cuit.

4. Mettez le riz dans un plat creux, décorez le plat de rondelles de tomates, d'œufs durs et de poivrons et parsemez-le de feuilles de coriandre et de petits morceaux de varak. Servez très chaud.

Note :

La recette de riz doré que nous vous présentons ici a été adaptée pour nos cuisines ; en Inde, il est souvent cuit très longtemps sur les cendres d'un feu de charbon de bois.

Riz doré à la viande.

Riz blanc

Pour 4 personnes
Préparation et cuisson : 50 mn

- 250 g de riz long
- sel

Pour servir :
- feuilles de coriandre fraîche*
- varak*

1. Allumez le four, thermostat 6 (200°). Versez 1/2 litre d'eau dans une casserole et portez à ébullition. Salez.

2. Lavez le riz dans plusieurs eaux et éliminez-en toutes les impuretés. Lorsque l'eau bout, plongez-y le riz et laissez-le cuire pendant 15 mn, jusqu'à ce qu'il soit encore légèrement ferme sous la dent.

3. Lorsque le riz a cuit, retirez la casserole du feu. Versez le riz dans une cocotte pouvant aller au four et fermant hermétiquement ; égalisez la surface du riz. Passez un linge sous l'eau froide et posez-le sur le riz, mettez le couvercle et glissez la cocotte au four. Laissez cuire pendant 30 mn.

4. Au bout de ce temps, retirez la cocotte du four, mettez le riz dans un plat creux, décorez-le de feuilles de coriandre et de morceaux de varak. Servez chaud.

Notes :
- Le meilleur riz pour réaliser cette recette est sans aucun doute le riz *basmati*, aux petits grains allongés ; il est très parfumé et accompagne à merveille la cuisine indienne. Ensuite vient le riz *patna*, d'une qualité légèrement inférieure et qui est surtout beaucoup moins parfumé.
- Ce type de cuisson permet d'obtenir un riz très gonflé, détaché et très léger.

Galettes non levées

Pour 10 galettes
Préparation et cuisson : 45 mn

- 250 g de farine atta*
- 1/2 cuil. à café de sel

1. Tamisez la farine et le sel au-dessus d'une terrine. Faites un puits au centre et versez-y 2 dl d'eau et mélangez peu à peu avec les doigts jusqu'à ce que vous obteniez une pâte homogène. Continuez de travailler la pâte jusqu'à ce qu'elle forme une boule lisse qui se détache des doigts.

2. Séparez la boule de pâte en 10 boulettes. Étalez chaque boulette au rouleau à pâtisserie en un disque de 3 mm d'épaisseur environ.

3. Poudrez une poêle de farine et posez-la sur feu fort. Mettez un disque de pâte dans la poêle et faites-le cuire pendant 3 à 4 mn de chaque côté, jusqu'à ce que des petites bulles sombres apparaissent à la surface de la galette. Gardez-la au chaud. Continuez avec les 9 autres galettes.

4. Servez les galettes toutes chaudes.

Note :
Vous pouvez garder les galettes dans un four chaud jusqu'au moment de les consommer.

Lentilles rouges en purée (voir page 42); Riz blanc; Galettes levées.

Riz safrané

Pour 4 personnes
Préparation et cuisson : 30 mn
Trempage : 30 mn

- 350 g de riz
- 2 gros oignons
- 1/2 cuil. à café de filaments de safran*
- 1 cuil. à café de clous de girofle*
- 4 cardamomes noires*
- 1 cuil. à café de poivre fraîchement moulu
- 100 g de ghee*
- sel

Pour servir :
- varak* (facultatif)

1. Faites bouillir 2 cuillerées à soupe d'eau. Mettez le safran dans un bol, arrosez-le d'eau bouillante et laissez-le reposer pendant 30 mn.
2. Pelez les oignons et émincez-les finement. Lavez le riz dans plusieurs eaux, puis égouttez-le.
3. Faites fondre le ghee dans une sauteuse et faites-y revenir les oignons à feu doux pendant 5 mn, jusqu'à ce qu'ils soient à peine blonds. Ajoutez les clous de girofle, les cardamomes, le poivre et le riz, et mélangez pendant 3 mn à l'aide d'une spatule.
4. Ajoutez le safran et son eau de trempage dans la sauteuse, puis 7,5 dl d'eau. Portez à ébullition, salez et laissez cuire à feu doux et à couvert pendant 15 à 20 mn, jusqu'à ce que le riz soit cuit et que toute l'eau ait été absorbée; si ce n'est pas le cas, laissez la cuisson se poursuivre pendant quelques minutes de plus à feu vif et à découvert.
5. Mettez le riz dans un plat creux et servez-le tout chaud.
Note :
Vous pouvez décorer le riz de varak découpé en petits morceaux.

Galettes levées

Pour 8 galettes
Préparation et cuisson : 45 mn
Repos : 1 h 30

- 250 g de farine
- 1 cuil. à café de levure lyophilisée
- 1/2 cuil. à café de levure chimique
- 1 cuil. à café de sucre
- 1 dl de lait
- 1 dl de yaourt entier
- 1 œuf
- 2 cuil. à café de graines de pavot* (facultatif)
- 1 cuil. à café de sel

1. Versez 1 dl d'eau dans un verre, ajoutez-y le sucre et mélangez avec une fourchette. Versez-y la levure lyophilisée et laissez gonfler dans un endroit tiède : la préparation doit doubler de volume.
2. Délayez le yaourt dans le lait et faites-le tiédir dans une petite casserole.
3. Tamisez la farine, la levure chimique et le sel au-dessus d'une terrine. Faites un puits au centre et versez-y le mélange lait-yaourt et, dès qu'elle a suffisamment gonflé, la levure lyophilisée. Travaillez le tout, d'abord à l'aide d'une spatule, puis avec les doigts en incorporant en cours de travail l'œuf. Lorsque la préparation est homogène et se détache des doigts, couvrez la pâte d'un linge et laissez-la reposer dans un endroit tiède, pendant 1 h 30, ou jusqu'à ce que la préparation ait doublé de volume.
4. Au bout de ce temps, allumez le four, thermostat 7 (220°). Travaillez la pâte une nouvelle fois afin qu'elle retrouve son volume initial, puis séparez-la en 8 boulettes. Travaillez chacune entre vos mains jusqu'à ce qu'elle soit bien ronde, puis aplatissez-la avec le plat de la main. Continuez de la même façon avec les autres boulettes, puis poudrez-les éventuellement de graines de pavot et appuyez sur ces dernières afin qu'elles pénètrent bien dans la pâte.
5. Posez les galettes sur la plaque du four et glissez cette dernière au four. Laissez cuire les galettes pendant 12 mn, jusqu'à ce qu'elles soient dorées et gonflées. Servez-les dès la sortie du four ou laissez-les reposer dans le four éteint jusqu'au dernier moment.
Note :
Ces galettes sont cuites dans le four tandoor, tout comme le Poulet tandoori (voir page 24). Elles sont d'ailleurs servies pour accompagner ce poulet.

La préparation de Galettes frites, de Galettes de farine de pois chiches et de Galettes non levées frites.

Galettes de farine de pois chiches

Pour 6 galettes
Préparation et cuisson : 45 mn

- 250 g de farine de pois chiches
- 175 g de beurre
- 100 g de ghee*
- 1 cuil. à café de sel

1. Tamisez la farine au-dessus d'une terrine, en appuyant bien sur les grumeaux afin de les réduire en poudre. Ajoutez le sel, faites un puits au centre de la farine et versez-y 2 dl d'eau. Travaillez le tout du bout des doigts jusqu'à ce que vous obteniez une pâte homogène.

2. Faites fondre le ghee dans une petite casserole, puis laissez-le tiédir et versez-le dans la terrine. Travaillez à nouveau la pâte jusqu'à ce qu'elle forme une boule lisse qui se détache des doigts.

3. Séparez la boule de pâte en 6 boulettes. Roulez-les entre vos mains afin qu'elles soient bien rondes, puis étalez-les au rouleau à pâtisserie, sur un plan de tra-vail légèrement fariné, en disques de 5 mm d'épaisseur.

4. Faites fondre la moitié du beurre dans une poêle et faites-y cuire les galettes 3 mn de chaque côté, jusqu'à ce qu'elles soient bien dorées.

5. Faites fondre le reste du beurre dans une petite casserole et versez-le tout chaud sur les galettes. Servez-les toutes chaudes.

Note :
La farine de pois chiches donne un goût bien particulier, et excellent, à ces délicieuses galettes. Cette farine est assez difficile à travailler, mais le résultat est nettement supérieur avec cette farine qu'avec de la farine de blé.

Galettes frites

Pour 10 galettes
Préparation et cuisson : 45 mn

- 200 g de farine atta*
- 75 g de ghee*
- huile pour friture
- 1 cuil. à café rase de sel

1. Mettez le ghee dans une petite casserole et faites-le fondre sur feu doux. Retirez du feu et laissez refroidir.
2. Tamisez la farine et le sel au-dessus d'une terrine. Faites un puits au centre et versez-y 1,5 dl d'eau et mélangez peu à peu avec les doigts, afin d'obtenir une pâte homogène. Incorporez-y alors le ghee et continuez de travailler la pâte jusqu'à ce qu'elle forme une boule lisse qui se détache des doigts.
3. Séparez la boule de pâte en 10 boulettes. Étalez chaque boulette au rouleau à pâtisserie en un disque de 3 mm d'épaisseur environ.
4. Faites chauffer l'huile dans une fri-

teuse et, lorsqu'elle est très chaude — non fumante — plongez-y les galettes, l'une après l'autre, et laissez-les cuire pendant 1 mn à 1 mn 30, jusqu'à ce qu'elles soient gonflées et dorées. Arrosez-les d'huile pendant la cuisson.
5. Sortez les galettes de la friteuse à l'aide d'une écumoire et égouttez-les sur du papier absorbant. Gardez-les au chaud (dans un four tiède, par exemple) et servez-les toutes ensemble.
Note :
Ces galettes font partie du petit déjeuner indien.

Galettes non levées frites

Pour 6 galettes
Préparation et cuisson : 45 mn

- 250 g de farine atta*
- 100 g de ghee*
- 1/2 cuil. à café de sel

1. Préparez une pâte selon la recette des Galettes non levées (page 44).
2. Séparez la pâte en 6 boulettes que vous étalez en disques de 3 mm d'épaisseur. Reformez ensuite les boulettes et recommencez 6 fois l'opération. Étalez-les une dernière fois.
3. Faites fondre le ghee dans une poêle et faites-y cuire les galettes de 1 mn à 1 mn 30 de chaque côté, jusqu'à ce qu'elles soient gonflées et dorées.
4. Servez les galettes toutes chaudes. Vous pouvez les garder au chaud dans un four tiède jusqu'au moment de les servir.
Note :
Vous pouvez remplacer, pour la cuisson des galettes, le ghee par du beurre.

Vermicelle sucré

Pour 4 personnes
Préparation et cuisson : 30 mn

- 250 g de vermicelle de blé dur
- 1 cuil. à soupe de raisins secs
- 1 cuil. à soupe d'amandes effilées
- 1 cuil. à soupe de pistaches décortiquées, non salées
- 1 cuil. à soupe d'eau de rose*
- 75 g de ghee*

Pour servir :
- 2 cuil. à soupe de crème fraîche (facultatif)
- 2 cuil. à soupe de sucre
- 2 cuil. à soupe de noix de coco déshydratée*
- varak*

1. Versez de l'eau dans une grande casserole, portez à ébullition, plongez-y les vermicelle et laissez cuire pendant 5 à 8 mn, jusqu'à ce qu'ils soient bien cuits.
2. Pendant ce temps, faites dorer amandes et pistaches dans une poêle à revêtement antiadhésif, en les retournant souvent. Réservez dans une assiette.
3. Lorsque les vermicelle sont cuits, éliminez une partie de l'eau de cuisson, mais laissez-en suffisamment pour que les vermicelle soient juste couverts. Ajoutez le ghee et laissez frémir pendant encore 5 mn, puis retirez la casserole du feu.
4. Ajoutez l'eau de rose, les raisins, les amandes et les pistaches dans la casserole, mélangez délicatement, puis répartissez la préparation dans 4 coupes. Répartissez-y éventuellement la crème fraîche, le sucre et la noix de coco.
5. Décorez les coupes de petits morceaux de varak et servez aussitôt, ou complètement froid.

Petits gâteaux à la semoule

Pour 4 personnes
Préparation : 5 mn
Cuisson : 1 h

- 200 g de semoule fine
- 4 cuil. à soupe de noix de coco déshydratée*
- 400 g de sucre semoule
- 1 cuil. à soupe de graines de pavot*
- 6 cardamomes blanchies*
- 100 g de ghee*

1. Otez les enveloppes des cardamomes et réservez les petites graines de l'intérieur. Mettez-les dans une casserole avec la semoule, la noix de coco, le sucre et les graines de pavot. Mélangez.
2. Versez 6 dl d'eau dans la casserole et posez cette dernière sur feu doux. Portez à ébullition et laissez cuire à feu très doux pendant 1 h, en remuant régulièrement avec une spatule.
3. Au bout de ce temps, faites fondre le ghee dans une petite casserole et versez-le dans la casserole contenant la préparation à la semoule, sans cesser de mélanger. Retirez ensuite la casserole du feu.
4. Versez alors la préparation dans un grand plat passé sous l'eau courante. Étalez la préparation sur une épaisseur de 1/2 cm et égalisez-en la surface à l'aide d'une spatule. Laissez refroidir.
5. Lorsque la préparation est froide, découpez-la en petits triangles ou toute autre forme de votre choix. Dégustez ces petits gâteaux tout frais, ou mettez-les dans une boîte métallique fermant hermétiquement, où ils se conserveront pendant une semaine.
Note :
En Inde, le nom générique des desserts à la semoule est *halwa* ; on en trouve dans tout le pays et ils ont tous des parfums différents.

Salade de fruits épicée

Pour 4 personnes
Préparation : 20 mn
Réfrigération : 2 h

- 1 orange
- 1 banane
- 1 pomme
- 1 poire
- 1 goyave
- 2 cuil. à soupe de jus de citron
- 2 cuil. à café de piment en poudre*
- 1 cuil. à café de gingembre en poudre*
- 1 cuil. à café de Garam masala (page 12)
- 1/2 cuil. à café de poivre fraîchement moulu

1. Pelez tous les fruits. Coupez l'orange en quartiers et ôtez les peaux qui les recouvrent. Coupez la banane en rondelles. Coupez la pomme et la poire en quartiers, ôtez les pépins et le cœur et coupez la pulpe en dés. Coupez la goyave en quatre, puis chaque quartier en trois.

2. Mettez tous les fruits dans une terrine et arrosez-les de jus de citron. Répartissez-les dans 4 coupes.
3. Mettez le piment, le gingembre, le garam masala et le poivre dans un bol, puis poudrez les fruits de ce mélange d'épices. Mettez au réfrigérateur et laissez refroidir pendant 2 h au moins avant de servir.

Note :
Vous pouvez servir ces fruits épicés, soit à la fin d'un repas, soit pour accompagner un plat. Selon les saisons, variez les fruits.

Vermicelle sucré ; Glace aux pistaches et aux amandes ; Petits gâteaux à la semoule.

Glace aux pistaches et aux amandes

Pour 4 personnes
Préparation et cuisson : 30 mn
Réfrigération : 1 h

- 9 dl de lait
- 3 dl de crème liquide
- 50 g de farine de riz*
- 100 g de sucre
- 50 g de pistaches décortiquées, non salées
- 50 g d'amandes mondées

Pour décorer :
- quelques pistaches décortiquées
- quelques morceaux de varak*

1. Versez le lait dans une casserole, posez la casserole sur feu doux et portez à ébullition. Laissez frémir jusqu'à ce que le lait réduise d'un tiers de son volume initial.
2. Pendant ce temps, plongez les amandes et les pistaches dans de l'eau bouillante, puis retirez-les de l'eau par 3 ou 4 et éliminez la peau brunâtre qui les entoure. Hachez grossièrement amandes et pistaches dans une moulinette électrique ou passez-les dans une râpe cylindrique, grille moyenne.
3. Lorsque le lait a réduit, versez-y la crème et la farine de riz en battant au fouet à main. Laissez épaissir le lait pendant 15 mn, en remuant de temps en temps avec une spatule.
4. Au bout de 15 mn de cuisson, ajoutez le sucre et laissez frémir pendant encore 2 mn. Retirez du feu, ajoutez les pistaches et les amandes et laissez refroidir.
5. Versez la préparation dans un bac à glaçons et mettez au réfrigérateur. Laissez refroidir pendant 1 h au moins.
6. Servez la glace dans des coupes avec quelques pistaches et quelques morceaux de varak.

Note :
Traditionnellement, cette glace est moulée dans des moules métalliques en formes de cône (voir illustration), mais vous pouvez la faire glacer comme n'importe quelle autre glace.

Boulettes au fromage blanc

Pour 12-15 boulettes
Préparation et cuisson : 45 mn

- Fromage blanc préparé avec 6 dl de lait (page 39)
- 100 g de semoule de blé dur, fine
- 75 g d'amandes mondées

Pour le sirop :
- 1 kg de sucre semoule
- 1/2 cuil. à café d'eau de rose*

1. Plongez les amandes dans de l'eau bouillante pendant 1 mn, puis égouttez-les et ôtez la peau sombre qui recouvre le fruit. Hachez grossièrement les amandes à l'aide d'un couteau ou passez-les dans une râpe cylindrique, grosse grille.

2. Écrasez finement le fromage blanc à la fourchette et incorporez-y la semoule et les amandes. Travaillez la pâte jusqu'à ce qu'elle soit homogène et se détache des doigts. Faites-en 12 à 15 boulettes.

3. Préparez le sirop : versez 9 dl d'eau dans une casserole, ajoutez-y le sucre et posez la casserole sur feu doux. Portez à ébullition et plongez-y les boulettes. Couvrez et laissez cuire à feu très doux pendant 30 mn, en tournant délicatement de temps en temps.

4. Au bout de ce temps, ajoutez l'eau de rose dans le sirop et retirez du feu. Mélangez délicatement.

5. Mettez les boulettes et leur sirop dans un plat creux et servez sans attendre, ou laissez refroidir pendant 2 h au moins au réfrigérateur avant de servir.

Entremets à la carotte

Pour 4 personnes
Préparation et cuisson : 1 h 15

- 500 g de carottes, pas trop grosses
- 200 g de sucre semoule
- 1,5 litre de lait
- 6 cardamomes blanchies*
- 1 cuil. à soupe de raisins secs sans pépins
- 1 cuil. à soupe d'amandes effilées

1. Pelez les carottes, lavez-les, essuyez-les et râpez-les dans une râpe cylindrique, grosse grille, ou dans un robot. Mettez-les dans une terrine, ajoutez-y le sucre, mélangez et laissez reposer.

2. Versez le lait dans une casserole, ajoutez les cardamomes, portez à ébullition sur feu doux et laissez cuire pendant 45 mn environ, jusqu'à ce que le lait ait réduit de moitié.

3. Au bout de 45 mn de cuisson du lait, ajoutez les carottes dans la casserole, mélangez et laissez cuire pendant environ 15 mn, jusqu'à ce que le lait soit épais et enrobe les carottes.

4. Au bout de ce temps, retirez la casserole du feu, ajoutez les raisins et les amandes, mélangez délicatement. Otez les cardamomes.

5. Servez cet entremets chaud dans un plat creux, ou répartissez-le entre 4 coupelles et mettez-les au réfrigérateur et laissez refroidir pendant 2 h au moins avant de servir.

Beignets en spirales

Pour 4 personnes
Préparation : 10 mn
Repos : 12 h
Cuisson : 20 mn

- 250 g de farine
- 50 g de farine de riz*
- 1/2 cuil. à café de levure chimique
- huile pour friture
- 1/2 cuil. à café de sel

Pour le sirop :
- 1 kg de sucre semoule
- 1/2 cuil. à café d'eau de rose*

1. Préparez la pâte : tamisez les deux farines au-dessus d'une terrine, ajoutez-y le sel et versez-y peu à peu 4 dl d'eau, en délayant les farines à l'aide d'un fouet à main. Lorsque la pâte est fluide, couvrez-la d'un linge et glissez la terrine au réfrigérateur. Laissez reposer pendant au moins 12 h.

2. Ensuite, retirez la pâte du réfrigérateur. Préparez le sirop : versez 9 dl d'eau dans une casserole, ajoutez le sucre, mélangez et posez la casserole sur feu doux. Dès que l'ébullition se produit, retirez la casserole du feu, ajoutez l'eau de rose, mélangez et laissez tiédir.

3. Faites chauffer l'huile pour friture dans une friteuse. Versez la pâte dans une poche à pâtisserie munie d'une douille lisse de 2,5 cm de diamètre. Lorsque l'huile est bien chaude (elle ne doit pas fumer), plongez-y des spirales de pâte que vous formez à l'aide de la poche et de la douille. Laissez cuire les beignets pendant 3 mn, en les retournant, jusqu'à ce qu'ils soient bien dorés.

4. Retirez les beignets avec une écumoire, égouttez-les très vite sur du papier absorbant, puis plongez-les, tout chauds, un à un dans le sirop tiède pendant 30 secondes, en les retournant dans le sirop. Servez-les aussitôt ou complètement froids.

Note :
Ces beignets sont très répandus dans les grandes villes de l'Inde, où des marchands ambulants les font cuire sous vos yeux et vous les vendent chauds. Tout touriste occidental s'arrête le peu de temps que demande leur préparation.

Boulettes au fromage blanc; Beignets en spirales; Entremets à la carotte.

Boulettes aux amandes

Pour 20-25 boulettes
Repos : 2 h
Préparation et cuisson : 45 mn

- 250 g de farine
- 250 g de poudre d'amandes
- 100 g de beurre mou
- 1,5 dl de yaourt entier
- 1 cuil. à café de levure chimique
- huile pour friture

Pour le sirop :
- 500 g de sucre semoule
- 5 clous de girofle*
- 5 cardamomes blanchies*
- 1/2 cuil. à café d'eau de rose*

1. 2 h avant de faire cuire les boulettes, préparez-en la pâte : tamisez la farine au-dessus d'une terrine, ajoutez-y la poudre d'amandes et le beurre en noisettes. Ajoutez la levure chimique et versez le yaourt. Travaillez tous les ingrédients du bout des doigts, jusqu'à ce que vous obteniez un pâte lisse et homogène. Couvrez-la d'un linge et laissez-la reposer pendant 2 h.

2. Au bout de ce temps, préparez le sirop : versez 1/2 litre d'eau dans une casserole, ajoutez-y le sucre, les clous de girofle et les cardamomes. Posez la casserole sur feu doux et portez à ébullition. Dès que le sirop arrive à ébullition, retirez la casserole du feu, ajoutez-y l'eau de rose, mélangez et réservez.

3. Faites, avec la pâte, 20 à 25 boulettes d'environ 2,5 cm de diamètre, en les roulant bien entre vos mains. Faites chauffer l'huile pour friture dans une friteuse ou une poêle sur une hauteur d'au moins 5 cm. Plongez les boulettes dans la friture, par 4 ou 5, et laissez-les cuire, jusqu'à ce qu'elles soient bien blondes. Retirez-les de la friture à l'aide d'une écumoire et égouttez-les sur du papier absorbant.

4. Lorsque les boulettes sont cuites et égouttées, mettez-les dans la casserole contenant le sirop et mélangez-les délicatement. Otez les clous de girofle et les cardamomes avant de servir. Servez tiède ou faites-les réchauffer dans le sirop et servez tout chaud.

Note :
- Vous pouvez aussi faire refroidir ces boulettes dans leur sirop pendant quelques heures au réfrigérateur.

Gâteau
à la noix de coco

Pour 4 personnes
Préparation : 30 mn
Cuisson : 30 mn

- 2 noix de coco*
- 200 g de sucre
- 175 g de farine de riz*
- 2 œufs

Pour le moule :
- 10 g de beurre

1. A l'aide d'une pointe et d'un marteau, percez 2 des 3 trous qui se situent à l'une des extrémités des noix de coco ; faites-en s'écouler le jus, puis passez-le à travers une passoire fine. Sciez les noix en deux, découpez la pulpe, ôtez-en la peau brune et mettez les morceaux dans le bol d'un mixer. Ajoutez-y 4 dl d'eau chaude et faites tourner l'appareil jusqu'à ce que la noix soit finement râpée. Laissez reposer pendant 10 mn, puis passez le contenu du bol à travers une mousseline afin de recueillir tout le lait des noix de coco.

2. Mettez le lait de coco dans une casserole, ajoutez-y le jus de coco, le sucre et la farine de riz. Posez la casserole sur feu doux et portez à ébullition, en remuant sans arrêt avec une spatule. Dès que l'ébullition est atteinte, retirez la casserole du feu et cassez-y les œufs. Battez au fouet à main pendant quelques secondes.

3. Allumez le four, thermostat 5 1/2 (190 °C). Beurrez un moule à manqué de 20 cm de diamètre.

4. Lorsque la préparation est tiède, versez-la dans le moule et glissez-le au four. Laissez cuire pendant 30 mn, jusqu'à ce que la surface du gâteau soit dorée.

5. Lorsque le gâteau est cuit, portez-le à table dans son moule et dégustez-le chaud.

Riz sucré
épicé

Pour 6 personnes
Préparation : 30 mn
Trempage : 2 h
Cuisson : 30 mn

- 500 g de riz
- 100 g de sucre
- 100 g d'amandes mondées
- 100 g de pistaches décortiquées, non salées
- 100 g de raisins de Corinthe
- 10 clous de girofle*
- 10 cardamomes*
- 1 morceau d'écorce de cannelle de 3 cm*
- 2 pincées de filaments de safran*
- 100 g de ghee*

Pour servir :
- 1 feuille de varak*

1. Lavez le riz et égouttez-le. Mettez-le dans une terrine, couvrez-le d'eau froide et laissez-le tremper pendant 2 h.

2. Au bout de ce temps, égouttez le riz et éliminez-en l'eau de trempage. Gardez le riz dans une passoire jusqu'à l'utilisation afin qu'il soit très égoutté.

3. Plongez les amandes et les pistaches dans l'eau bouillante, puis retirez-les de l'eau par 3 ou 4 et éliminez la peau brunâtre qui les entoure.

4. Faites fondre 25 g de ghee dans une casserole et faites-y revenir les raisins, les pistaches et les amandes, en les remuant avec une spatule, pendant 5 mn. Retirez-les avec une écumoire et mettez à leur place 25 g de ghee, les clous de girofle, les cardamomes et la cannelle. Mélangez pendant 5 mn, puis retirez-les avec l'écumoire. Mettez le reste du ghee dans la casserole et, dès qu'il est fondu, le riz. Remuez pendant 5 mn, puis versez 7,5 dl d'eau chaude. Remettez les épices dans la casserole, mélangez, couvrez et laissez cuire pendant 20 mn environ, jusqu'à ce que le riz soit tendre. Ajoutez un peu d'eau pendant la cuisson si celle-ci avait tendance à s'évaporer trop vite.

5. Au bout de ce temps, remettez les raisins, les pistaches et les amandes dans la casserole, mélangez et retirez du feu.

6. Coupez la feuille du varak en petits morceaux. Mettez le riz dans 4 coupes, décorer de varak et dégustez chaud.

Note :
Vous pouvez aussi servir ce riz froid.

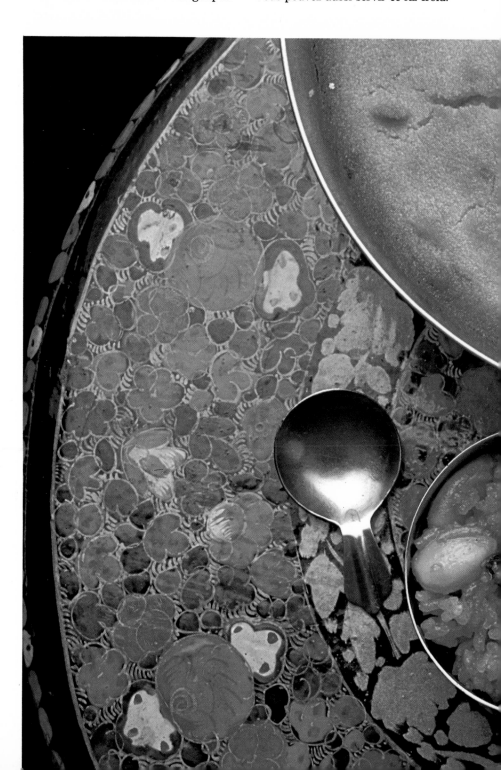

Crème de riz à la rose

Pour 4 personnes
Préparation : 5 mn
Cuisson : 15 mn

- 50 g de farine de riz*
- 100 g de sucre
- 6 dl de lait
- 50 g de pistaches décortiquées, non salées
- 50 g d'amandes mondées
- 1/2 cuil. à café d'eau de rose*

1. Plongez les amandes et les pistaches dans de l'eau bouillante, puis retirez-les de l'eau par 3 ou 4 et éliminez les peaux brunâtres qui les recouvrent.

2. Versez le lait dans une casserole et portez à ébullition, ajoutez-y le sucre et la farine de riz en battant au fouet à main. Ajoutez les amandes et les pistaches et laissez cuire à feu doux, en remuant avec une spatule jusqu'à ce que la préparation épaississe, pendant 15 mn environ.

3. Lorsque la crème de riz est prête, retirez la casserole du feu et ajoutez-y l'eau de rose. Répartissez la préparation entre 4 coupes et servez aussitôt ou complètement froid.

Note :
Ce dessert est servi à l'occasion des fêtes religieuses musulmanes. On met ses plus beaux vêtements pour rendre visite aux amis, avec qui on prend le thé accompagné d'une préparation sucrée.

Gâteau à la noix de coco; Riz sucré épicé; Crème de riz à la rose.

Malaysie Singapour Indonésie

Sri Owen

La Malaysie, Singapour et l'Indonésie : trois pays — dont l'un se réduit à une grande ville (Singapour) — aux paysages variés, aux races et aux cultures différentes, dont l'unité dans l'art de la cuisine semble peu plausible. Pourtant, cette unité existe. Beaucoup des recettes que l'on trouve dans ces régions ont été apportées, puis adaptées, par les différents voyageurs et conquérants qui ont, à travers les siècles, envahi et colonisé nombre de pays d'Asie : Néerlandais, Britanniques, Indiens, Chinois... Il faut aussi noter les points communs entre ces diverses ethnies : grandes consommation de riz, de poissons, de légumes et d'épices (cumin, galanga, citronnelle, gimgembre, clou de girofle, tamarin, canelle et curcuma). Épices que les conquérants allèrent chercher et dont ils firent le commerce ; épices qui sont aujourd'hui utilisées souvent dans notre cuisine, comme la noix muscade, les clous de girofle ou la cannelle, par exemple. Mais d'autres nous sont restées presque inconnues, comme le galanga ou le tamarin, que l'on ne trouve que dans les magasins de produits exotiques ou dans certaines épiceries fines.

Techniques de cuisson et ustensiles

Le mode de cuisson le plus répandu est sans doute la cuisson au charbon de bois : il s'agit d'une sorte de four ouvert chauffé au charbon de bois sur lequel on pose une poêle. La chaleur dégagée par le charbon permet des cuissons rapides, à feu vif ; on trouve donc bon nombre de fritures et de grillades. Les fours sont peu connus, sauf dans les grandes villes, où leur utilisation commence à se développer.

Viandes, poissons et légumes sont coupés en petits morceaux, et leur cuisson est rapide ; elle se fait dans une sorte de poêle au fond arrondi qui porte le nom de *wajan* et qui correspond au *wok* utilisé par les Chinois. Cet ustensile, très pratique pour les cuissons rapides, peut être remplacé dans nos cuisines par une grande poêle.

Le second ustensile est une marmite à vapeur, réservée à la cuisson du riz. Le riz est tout d'abord bouilli dans une marmite ordinaire, puis il finit de cuire dans cette marmite à vapeur, où il absorbe toute l'eau de cuisson ; il reste ensuite à une chaleur constante pendant 10 mn afin d'être parfaitement cuit et gonflé. Cet appareil, enfin, permet de réchauffer le riz cuit à la vapeur.

Le troisième ustensile, peut-être le plus important, est le mortier *(cobek)* et son pilon *(ulek-ulek)*. L'un et l'autre sont généralement taillés dans un bloc de pierre ou dans un morceau de bois dur.

Beaucoup des recettes de ce chapitre comportent de l'ail, des piments et du gingembre. Ces ingrédients sont le plus souvent réduits en pâte dans le pilon, à l'aide du mortier. Aujourd'hui, chez nous, nous utilisons très facilement la moulinette ou le mixer électrique pour réaliser ce genre d'opérations ; mais le résultat obtenu en se servant des traditionnels mortiers et pilons est sans nul doute nettement supérieur.

Les ingrédients

Comme dans les autres pays d'Asie, il faut, bien sûr, citer le riz. Le riz, mais aussi les épices, qui sont tout aussi importantes. En Malaysie et en Indonésie pousse un arbre qui a donné aux plats de ces pays un parfum bien particulier : le cocotier. Son fruit : la noix de coco. On en utilise l'eau, le jus et la pulpe, dont on tire le lait et la crème.

Il faut noter aussi l'importance de cette pâte sombre au parfum très prononcé : la pâte de crevettes. Elle porte le nom de *blachan* en Malaysie, de *trasi* en Indonésie. Il faut l'utiliser en très petites quantités, car son goût peut surprendre nos palais d'Occidentaux.

Cuisine épicée, comme nous l'avons déjà dit, mais aussi cuisine pimentée. Il ne faut pas confondre épicé et pimenté : épicé signifie

comprenant des épices, et pimenté comprenant des piments. Les piments de ces régions sont le *lombok hijau* et le *lombok merah*, piments respectivement vert et rouge, qui sont très forts, mais surtout très parfumés. Il faut aussi noter le *lombok rawit* — que les fleuristes vendent là-bas aussi comme plante décorative —, qui est le plus fort de tous.

Pour adoucir la force des piments, la plupart des plats sont accompagnés de riz blanc nature et de crudités (concombre, carottes, oignons doux); ils sont là pour rafraîchir l'haleine, beaucoup mieux que ne le ferait une boisson fraîche.

Le repas
Le repas familial traditionnel est constitué de riz, servi avec un ou deux plats de légumes et un plat de viande ou de poisson. Tous ces plats sont servis en même temps, sauf les plats sucrés qui, eux, sont apportés à la fin du repas. Les sauces et condiments ne sont pas oubliés, servis à part. Chaque convive se contente d'une petite noix, qu'il dégustera avec son plat. Citons par exemple la Noix de coco aux cacahuètes (voir page 60) ou le Condiment aux piments frais (voir page 83).

On ne mange pas avec des baguettes, mais avec une fourchette. Les couteaux sont inutiles, les ingrédients étant toujours découpés en petits morceaux. Les cuillères sont, elles, réservées aux soupes. A Singapour cependant, on utilise des baguettes pour manger les plats à base de nouilles d'origine chinoise.

La boisson traditionnelle est, bien sûr, le thé de Chine, nature; mais vous pouvez boire, selon vos habitudes, de la bière ou un vin léger.

Les origines des plats
Les recettes que nous vous proposons dans ce chapitre seront familières à ceux qui connaissent déjà le sud-est de l'Asie ou qui fréquentent les restaurants indonésiens ou malaysiens. Les pays d'origine des recettes sont indiqués lorsque cela est justifié (voir Table des recettes, page 220). S'il n'est pas donné de pays, c'est que la préparation se trouve indifféremment en Malaysie, en Indonésie et à Singapour.

Soupe de poulet épicée

Pour 4-6 personnes
Préparation et cuisson : 1 h

- 1 poulet de 1 kg, coupé en 4 morceaux
- 4 à 6 grosses crevettes roses
- 4 échalotes
- 2 gousses d'ail
- 1 pomme de terre
- 75 g de germes de soja*
- 1 cuil. à café de gingembre en poudre*
- 1 pincée de piment en poudre*
- 1 pincée de curcuma*
- 1 cuil. à soupe de sauce de soja légère*
- 4 cuil. à soupe d'huile
- sel
- poivre

Pour servir :
- 4 ou 6 rondelles de citron
- feuilles de coriandre*

1. Versez 1,5 litre d'eau dans une marmite, portez à ébullition, salez et plongez-y les morceaux de poulet et les crevettes. Couvrez et laissez cuire à feu doux pendant 40 mn.

2. Pendant ce temps, pelez les gousses d'ail et les échalotes et hachez-les menu, puis mettez-les dans un mortier et réduisez-les en une pâte. Ajoutez-y le gingembre, puis le piment, le curcuma et du poivre.

3. Au bout de 40 mn de cuisson du poulet et des crevettes, retirez-les du bouillon. Otez la peau du poulet et émiettez la chair en éliminant les os. Pelez les crevettes, ôtez-en les têtes et coupez chaque crevette en 4 ou 5 morceaux. Passez le bouillon et réservez-en 1,2 litre.

4. Faites chauffer 2 cuillerées d'huile dans la cocotte et faites-y revenir la pâte d'échalotes, d'ail et d'épices pendant 1 mn, en remuant avec une spatule. Versez délicatement la moitié du bouillon, ajoutez la sauce de soja, le poulet et les crevettes. Laissez frémir à découvert pendant 10 mm, puis versez le reste du bouillon et laissez frémir pendant encore 10 mn.

5. Pelez la pomme de terre et coupez-la en fines rondelles, lavez-les et égouttez-les. Faites chauffer le reste de l'huile dans une poêle et faites-y cuire les rondelles de pomme de terre et faites-les cuire jusqu'à ce qu'elles soient tendres et dorées sur les bords.

6. Lavez les germes de soja et égouttez-les. Au bout de 20 mn de cuisson du bouillon, ajoutez-y les germes de soja et laissez frémir pendant encore 3 mn.

7. Répartissez les rondelles de pomme de terre dans 4 ou 6 bols, versez-y la soupe au poulet et aux crevettes, décorez d'une rondelle de citron et de feuilles de coriandre. Servez très chaud.

Soupe aux crevettes

Pour 4-6 personnes
Préparation et cuisson : 1 h

- 200 g de crevettes décortiquées surgelées
- 100 g de filet de porc ou de blanc de volaille
- 150 g de vermicelle de riz*
- 1 pâté de haricots de soja*
- 3 dl de lait de coco*
- 2 échalotes
- 4 oignons nouveaux
- 2 gousses d'ail
- 75 g de germes de soja*
- 1 à 2 cuil. à café de Condiment aux piments frais (voir page 83) (facultatif)
- 1 cuil. à café de gingembre en poudre*
- 1 cuil. à café de coriandre en poudre*
- 1/2 cuil. à café de curcuma*
- 1 cuil. à soupe d'huile
- sel
- poivre

1. Versez 6 dl d'eau dans une casserole, portez à ébullition, salez et plongez-y le porc ou le blanc de volaille. Couvrez et laissez cuire à petits frémissements pendant 40 mn.

2. Pendant ce temps, pelez les échalotes et coupez-les en fines rondelles. Pelez les gousses d'ail et hachez-les finement. Otez la première feuille des oignons, lavez-les et coupez-les en tronçons de 1 cm de long.

3. Mettez les vermicelle de riz dans une terrine, couvrez-les d'eau bouillante et laissez-les reposer pendant 5 mn, puis égouttez-les.

Soupe de poulet épicée ; Soupe aux crevettes ; Soupe aux boulettes de viande.

4. Lavez les germes de soja et égouttez-les. Au bout de 40 mn de cuisson du porc ou de la volaille, retirez la viande du bouillon et coupez-le en petits cubes. Passez le bouillon à travers une passoire et réservez-le. Coupez le pâté de soja en cubes de 1 cm de côté.

5. Faites chauffer l'huile dans un wok ou une grande poêle et faites-y revenir les échalotes à feu doux, en remuant avec une spatule, pendant 1 mn. Ajoutez les oignons nouveaux, l'ail, le gingembre, la coriandre, le curcuma et du poivre, et mélangez pendant 30 secondes. Ajoutez la viande et les crevettes toutes gelées. Mélangez pendant 1 mn, puis versez le bouillon réservé. Laissez frémir à découvert pendant 25 mn, en remuant de temps en temps.

6. Au bout de ce temps, ajoutez dans le wok le lait de coco et les vermicelle de riz, et mélangez délicatement pendant 1 mn. Ajoutez le pâté de haricots de soja et les germes de soja et laissez cuire pendant encore 5 mn, en remuant de temps en temps, délicatement.

7. Lorsque le soupe est cuite, versez-la dans une soupière et servez-la toute chaude avec le Condiment aux piments frais à part ; chacun en prendra dans son assiette.

Soupe aux boulettes de viande

Pour 6-8 personnes
Préparation et cuisson : 45 mn

Pour la soupe :
- 100 g de tagliatelle aux œufs
- 4 feuilles de chou chinois*
- 100 g de pois gourmands
- 2 carottes
- 2 oignons nouveaux
- 1,5 litre de bouillon de bœuf
- 3 échalotes
- 2 gousses d'ail
- 2 pincées de gingembre en poudre*
- 1 cuil. à soupe de sauce de soja légère*
- 2 cuil. à soupe d'huile
- sel
- poivre

Pour les boulettes :
- 250 g de bœuf haché
- 3 cuil. à soupe de Maïzena
- 1 blanc d'œuf
- 2 cuil. à café de gros sel
- sel fin

1. Versez une grande quantité d'eau dans une casserole, portez à ébullition, salez et plongez-y les tagliatelle. Laissez-les cuire pendant 5 mn, puis égouttez-les, passez-les sous l'eau courante afin de les refroidir et égouttez-les à nouveau.

2. Préparez les boulettes : mettez la viande hachée dans une terrine, ajoutez-y le blanc d'œuf, la Maïzena et quelques pincées de sel. Mélangez bien, puis formez des boulettes de la taille d'une noisette. Roulez-les entre les paumes de vos mains. Mettez le gros sel dans une terrine avec 6 dl d'eau, mélangez et plongez-y les boulettes. Laissez-les reposer pendant 1 mn.

3. Versez 6 dl d'eau dans une casserole, ajoutez-y une pincée de sel et portez à ébullition. Égouttez les boulettes, puis plongez-les dans l'eau bouillante et laissez-les frémir pendant 5 mn. Retirez-les ensuite à l'aide d'une écumoire et réservez-les.

4. Pendant la cuisson des boulettes, préparez les légumes : pelez les carottes et coupez-les en fines rondelles. Lavez les feuilles de chou chinois et coupez-les en fines lanières. Équeutez les pois gourmands, lavez-les et égouttez-les. Pelez les échalotes et les gousses d'ail et coupez-les en fines rondelles. Otez la première feuille des oignons nouveaux, lavez-les et coupez-les en tronçons de 1 cm de long.

5. Faites chauffer l'huile dans une sauteuse et faites-y revenir ail et échalotes pendant 1 mn, à feu doux, en remuant avec une spatule. Ajoutez le gingembre, la sauce de soja, le bouillon, les oignons nouveaux et les carottes. Laissez frémir pendant 5 mn, puis ajoutez les pois gourmands et les feuilles de chou. Laissez frémir pendant encore 5 mn.

6. Ajoutez les boulettes et les tagliatelle dans la sauteuse, laissez réchauffer le tout pendant encore 2 à 3 mn, puis versez la soupe dans une soupière.

7. Servez cette soupe aux boulettes de viande très chaude.

Notes :
- *Bakso*, ou encore *baso*, est le nom indonésien des boulettes qui entrent dans la composition de cette soupe. Elles peuvent être de viande, de poisson, de crevettes ou de pâté de soja, ou encore un mélange de plusieurs de ces ingrédients. Ici, les boulettes sont à base de viande. Vous pouvez les préparer 1 heure à l'avance et les garder au réfrigérateur, jusqu'au moment de la cuisson.
- La viande doit être très finement hachée ; demandez à votre boucher de la passer deux ou trois fois dans le hachoir.

Soupe de légumes au coco

Pour 4 personnes
Préparation et cuisson : 45 mn

- 1 aubergine moyenne
- 50 g de haricots verts
- 50 g de chou blanc ou de chou-fleur
- 75 g de cresson
- 50 g de crème de coco*
- 4 échalotes
- 2 gousses d'ail
- 1 cuil. à café de pâte de crevettes*
- 25 g de crevettes crues
- 1 piment frais*
- 4 noix de kemiri*
- 2 cuil. à café de coriandre en poudre*
- 1/2 cuil. à café de sucre roux
- sel

1. Lavez l'aubergine, essuyez-la et coupez-la en tranches de 1/2 cm d'épaisseur. Poudrez les tranches d'aubergine de sel et mettez-les dans une passoire. Posez un poids à la surface et laissez l'aubergine dégorger pendant 30 mn.
2. Pelez l'ail et les échalotes et hachez-les grossièrement. Mettez-les dans un mortier avec la pâte de crevettes. Lavez le piment, essuyez-le, coupez-le en deux, ôtez les graines et le pédoncule et hachez grossièrement la pulpe. Ajoutez-la dans le mortier et réduisez le tout en une pâte très fine. Mettez cette pâte dans une petite casserole, ajoutez les crevettes crues et 1,2 dl d'eau. Portez à ébullition et laissez cuire pendant 3 mn.
3. Passez le liquide contenu dans la casserole dans une passoire au-dessus d'une marmite. Ajoutez 1,2 litre d'eau, la coriandre et le sucre. Portez à ébullition.
4. Passez les tranches d'aubergine sous l'eau courante, puis essorez-les. Équeutez les haricots, lavez-les et coupez-les en tronçons de 2,5 cm de long. Lavez le chou et le cresson. Coupez le chou en fines lanières (ou séparez le chou-fleur en tout petits bouquets) et ôtez les tiges dures du cresson.
5. Ajoutez les légumes — sauf le cresson — dans la marmite et, dès la reprise de l'ébullition, comptez 5 mn, à petits frémissements. Ajoutez ensuite le cresson, la crème de coco et mélangez pendant 2 à 4 mn, jusqu'à ce que la crème de coco soit bien dissoute et que la soupe soit bien chaude.
6. Vérifiez l'assaisonnement et versez la soupe dans une soupière. Servez très chaud.
Note :
En Indonésie, on ajoute à la cuisson de la soupe, avec les légumes, 2 feuilles de daun jeruk purut*.

Soupe épicée au bœuf

Pour 6 personnes
Préparation et cuisson : 1 h 45

- 500 g de bœuf : macreuse, paleron...
- 100 g de crevettes décortiquées, surgelées
- 4 noix de kemiri*
- 6 échalotes
- 3 gousses d'ail
- 1 cuil. à café de gingembre en poudre*
- 1 cuil. à café de curcuma en poudre*
- 1/2 cuil. à café de piment en poudre* (facultatif)
- 2 cuil. à soupe d'huile
- sel
- poivre

Pour servir :
- 1 cuil. à soupe de coriandre fraîche ciselée*
- 6 tranches de citron
- 1 cuil. à soupe d'oignon haché revenu à l'huile

1. Versez 1,5 litre d'eau dans une casserole, portez à ébullition, salez, poivrez et plongez-y la viande. Laissez cuire à feu doux et à couvert pendant 40 mn.

2. Pendant ce temps, plongez les crevettes dans de l'eau bouillante pendant quelques minutes afin de les dégeler, puis égouttez-les. Pelez les gousses d'ail et les échalotes. Hachez très finement au couteau ou pilez dans un mortier, les crevettes, les noix de kemiri, les gousses d'ail et 3 échalotes. Hachez les 3 autres échalotes au couteau, finement.

3. Au bout de 40 mn de cuisson de la viande, retirez-la du bouillon et coupez-la en petits dés. Passez le bouillon à travers une passoire fine et réservez-le.

4. Faites chauffer 1 cuillerée d'huile dans une poêle et faites-y revenir le hachis à base de crevettes pendant 1 mn, en le remuant avec une spatule. Ajoutez le curcuma et le gingembre, mélangez, puis versez la moitié du bouillon dans la poêle. Couvrez et laissez cuire pendant 15 mn.

5. Faites chauffer la seconde cuillerée d'huile dans une sauteuse et faites-y revenir les échalotes en les remuant avec une spatule, jusqu'à ce qu'elles soient bien brunes. Ajoutez les dés de bœuf, 2 cuillerées à soupe de bouillon, du sel et le piment. Couvrez pendant 2 mn.

6. Versez le contenu de la poêle dans la sauteuse, puis ajoutez le reste du bouillon de cuisson de la viande. Portez à ébullition et laissez cuire pendant encore 45 mn.

7. Au bout de ce temps, versez la soupe dans une soupière, décorez de coriandre, de citron et d'oignon revenu et servez tout chaud.

Note :
Pour faire revenir l'oignon qui est utilisé pour servir la soupe, procédez ainsi : hachez finement 1 gros oignon, puis faites-le revenir dans 1 cuillerée à soupe d'huile jusqu'à ce qu'il soit bien doré.

Galettes croustillantes aux cacahuètes

Pour 50-55 galettes
Préparation et cuisson : 1 h

- 2 noix de kemiri*
- 1 gousse d'ail
- 100 g de farine de riz*
- 175 g de cacahuètes entières, non salées
- 2 cuil. à café de coriandre en poudre*
- huile pour friture
- 1 cuil. à café de sel

1. Pelez la gousse d'ail. Mettez-la dans un mortier avec les noix de kemiri, la coriandre et le sel. Écrasez le tout au pilon, finement. Ajoutez-y la farine de riz et 2,5 dl d'eau, et travaillez le tout à l'aide d'une spatule jusqu'à ce que vous obteniez une pâte fluide et lisse.

2. Décortiquez les cacahuètes et plongez-les dans la pâte. Mélangez bien.

3. Faites chauffer 6 cuillerées à soupe d'huile dans une grande poêle. Plongez-y, à l'aide d'une cuillère à soupe, un peu de pâte et faites cuire les galettes obtenues pendant 1 mn, en les retournant une fois. Retirez les galettes de la poêle et égouttez-les sur du papier absorbant. Continuez jusqu'à épuisement de la pâte.

4. Lorsque toutes les galettes sont cuites, faites chauffer de l'huile dans une friteuse ou dans un wok. Lorsqu'elle est bien chaude — mais attention, elle ne doit pas fumer —, plongez-y les galettes, 6 à 8 à la fois, et faites-les frire pendant 1 mn, jusqu'à ce qu'elles soient bien dorées. Retournez plusieurs fois les galettes pendant la cuisson.

5. Lorsque les galettes sont cuites, égouttez-les sur du papier absorbant et laissez-les refroidir complètement avant de les servir.

Notes :
- Ces délicieuses galettes peuvent se grignoter à toute heure de la journée et elles seront particulièrement exquises à l'heure de l'apéritif.
- Vous pouvez conserver ces galettes pendant 15 jours dans une boîte métallique fermant hermétiquement.
- Il est important d'utiliser de la farine de riz, très fine, pour réussir ces galettes ; elles ne seront pas aussi croustillantes avec une autre farine.

Galettes craquantes au maïs

Pour 4 personnes
Préparation et cuisson : 30 mn

- 1 boîte de 350 g de grains de maïs
- 75 g de crevettes cuites décortiquées (facultatif)
- 4 échalotes
- 2 gousses d'ail (facultatif)
- 1/2 cuil. à café de piment en poudre*
- 1 cuil. à café de coriandre en poudre*
- 1 œuf
- 6 cuil. à soupe d'huile
- sel

1. Pelez les échalotes et éventuellement les gousses d'ail, et hachez-les menu. Hachez grossièrement la chair des crevettes, si vous en utilisez.

2. Mettez dans une terrine le maïs, les crevettes, le hachis d'ail et d'échalotes, le piment, la coriandre et du sel. Mélangez, puis cassez-y l'œuf et battez le tout avec une fourchette.

3. Faites chauffer l'huile dans une grande poêle. Prenez 1 cuillerée à soupe de la préparation et versez-la dans la poêle dans l'huile chaude. Écrasez-la avec une fourchette et laissez cuire pendant 2 à 3 mn, puis retournez la galette obtenue et laissez-la cuire sur l'autre face, pendant le même temps, jusqu'à ce qu'elle soit dorée. Vous pouvez faire cuire 5 à 6 galettes en même temps.

4. Lorsque les galettes sont cuites, retirez-les de la poêle et égouttez-les sur du papier absorbant.

5. Dégustez ces délicieuses galettes chaudes ou froides.

Note :
Ces galettes peuvent être servies en entrée ou comme accompagnement de n'importe quel plat de légumes.

Galettes croustillantes aux cacahuètes.

Noix de coco
aux cacahuètes

Pour 4 personnes
Préparation et cuisson : 1 h 30

- 75 g de cacahuètes entières, non salées
- 175 g de noix de coco déshydratée*
- 3 noix de kemiri*
- 3 échalotes
- 2 gousses d'ail
- 1 cuil. à café de pâte de crevettes*
- 2 cuil. à café de coriandre en poudre*
- 1 pincée de cumin en poudre*
- 1 pincée de galanga en poudre*
- 1 cuil. à café de sucre roux
- 1 feuille de laurier*
- 25 g de tamarin sec*
- 7 cuil. à soupe d'huile
- sel

1. Décortiquez les cacahuètes. Faites chauffer 5 cuillerées à soupe d'huile dans une poêle et faites-y dorer les cacahuètes, en les remuant avec une spatule. Retirez-les de la poêle, égouttez-les sur du papier absorbant et laissez-les refroidir.
2. Pelez les échalotes et les gousses d'ail. Hachez-les grossièrement et mettez-les dans un mortier avec la pâte de crevettes. Réduisez le tout en une fine pâte. Ajoutez la coriandre, le cumin et le galanga, et mélangez.
3. Mettez le tamarin dans 5 cl d'eau chaude et laissez-le tremper pendant 10 mn. Otez ensuite la pulpe, éliminez-la et réservez le jus de trempage.
4. Faites chauffer le reste de l'huile dans une grande poêle et faites-y revenir la pâte contenue dans le mortier, pendant 1 mn, en remuant avec une spatule. Ajoutez ensuite la noix de coco, le sucre, le jus de trempage du tamarin, la feuille de laurier et du sel. Mélangez pendant 2 mn, puis versez 1,5 dl d'eau et faites cuire jusqu'à ce que toute l'eau ait été absorbée. Couvrez et laissez mijoter à feu très doux pendant 45 mn environ, en remuant de temps en temps, jusqu'à ce que la préparation soit bien dorée.
5. Ajoutez les cacahuètes dans la poêle, mélangez et retirez la poêle du feu.
6. Laissez refroidir, puis mettez la noix de coco aux cacahuètes dans une boîte métallique fermant hermétiquement. Vous la conserverez ainsi pendant une quinzaine de jours.
Note :
Servez cette noix de coco aux cacahuètes en toute petite quantité avec les plats indonésiens.

Chips de crevettes

On appelle *krupuk*, ou *krupuk udang*, les chips de crevettes que l'on déguste en Malaysie et en Indonésie. Ces chips sont un peu différents de ceux que l'on déguste dans les restaurants chinois et qui portent le nom de *kapeng*. Tout comme les *kapeng*, les *krupuk* se présentent sous forme de languettes de pâte sèche de couleur blanchâtre ou à peine rosée. De l'avis des connaisseurs, les *krupuk* sont plus parfumés que les *kapeng*. Vous pourrez les acheter dans les épiceries asiatiques et également dans les grandes surfaces.
Pour faire cuire les *krupuk*, il vous suffit de les plonger dans un bain de friture très chaud. Ces chips gonflent dès qu'ils sont plongés dans l'huile et blondissent. Il faut alors les retirer avec une écumoire, puis les égoutter sur du papier absorbant et les servir tièdes ou complètement froids. Vous pourrez les conserver, une fois cuits, dans une boîte métallique fermant hermétiquement, mais il vous faudra les déguster dans les 24 heures. Les *krupuk* secs se conservent plusieurs mois de la même manière.
Les *krupuk* sont excellents à l'apéritif ou comme accompagnement d'un plat de légumes, où leur côté croquant sera très apprécié.

Beignets
à la viande

Pour 6-8 personnes
Préparation et cuisson : 2 h

Pour la pâte :
- 300 g de farine
- 2 œufs
- 1/2 cuil. à café de sel

Pour la garniture :
- 500 g de viande cuite : agneau ou bœuf
- 2 œufs
- 6 oignons nouveaux
- 2 cuil. à soupe de coriandre fraîche ciselée*
- 2 gros oignons
- 2 gousses d'ail
- 1 cuil. à café de coriandre en poudre*
- 1/2 cuil. à café de cumin en poudre*
- 1/2 cuil. à café de gingembre en poudre*
- 1/2 cuil. à café de piment en poudre*
- 1/2 cuil. à café de curcuma en poudre*
- 2 cuil. à soupe d'huile
- sel

Pour la cuisson :
- huile pour friture

1. Préparez la pâte : tamisez la farine et le sel au-dessus d'une terrine, faites un puits au centre et cassez-y les œufs. Travaillez la pâte du bout des doigts, en y incorporant quelques cuillerées d'eau si la préparation était trop sèche. Continuez à travailler la pâte jusqu'à ce qu'elle forme une boule lisse qui se détache des doigts.
2. Étalez la pâte au rouleau à pâtisserie sur le plan de travail légèrement fariné, le plus finement possible. Coupez la pâte en carrés de 7,5 cm de côté. Rangez les carrés de pâte sur un linge et mettez-les au réfrigérateur pendant que vous préparez la garniture.
3. Préparez la garniture : pelez les gros oignons et les gousses d'ail. Hachez finement l'ail et émincez les oignons. Hachez finement la viande au couteau. Faites chauffer l'huile dans une poêle et faites-y revenir ail et oignons à feu doux, pendant 2 mn, jusqu'à ce qu'ils soient tendres. Ajoutez ensuite la coriandre en poudre, le cumin, le gingembre, le piment, le curcuma et du sel. Mélangez pendant 1 mn, puis ajoutez la viande et remuez pendant encore 2 mn. Retirez la poêle du feu, versez son contenu dans une terrine et laissez refroidir pendant 30 mn.
4. Pendant ce temps, ôtez la première feuille des oignons nouveaux. Lavez les oignons, essorez-les et coupez-les en fines rondelles.
5. Au bout de 30 mn, cassez les œufs dans la terrine, ajoutez les oignons nouveaux et la coriandre fraîche. Mélangez bien jusqu'à obtention d'une préparation homogène.

La préparation des Beignets à la viande.

6. Retirez les carrés de pâte du réfrigérateur et déposez-les sur le plan de travail. Garnissez un carré de pâte de garniture et posez dessus un second carré de pâte. Appuyez bien autour de la garniture afin de souder les deux bords. Continuez jusqu'à épuisement des ingrédients.
7. Faites chauffer l'huile pour friture dans une friteuse et plongez-y les beignets, par 5 ou 6, et laissez-les cuire pendant 2 mn, en les retournant à mi-cuisson. Retirez-les ensuite avec une écumoire et égouttez-les sur du papier absorbant en appuyant sur chaque beignet pour l'aplatir un peu.
8. Servez ces délicieux beignets chauds ou froids, à l'apéritif ou en entrée.
Note :
Ces beignets sont vendus tout chauds dans les rues des grandes villes de Malaysie et d'Indonésie.

Crevettes et échalotes en friture ; Crevettes en sauce au coco ; Boulettes aux crevettes et au soja.

Boulettes aux crevettes et au soja

Pour 4-6 personnes
Préparation : 30 mn
Cuisson : 15 mn environ

- 100 g de crevettes cuites, décortiquées
- 200 g de germes de soja*
- 4 oignons nouveaux
- 2 échalotes
- 2 gousses d'ail
- 2 cuil. à soupe de coriandre fraîche ciselée*
- 2 cuil. à soupe de noix de coco râpée* (facultatif)
- 50 g de farine de riz*
- 1 cuil. à café de levure chimique
- 1 cuil. à café de coriandre en poudre*
- 1 cuil. à café de gingembre en poudre*
- 1/2 cuil. à café de piment en poudre*
- 1 œuf
- huile pour friture
- sel
- poivre

Pour servir :
- tranches de citron

1. Pelez les échalotes et les gousses d'ail. Otez la première feuille des oignons, lavez-les et essorez-les. Hachez finement le tout. Hachez les crevettes au couteau. Lavez les germes de soja dans une terrine remplie d'eau et éliminez les haricots non germés qui tombent au fond. Égouttez les germes de soja.

2. Tamisez la farine de riz, la levure et 1/2 cuillerée à café de sel au-dessus d'un saladier. Ajoutez-y la coriandre en poudre, le gingembre, le piment et du poivre ; mélangez. Faites un puits au centre, cassez-y l'œuf et ajoutez les germes de soja, les crevettes, la coriandre fraîche et le hachis d'ail, d'oignon et d'échalotes, et éventuellement la noix de coco. Mélangez bien le tout jusqu'à ce que vous obteniez une pâte homogène.

3. Formez avec la pâte des boulettes de la taille d'une noix, ou bien faites-en de petites croquettes en écrasant ces boulettes avec le plat de la main.

4. Faites chauffer l'huile dans une friteuse et plongez-y les boulettes, par 6 ou 8. Laissez-les cuire pendant environ 2 mn, en les retournant souvent. Retirez-les ensuite avec une écumoire et égouttez-les sur du papier absorbant.

5. Rangez les boulettes sur un plat de service et décorez de tranches de citron. Dégustez chaud ou froid.

Note :
Ces délicieuses boulettes peuvent être servies en entrée, ou bien en plat principal avec des légumes et du riz.

Crevettes en sauce au coco

Pour 4 personnes
Préparation et cuisson : 45 mn

- 500 g de grosses crevettes roses, décortiquées
- 1,5 dl de lait de coco*
- 4 œufs durs
- 5 noix de kemiri*
- 3 piments frais*
- 1 petit oignon
- 2 gousses d'ail
- 1 cuil. à café de pâte de crevettes*
- 2 cuil. à café de coriandre en poudre*
- 1 cuil. à café de gingembre en poudre*
- 1/2 cuil. à café de citronnelle en poudre*
- 2 pincées de galanga*
- 3 tomates mûres à point
- 1 feuille de laurier*
- 2 feuilles de daun jeruk purut*
- 75 g de pois gourmands
- 2 cuil. à soupe d'huile
- sel

Pour servir :
- rondelles de citron

1. Coupez les crevettes en deux dans le sens de la longueur. Équeutez les pois gourmands, lavez-les et essorez-les. Écalez les œufs durs et coupez-les en deux. Plongez les tomates 10 secondes dans de l'eau bouillante, passez-les sous l'eau courante pour les rafraîchir, puis pelez-les, coupez-les en deux et pressez-les pour en éliminer les graines. Hachez grossièrement la pulpe.
2. Pelez l'ail et l'oignon et hachez-les grossièrement. Lavez les piments, coupez-les en deux, ôtez-en les graines et le pédoncule et hachez grossièrement la pulpe. Mettez dans un mortier ail, oignon, piment et pâte de crevettes et réduisez le tout en une fine pâte. Ajoutez-y la coriandre, le gingembre, la citronnelle et le galanga ; mélangez.
3. Faites chauffer l'huile dans une poêle et faites-y revenir la pâte précédente pendant 1 mn, en remuant avec une spatule. Ajoutez les crevettes, les tomates et du sel. Mélangez, couvrez et laissez cuire pendant 2 mn. Ajoutez ensuite la feuille de laurier, les feuilles de daun jeruk purut et 1,5 dl d'eau. Laissez cuire à découvert pendant 5 mn.
4. Au bout de ce temps, ajoutez le lait de coco et les œufs durs et laissez mijoter pendant encore 8 mn. Ajoutez ensuite les pois gourmands et laissez cuire pendant 3 mn, à découvert, jusqu'à ce qu'ils soient encore croquants et que la sauce soit épaisse.
5. Mettez les crevettes et leur sauce dans un plat de service, décorez de rondelles de citron et servez.

Crevettes et échalotes en friture

Pour 4 personnes
Préparation et cuisson : 1 h

- 500 g de crevettes roses décortiquées
- 4 échalotes
- 25 g de tamarin séché*
- 1 pincée de curcuma en poudre*
- 1/2 cuil. à café de gingembre en poudre*
- 2 gousses d'ail
- 1 cuil. à café de sauce de soja légère*
- huile pour friture

Pour la pâte à frire :
- 7 cuil. à soupe de farine de riz*
- 1 petit œuf
- sel
- poivre

1. Mettez le tamarin dans un bol, ajoutez-y 5 cl d'eau chaude et laissez tremper. Pelez les échalotes et coupez-les en fines rondelles. Pelez les gousses d'ail et passez-les au presse-ail au-dessus d'une terrine.
2. Au bout de 15 mn de trempage du tamarin, retirez-le du bol et éliminez-le ; passez son eau de trempage dans une passoire au-dessus de la terrine. Ajoutez-y la sauce de soja, le gingembre, le curcuma, les crevettes et les échalotes, en séparant celles-ci en anneaux. Mélangez et laissez mariner pendant 30 mn.
3. Préparez la pâte : tamisez la farine de riz et 1/2 cuillerée à café de sel au-dessus d'un saladier. Ajoutez-y du poivre et faites un puits au centre. Cassez-y l'œuf et ajoutez-y 5 cuillerées à soupe d'eau. Travaillez le tout avec un fouet jusqu'à ce que vous obteniez une pâte fluide et sans grumeaux. Si c'était le cas, passez la pâte à travers une passoire.
4. Au bout de 30 mn de marinade, égouttez les crevettes et les échalotes et plongez-les dans la pâte. Mélangez.
5. Faites chauffer l'huile dans une grande poêle, sur une hauteur d'au moins 5 cm. Lorsque l'huile est bien chaude, plongez-y les crevettes et les anneaux d'échalote, jusqu'à ce qu'ils couvrent le fond de la poêle et laissez-les cuire pendant 2 à 3 mn, en les retournant à mi-cuisson, jusqu'à ce qu'ils soient dorés.
6. Retirez les crevettes et les anneaux d'échalotes avec une écumoire, égouttez-les sur du papier absorbant ; servez chaud ou froid.

Note :
Vous pouvez servir cette friture en apéritif ou en plat principal avec un légume ou du riz.

Boulettes au fromage de soja et aux crevettes

Pour 4 personnes
Préparation et cuisson : 45 mn

- 2 pâtés de soja*
- 250 g de crevettes décortiquées
- 2 gousses d'ail
- 1 œuf
- 1 cuil. à soupe de Maïzena
- huile pour friture
- sel
- poivre

Pour la sauce :
- 3 grosses tomates mûres à point
- 2 échalotes
- 1 gousse d'ail
- 1 cuil. à soupe de sauce de soja légère*
- 2 cuil. à café de jus de citron
- 2 cuil. à café de sucre
- 50 g de pois gourmands

Pour servir :
- rondelles d'oignon
- coriandre fraîche ciselée*

1. Préparez les boulettes : pelez les gousses d'ail et passez-les au presse-ail au-dessus d'une terrine. Hachez finement les crevettes au couteau et ajoutez-les dans la terrine. Écrasez finement les pâtés de soja et ajoutez-les dans la terrine avec du sel, du poivre et la Maïzena. Cassez-y l'œuf et mélangez bien avec une fourchette, jusqu'à ce que vous obteniez une pâte lisse et homogène. Séparez la préparation en boulettes de la taille d'une noix. Roulez-les entre vos mains jusqu'à ce qu'elles soient bien lisses.

2. Faites chauffer l'huile dans une friteuse et plongez-y les boulettes, par 6 ou 8. Laissez-les cuire pendant 3 mn environ, en les retournant plusieurs fois, jusqu'à ce qu'elles soient bien dorées. Retirez-les avec une écumoire et égouttez-les sur du papier absorbant.

3. Préparez la sauce : lavez les tomates, essuyez-les et hachez-les grossièrement tout en éliminant les graines. Pelez les échalotes et coupez-les en fines rondelles. Pelez la gousse d'ail et hachez-la très finement. Équeutez les pois gourmands, lavez-les et égouttez-les.

4. Mettez les tomates, les échalotes et l'ail dans une casserole ; versez-y 1,5 dl d'eau, portez à ébullition et laissez bouillir pendant 5 mn. Passez ensuite la préparation dans une passoire au-dessus d'une autre casserole, puis ajoutez la sauce de soja, le jus de citron, le sucre et les pois gourmands. Portez à ébullition et laissez frémir pendant 3 mn.

5. Plongez les boulettes dans la sauce et laissez-les réchauffer pendant 1 mn.

6. Mettez les boulettes et leur sauce dans un plat creux, décorez de rondelles d'oignon et de coriandre ciselée. Servez tout chaud.

Pinces de crabes pimentées

Pour 4 personnes
Préparation et cuisson : 30 mn

- 8 pinces de crabes, fraîches ou surgelées, cuites
- 1 cuil. à soupe de jus de citron
- 3 cuil. à soupe d'huile
- sel

Pour la sauce :
- 5 piments frais*
- 1 oignon
- 2 gousses d'ail
- 1 cuil. à café de gingembre en poudre*
- 2 tomates mûres à point
- 1 cuil. à café de sucre
- 1 cuil. à soupe de sauce de soja légère*
- 2 cuil. à soupe d'huile

1. Faites chauffer l'huile dans une poêle et faites-y revenir les pinces de crabes pendant 5 mn à feu vif en les retournant avec une spatule. Ajoutez le jus de citron et du sel, mélangez et gardez au chaud.

2. Préparez la sauce : lavez les piments, essuyez-les, coupez-les en deux, ôtez les graines et le pédoncule et hachez grossièrement la pulpe. Pelez les gousses d'ail et l'oignon et hachez-les grossièrement. Mettez les piments, l'ail et l'oignon dans un mortier, et réduisez le tout en une fine pâte ; ajoutez-y le gingembre et mélangez.

3. Plongez les tomates 10 secondes dans de l'eau bouillante, passez-les sous l'eau courante, pelez-les et coupez-les en deux ; pressez-les pour en éliminer les graines et hachez grossièrement la pulpe.

4. Faites chauffer l'huile dans une poêle et faites-y revenir la pâte à base de piment pendant 1 mn, en remuant avec une spatule ; ajoutez les tomates, le sucre et la sauce de soja et mélangez pendant 2 mn. Ajoutez 3 cuillerées à soupe d'eau, du sel et laissez frémir pendant 1 mn.

5. Mettez les pinces de crabes et le jus qui est resté dans la poêle où elles ont cuit dans la seconde poêle, mélangez et retirez du feu.

6. Mettez les pinces de crabes et leur sauce dans un plat creux. Servez tout chaud.

Pinces de crabes pimentées ; Boulettes au fromage de soja et aux crevettes ; Calmars en sauce pimentée.

Calmars en friture

Pour 4 personnes
Préparation et cuisson : 30 mn
Marinade : 2 h

- 750 g de calmars, pas trop gros
- 25 g de tamarin séché*
- 1/2 cuil. à café de curcuma*
- 1 cuil. à café de gingembre en poudre*
- 2 pincées de piment en poudre*
- 4 échalotes
- 3 gousses d'ail
- 1 cuil. à café de sauce de soja*
- huile pour friture
- sel

1. Mettez le tamarin dans un bol, ajoutez-y 4 cuillerées à soupe d'eau chaude et laissez tremper pendant 15 mn.

2. Videz les calmars, coupez les corps en rondelles et les tentacules en tronçons de 2,5 cm de long. Pelez les échalotes et les gousses d'ail et hachez-les menu. Mettez ce hachis dans une terrine, ajoutez-y le piment, la sauce de soja, le gingembre, le curcuma, du sel et l'eau de trempage du tamarin après l'avoir passée à travers une passoire ; mélangez. Ajoutez les calmars et laissez mariner pendant 2 h au moins, en mélangeant de temps en temps.

3. Au bout de ce temps, égouttez les calmars de la marinade et éliminez-la. Faites chauffer l'huile dans une friteuse et, dès qu'elle est bien chaude, plongez-y les calmars et laissez-les frire pendant 5 mn environ, en les retournant plusieurs fois jusqu'à ce qu'ils soient bien dorés.

4. Retirez les calmars de la friture avec une écumoire, égouttez-les sur du papier absorbant, puis rangez-les sur un plat de service. Dégustez tout chaud.

Note :
Vous pouvez servir ces calmars en friture comme entrée ou en plat principal, en les accompagnant de riz et de légumes.

Calmars en sauce pimentée

Pour 4-6 personnes
Préparation et cuisson : 30 mn

- 1 kg de calmars pas trop gros
- 5 noix de kemiri*
- 6 piments rouges frais*
- 6 échalotes
- 1 cuil. à café de pâte de crevettes*
- 2 cuil. à café de gingembre en poudre*
- 2 pincées de cumin en poudre*
- 2 pincées de curcuma en poudre*
- 1 cuil. à soupe de vinaigre d'alcool
- 25 g de tamarin séché*
- 1 cuil. à café de sucre roux
- 2 cuil. à soupe d'huile
- sel

1. Videz les calmars, coupez les tentacules en tronçons de 1 cm de long et les corps en carrés de 1 cm de côté. Versez le vinaigre et 6 dl d'eau dans une terrine, rincez-y les morceaux de calmars, puis éliminez cette eau vinaigrée.

2. Lavez les piments, essuyez-les, coupez-les en deux, éliminez-en les graines et le pédoncule et hachez grossièrement la pulpe. Pelez les échalotes et hachez-les grossièrement. Mettez les piments et les échalotes dans un mortier et ajoutez-y les noix de kemiri et la pâte de crevettes. Réduisez le tout en une fine pâte. Ajoutez-y le gingembre, le cumin, le curcuma et mélangez. Mettez le tamarin dans un bol, versez-y 3 cuillerées à soupe d'eau chaude et laissez tremper.

3. Faites chauffer l'huile dans une grande poêle et faites-y revenir la pâte d'épices pendant 1 mn en remuant avec une spatule. Ajoutez-y les calmars et mélangez pendant 3 mn. Versez ensuite l'eau de trempage du tamarin, en la passant à travers une passoire, 1,5 dl d'eau, salez, sucrez et laissez cuire à feu modéré pendant 5 mn.

4. Mettez les calmars et leur sauce dans un plat creux. Dégustez tout chaud.

Poisson au four

Pour 4 personnes
Préparation et cuisson : 1 h 15

- 1 morceau de poisson de 1,5 kg : lieu noir, cabillaud
- 10 échalotes
- 4 gousses d'ail
- 1 morceau de gingembre frais de 2 cm*
- 4 bâtonnets de citronnelle fraîche*
- 3 piments verts frais*
- 1 1/2 cuil. à café de curcuma*
- 3 cuil. à soupe de menthe fraîche ciselée*
- 3 clous de girofle*
- 2 pincées de noix muscade en poudre*
- 2 pincées de cumin en poudre*
- 2 cuil. à café de sucre en poudre
- 1 cuil. à soupe de sauce de soja*
- 2 cuil. à soupe de jus de citron
- 300 g de crème de coco*
- 1 cuil. à soupe d'huile d'olive

1. Allumez le four, thermostat 6 (200°). Faites des entailles sur toute la surface du poisson. Pelez les échalotes et coupez-les en fines rondelles. Pelez les gousses d'ail et coupez-les en fins éclats. Pelez le gingembre et coupez-le en fines tranches. Hachez finement la citronnelle. Lavez le piment et coupez-le en fines rondelles.
2. Versez le jus de citron et la sauce de soja dans une terrine, ajoutez-y l'ail, l'échalote, le gingembre, la citronnelle, le piment, le curcuma, la menthe, les clous de girofle, la noix muscade et le sucre. Mélangez bien le tout et recouvrez de cette pâte toute la surface du poisson.
3. Huilez un plat à four et posez-y le poisson. Couvrez-le d'une feuille de papier d'aluminium et glissez le plat au four. Laissez cuire pendant 45 mn.
4. Au bout de ce temps, retirez le plat du four et posez le poisson dans un plat de service supportant la chaleur. Versez la crème de coco dans le plat de cuisson de poisson et portez la sauce à ébullition. Nappez le poisson de cette sauce.
5. Allumez le gril du four et passez le plat au gril pendant quelques minutes, jusqu'à ce que la sauce commence à caraméliser. Retournez deux ou trois fois le poisson pendant cette cuisson.
6. Servez ce poisson chaud ou froid.

Truites aux épices

Pour 4 personnes
Préparation : 20 mn
Cuisson : 1 h

- 8 petites truites, prêtes à cuire
- 10 feuilles de chou vert
- 8 noix de kemiri*
- 4 piments rouges frais*
- 8 échalotes
- 4 gousses d'ail
- 2 cuil. à café de gingembre en poudre*
- 1/2 cuil. à café de galanga en poudre*
- 1 cuil. à café de curcuma*
- 750 g de crème de coco*
- 50 g de tamarin séché*
- 10 feuilles de menthe fraîche*
- sel

1. Lavez les feuilles de chou et essorez-les. Passez les poissons sous l'eau courante et essuyez-les, frottez-les de sel. Mettez le tamarin dans un bol et couvrez-le de 1 dl d'eau chaude.
2. Lavez les piments, essuyez-les, coupez-les en deux et ôtez les graines et le pédoncule. Pelez l'ail et les échalotes. Hachez grossièrement ces trois ingrédients, puis mettez-les dans un mortier avec les noix de kemiri et réduisez le tout en une fine pâte. Ajoutez le gingembre, le galanga, le curcuma, l'eau de trempage du tamarin, en la passant à travers une passoire, et du sel. Mélangez bien le tout.
3. Étalez des feuilles de chou au fond d'une petite sauteuse pouvant contenir 4 truites les unes à côté des autres. Rangez les truites sur ce lit de feuilles de chou et continuez jusqu'à épuisement des ingrédients, en terminant par des feuilles de chou. Parsemez le tout de feuilles de menthe, puis nappez le tout du contenu du mortier.
4. Couvrez la sauteuse et posez-la sur un feu très doux. Laissez cuire pendant 1 h.
5. Au bout de ce temps, retirez délicatement les truites et les feuilles de chou de la sauteuse et rangez-les sur un plat de service. Servez tout chaud.
Note :
Ce plat est traditionnellement préparé avec des feuilles de fougère. Mais le chou vert convient parfaitement à cette préparation. En Indonésie, on prépare ce plat en grande quantité, puis on le garde au réfrigérateur et on en réchauffe la quantité nécessaire au dernier moment.

Poisson grillé en sauce aux piments

Pour 4 personnes
Préparation et cuisson : 50 mn

- 4 truites arc-en-ciel, prêtes à cuire
- 4 cuil. à soupe de jus de citron vert*
- 2 gousses d'ail
- sel
Pour la sauce :
- 2 tomates mûres à point
- 2 piments rouges frais*
- 25 g de pâte de crevettes*
- 2 échalotes
- 1 cuil. à café de sauce de soja*

Truites aux épices; Poisson au four.

1. Allumez le gril du four. Faites des entailles sur toute la surface des poissons. Pelez les gousses d'ail et passez-les au presse-ail au-dessus d'un bol. Ajoutez-y le jus de citron, mélangez et passez les truites dans ce jus. Laissez mariner pendant 30 mn.

2. Pendant ce temps, préparez la sauce : plongez les tomates 10 secondes dans de l'eau bouillante, égouttez-les, passez-les sous l'eau courante, pelez-les, pressez-les pour en éliminer les graines et hachez grossièrement la pulpe. Pelez les échalotes et hachez-les menu. Lavez les piments, essuyez-les, coupez-les en deux et ôtez-en les graines et le pédoncule ; hachez grossièrement la pulpe.

3. Mettez les échalotes, le piment et la pâte de crevettes dans une casserole et placez-la près du gril et laissez griller le tout pendant 1 mn. Retirez ensuite la casserole du four, ajoutez-y les tomates et la sauce de soja. Écrasez le tout à l'aide d'un pilon.

4. Au bout de 30 mn de marinade, mettez les truites dans un plat à four, glissez-les au four et laissez-les cuire pendant 15 mn, en les retournant à mi-cuisson.

5. Au bout de ce temps, rangez les truites dans un plat à four. Faites chauffer la sauce contenue dans la casserole et versez-la sur les poissons. Glissez le plat de service au four et laissez griller pendant encore 1 mn. Servez très chaud.

Poulet grillé

Pour 4 personnes
Préparation et cuisson : 2 h

- 1 poulet de 1,2 kg coupé en 8 morceaux
- 5 échalotes
- 4 gousses d'ail
- 2 cuil. à café de coriandre en poudre*
- 1/2 cuil. à café de cumin en poudre*
- 2 pincées de noix muscade rapée*
- huile pour friture
- sel

1. Versez 9 dl d'eau dans une marmite, ajoutez-y le cumin, la coriandre, la noix muscade et du sel. Pelez l'ail et les échalotes et coupez-les en fines lamelles. Ajoutez-les dans la marmite avec le poulet et portez à ébullition. Couvrez à demi et laissez cuire pendant 1 h, jusqu'à ce que le poulet soit tendre et que toute l'eau de cuisson se soit évaporée.
2. Retirez le poulet de la marmite et laissez-le refroidir.
3. Lorsque le poulet est froid, versez l'huile pour friture dans une friteuse. Faites-la chauffer et plongez-y les morceaux de poulet. Laissez-les cuire pendant environ 10 mn, en les retournant souvent, jusqu'à ce qu'ils soient bien dorés.
4. Retirez les morceaux de poulet de la friture à l'aide d'une écumoire et égouttez-les sur du papier absorbant. Servez tout chaud.
Note :
En Indonésie, on fait toujours bouillir les morceaux de poulet avant de les faire griller. Cette première opération peut se faire soit dans de l'eau, soit dans un bouillon parfumé, ou encore dans du lait de coco.

Poulet rôti et mariné

Pour 4 personnes
Préparation et cuisson : 1 h 10
Marinade : 1 h

- 1 poulet de 1,2 kg prêt à cuire
- 2 cuil. à soupe de sauce de soja*
- 2 échalotes
- 2 gousses d'ail
- 1/2 cuil. à café de piment en poudre*
- 2 cuil. à soupe de jus de citron vert*
- 2 cuil. à café d'huile de sésame*
- sel

1. Allumez le four, thermostat 6 (200°). Salez le poulet sur toute sa surface, puis posez-le dans un plat à four. Dès que le four est chaud, glissez-y le plat et laissez cuire le poulet pendant 1 h.
2. Pendant ce temps, préparez la marinade : pelez les échalotes et coupez-les en très fines rondelles. Pelez les gousses d'ail et passez-les au presse-ail au-dessus d'une terrine. Ajoutez-y les échalotes, la sauce de soja, le piment, le jus de citron et l'huile de sésame. Mélangez bien.
3. Lorsque le poulet est cuit, retirez-le du four et coupez-le en 4 morceaux. Nappez les morceaux de poulet de marinade et laissez-les reposer pendant 1 h, en les retournant de temps en temps dans la marinade.
4. Au bout de ce temps, allumez le gril du four. Rangez les morceaux de poulet dans un plat à four et faites-les réchauffer, pendant 5 mn de chaque côté.
5. Rangez les morceaux de poulet dans un plat de service et servez chaud.

Curry de poulet à l'indonésienne

Pour 4 personnes
Préparation : 20 mn
Cuisson : 1 h 30

- 1 poulet de 1,2 kg, coupé en 8 morceaux
- 8 échalotes
- 2 gousses d'ail
- 4 noix de kemiri*
- 600 g de crème de coco*
- 1 cuil. à café de gingembre en poudre*
- 1 cuil. à café de piment en poudre*
- 1 cuil. à café de curcuma en poudre*
- 1 feuille de laurier*
- sel

1. Pelez les échalotes et les gousses d'ail et mettez-les dans le bol d'un mixer avec les noix de kemiri et 2 cuillerées à soupe d'eau. Faites tourner l'appareil jusqu'à ce que vous obteniez une pâte lisse.
2. Versez le contenu du mixer dans une cocotte, ajoutez la crème de coco, le gingembre, le piment, le curcuma, la feuille de laurier, du sel et les morceaux de poulet. Portez à ébullition sur feu doux, couvrez et laissez cuire pendant 1 h.
3. Au bout de ce temps, retirez le couvercle de la cocotte et laissez cuire encore 10 mn environ, jusqu'à ce que la sauce épaississe.
4. Mettez les morceaux de poulet et leur sauce dans un plat de service et dégustez tout chaud.
Note :
Vous pouvez préparer ce plat à l'avance et le faire réchauffer au moment de servir ; il n'en sera que plus parfumé.

Poulet grillé ; Curry de poulet à l'indonésienne ; Poulet rôti et mariné.

Brochettes de poulet

Pour 4 personnes
Préparation et cuisson : 15 mn
Marinade : 1 h

- 1 kg de blanc de poulet, sans os
- 1 cuil. à soupe de sauce de soja*
- 2 échalotes
- 1 gousse d'ail
- 2 pincées de piment en poudre*
- 1 cuil. à soupe de jus de citron

1. Coupez le poulet en cubes de 2,5 cm de côté. Pelez les échalotes et hachez-les menu. Pelez la gousse d'ail et passez-la au presse-ail au-dessus d'une terrine. Ajoutez les échalotes, le piment, le jus de citron, la sauce de soja et les cubes de poulet. Mélangez et laissez mariner pendant 1 h.

2. Au bout de ce temps, allumez le gril du four, ou préparez des braises. Répartissez les cubes de poulet sur 4 brochettes en bambou et posez-les sur la grille du four posée sur la plaque. Glissez le tout au four et laissez cuire pendant 6 mn, en retournant souvent les brochettes.

3. Lorsque les brochettes sont cuites, mettez-les sur un plat de service et dégustez-les toutes chaudes.

Notes :

- On appelle saté* ou *satay* n'importe quelle brochette de viande, de poisson ou de poulet.
- Ces brochettes peuvent être dégustées en entrée avec des rondelles de concombre, ou en plat principal avec un légume et des Cubes de riz (voir recette page 81).
- Vous pouvez servir ces brochettes avec la sauce de l'Agneau à la sauce aux cacahuètes (voir recette page 74).

Brochettes de porc

Pour 4 personnes
Préparation et cuisson : 30 mn
Marinade : 3 h

- 750 g de porc : filet, palette
- 2 cuil. à soupe de sauce de soja légère*
- 2 gousses d'ail
- 2 échalotes
- 2 cuil. à café de quatre-épices*
- 1 cuil. à soupe de miel liquide
- poivre

1. Pelez les échalotes et hachez-les menu. Pelez les gousses d'ail et passez-les au presse-ail au-dessus d'une terrine. Ajoutez-y les échalotes, la sauce de soja, les quatre-épices, le miel et du poivre. Mélangez bien.
2. Coupez le porc en dés de 2 cm de côté, mettez-les dans la terrine, mélangez bien et laissez mariner pendant 3 h, en remuant de temps en temps.
3. Au bout de ce temps, allumez le gril du four ou préparez des braises. Enfilez les morceaux de porc sur 4 brochettes en bambou et faites cuire les brochettes sur la grille du four, pendant 10 mn, en les retournant souvent.
4. Lorsque les brochettes sont cuites, mettez-les sur un plat et dégustez tout chaud.

Porc en sauce au soja

Pour 4 personnes
Préparation et cuisson : 45 mn

- 750 g de filet de porc désossé
- 4 gousses d'ail
- 2 cuil. à soupe de farine
- 1 cuil. à soupe de sauce de soja légère*
- 75 g de champignons chinois séchés*
- 1 cuil. à café de gingembre en poudre*
- 5 oignons nouveaux
- 3 cuil. à soupe de sauce de soja*
- 1 cuil. à café de vinaigre d'alcool
- 2 cuil. à soupe de saké*
- 4 cuil. à soupe d'huile
- poivre

1. Pelez 2 gousses d'ail et passez-les au presse-ail au-dessus d'une terrine. Ajoutez-y la sauce de soja légère et la farine ; mélangez.
2. Coupez le porc en dés de 3 cm de côté et mettez-les dans la terrine. Mélangez et laissez mariner pendant 30 mn, en remuant de temps en temps.
3. Mettez les champignons dans un bol, couvrez-les d'eau tiède et laissez-les gonfler pendant 25 mn. Otez la première feuille des oignons, lavez-les, essorez-les et coupez-les en rondelles de 1/2 cm d'épaisseur. Pelez les 2 autres gousses d'ail et coupez-les en fines tranches.
4. Au bout de 25 mn, retirez les champignons de l'eau et coupez-les en 4 morceaux.
5. Faites chauffer l'huile dans un wok et faites-y revenir la moitié de la viande, en l'égouttant de sa marinade. Mélangez pendant 3 mn, puis retirez la viande et mettez ensuite dans le wok la seconde partie de la viande, toujours en l'égouttant. Retirez-la après 3 mn de cuisson.
6. Mettez les champignons, l'ail en tranches et le gingembre dans le wok et remuez pendant 2 mn. Ajoutez les oignons, la marinade, la sauce de soja, le vinaigre, le saké et du poivre. Mélangez pendant 1 mn, puis remettez la viande dans le wok. Remuez pendant 2 mn, puis retirez du feu.
7. Mettez la viande et sa sauce dans un plat et servez aussitôt.

Canard en sauce au piment vert

Pour 4 personnes
Préparation et cuisson : 1 h 30,
24 h à l'avance

- 1 canard de 1,7 kg, coupé en 8 morceaux
- 10 piments verts frais*
- 8 noix de kemiri*
- 10 échalotes
- 4 gousses d'ail
- 2 cuil. à café de gingembre en poudre*
- 1/2 cuil. à café de curcuma en poudre*
- 1/2 cuil. à café de citronnelle en poudre*
- 25 g de tamarin séché*
- 1 feuille de laurier*
- 2 oignons nouveaux
- 3 cuil. à soupe de beurre de coco*
- sel

1. Mettez le tamarin dans un bol et versez-y 3 cuillerées à soupe d'eau chaude. Lavez les piments, coupez-les en deux, ôtez-en les graines et le pédoncule et hachez grossièrement la pulpe. Mettez cette pulpe dans un mortier avec les noix de kemiri et réduisez le tout en une fine pâte. Pelez les gousses d'ail et les échalotes et coupez-les en fines tranches.
2. Faites fondre le beurre de coco dans une sauteuse et faites-y revenir l'ail et les échalotes pendant 1 mn, puis ajoutez le contenu du mortier et remuez pendant encore 1 mn. Ajoutez les morceaux de canard, le gingembre, le curcuma, la citronnelle, l'eau de trempage du tamarin, en la passant à travers une passoire, la feuille de laurier et du sel. Mélangez, couvrez et laissez cuire pendant 45 mn, à feu doux.
3. Pendant ce temps, enlevez la première feuille des oignons nouveaux, lavez-les et coupez-les en fines rondelles.
4. Au bout de 45 mn de cuisson du canard, ajoutez 3 dl d'eau et les oignons dans la sauteuse et laissez cuire pendant 20 mn, à découvert, en mélangeant de temps en temps.
5. Lorsque le canard est cuit, laissez-le refroidir, puis mettez-le au réfrigérateur, avec sa sauce, pendant 24 h.
6. 24 h plus tard, ôtez le gras à la surface de la sauce, faites réchauffer le canard et sa sauce à feu doux et ôtez le laurier de la sauce.
7. Mettez le canard et sa sauce dans un plat de service et dégustez chaud.

Canard en sauce au piment vert, servi avec du Riz blanc nature (voir page 80) et des Carottes et chou-fleur en sauté (voir page 75); Porc en sauce au soja, servi avec des Haricots verts épicés (voir page 77).

Émincés de bœuf au piment

Pour 4 personnes
Préparation et cuisson : 30 mn
Marinade : 3 h

- 750 g de bœuf : rumsteck ou faux-filet
- 2 cuil. à soupe de coriandre en poudre*
- 25 g de tamarin séché*
- 1 cuil. à café de sucre roux en poudre
- 8 piments rouges frais*
- 4 échalotes
- 2 gousses d'ail
- 6 cuil. à soupe d'huile
- 1 cuil. à café de jus de citron
- sel
- poivre

1. 3 h avant de commencer la cuisson de la viande, coupez-la en fines tranches carrées de 5 cm de côté. Mettez le tamarin dans un bol et versez-y 2 cuillerées à soupe d'eau bouillante.
2. Étalez les tranches de viande dans un grand plat, en une seule couche et poudrez-les de coriandre, sucre, sel, poivre et versez-y l'eau de trempage du tamarin, en la passant à travers une passoire. Retournez les tranches dans cette marinade, puis laissez-les reposer pendant 3 h.
3. Pendant ce temps, pelez les échalotes et les gousses d'ail. Lavez les piments, coupez-les en deux et ôtez-en les graines et le pédoncule. Hachez grossièrement ces trois ingrédients et écrasez-les dans un mortier, sans les réduire en pâte.

4. Au bout de 3 h de marinade, faites chauffer l'huile dans une grande poêle et faites-y revenir les tranches de viande pendant 3 mn, en les retournant souvent. Retirez-les de la poêle et mettez à leur place le contenu du mortier. Faites-le revenir pendant 3 mn, en remuant sans arrêt, puis remettez les tranches de viande dans la poêle. Mélangez pendant 1 mn, jusqu'à ce que les tranches de viande soient bien enrobées de la préparation à base de piments. Ajoutez le jus de citron, salez, poivrez, mélangez, puis retirez du feu.
5. Mettez les émincés de bœuf dans un plat de service et dégustez tout chaud.
Note :
En Indonésie, ce plat est traditionnellement préparé avec des tranches de viande qui ont été épicées, puis séchées au soleil. Ces tranches de viande sont vendues en sachets prêtes à cuire, mais il est impossible de les trouver chez nous...

Agneau en curry (en haut); Bœuf à la manière de Sumatra, servi avec des Légumes à la sauce au coco (voir page 77) et du Riz blanc nature (voir page 80).

Bœuf à la manière de Sumatra

Pour 8 personnes
Préparation : 15 mn
Cuisson : 3 h

- 1,5 kg de bœuf : paleron, basses-côtes
- 1,7 kg de crème de coco*
- 10 échalotes
- 4 gousses d'ail
- 2 cuil. à café de gingembre en poudre*
- 4 cuil. à café de piment en poudre*
- 1 1/2 cuil. à café de curcuma*
- sel

1. Pelez les échalotes et coupez-les en fines rondelles. Pelez les gousses d'ail et hachez-les menu. Coupez la viande en cubes de 4 cm de côté.
2. Mettez les morceaux de viande dans une cocotte, ajoutez-y la crème de coco, les échalotes, l'ail, le gingembre, le piment, le curcuma et du sel. Posez la cocotte sur feu doux et laissez cuire pendant 3 h, en remuant souvent, jusqu'à ce que les morceaux de viande soient enrobés d'une sauce épaisse.
3. Mettez le bœuf dans un plat de service et dégustez chaud ou froid.
Note :
Accompagnez ce bœuf de riz et de Légumes à la sauce de coco (voir recette page 77).

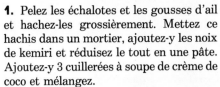

Agneau en curry

Pour 6 personnes
Préparation et cuisson : 2 h

- 750 g d'épaule d'agneau désossée
- 450 g de crème de coco*
- 4 échalotes
- 3 gousses d'ail
- 6 noix de kemiri*
- 1 oignon
- 1 1/2 cuil. à café de coriandre en poudre*
- 1/2 cuil. à café de cumin en poudre*
- 2 pincées de gingembre en poudre*
- 4 clous de girofle*
- 1 morceau d'écorce de cannelle de 4 cm de long*
- 3 cardamomes noires*
- 1 feuille de laurier*
- 1/2 cuil. à café de citronnelle en poudre*
- 25 g de tamarin séché*
- 1/2 cuil. à café de poivre fraîchement moulu
- 3 cuil. à soupe d'huile
- sel

1. Pelez les échalotes et les gousses d'ail et hachez-les grossièrement. Mettez ce hachis dans un mortier, ajoutez-y les noix de kemiri et réduisez le tout en une pâte. Ajoutez-y 3 cuillerées à soupe de crème de coco et mélangez.

2. Coupez l'agneau en dés de 2 cm de côté. Mettez-les dans une terrine, nappez-les du contenu du mortier et laissez-les mariner pendant 30 mn, en mélangeant de temps en temps.

3. Pelez l'oignon et coupez-le en fines rondelles. Mettez le tamarin dans un bol, arrosez-le de 3 cuillerées à soupe d'eau chaude et laissez reposer.

4. Au bout de 30 mn de marinade de la viande, faites chauffer l'huile dans une sauteuse et faites-y dorer l'oignon, puis ajoutez la coriandre, le cumin, le gingembre, les clous de girofle, la cannelle, les cardamomes, la feuille de laurier, la citronnelle, du sel et du poivre. Mélangez pendant 30 secondes, puis ajoutez la viande et sa marinade et remuez pendant 2 mn. Versez l'eau de trempage du tamarin en la passant à travers une passoire, couvrez et laissez cuire à feu doux pendant 15 mn, en remuant toutes les 5 mn.

5. Au bout de ce temps, ajoutez le reste de la crème de coco dans la sauteuse et laissez cuire pendant 40 mn, toujours à feu doux et à couvert.

6. Lorsque la viande est cuite, retirez les clous de girofle, la cannelle, les cardamomes et la feuille de laurier.

7. Versez le curry dans un plat de service et dégustez tout chaud.

Agneau en sauce

Pour 6 personnes
Préparation et cuisson : 1 h

- 1 kg d'épaule d'agneau désossée
- 400 g de crème de coco*
- 1 petit oignon
- 3 gousses d'ail
- 4 noix de kemiri*
- 2 cuil. à café de coriandre en poudre*
- 1 cuil. à café de gingembre en poudre*
- 1/2 cuil. à café de curcuma en poudre*
- 2 pincées de piment en poudre*
- 25 g de tamarin séché*
- 1 cuil. à café de sucre roux en poudre
- 1 bâtonnet de citronnelle séchée*
- 1 morceau d'écorce de cannelle de 6 cm de long*
- 3 clous de girofle*
- 1 feuille de laurier*
- 2 cuil. à soupe d'huile
- sel
- poivre

1. Coupez l'agneau en dés de 2 cm de côté. Mettez le tamarin dans un bol, ajoutez 4 cuillerées à soupe d'eau chaude. Pelez l'oignon et les gousses d'ail et hachez-les grossièrement. Mettez ce hachis dans un mortier avec les noix de kemiri et réduisez le tout en une pâte. Ajoutez-y la coriandre, le gingembre, le curcuma, le piment, du sel et du poivre, et mélangez.
2. Faites chauffer l'huile dans une sauteuse et faites-y revenir le contenu du mortier pendant 1 mn, en remuant avec une spatule. Ajoutez les morceaux de viande, mélangez pendant encore 1 mn, puis ajoutez le sucre et l'eau de trempage du tamarin, en la passant dans une passoire. Couvrez et laissez cuire à feu doux pendant 4 mn.
3. Au bout de ce temps, ajoutez 4,5 dl d'eau, la citronnelle, la cannelle, les clous de girofle et la feuille de laurier, couvrez et laissez cuire pendant 20 mn.
4. Au bout de 20 mn de cuisson, ajoutez la crème de coco et laissez cuire pendant encore 20 mn, puis découvrez et laissez légèrement réduire le jus de cuisson pendant quelques minutes. Retirez la citronnelle, la cannelle, les clous de girofle et la feuille de laurier.
5. Mettez l'agneau dans un plat creux et servez tout chaud.
Note :
Accompagnez ce plat très parfumé de riz.

Agneau à la sauce aux cacahuètes

Pour 6 personnes
Préparation et cuisson : 45 mn
Marinade : 2 h

- 1,2 kg d'épaule d'agneau désossée

Pour la marinade :
- 2 cuil. à soupe de sauce de soja*
- 25 g de tamarin séché*
- 4 échalotes
- 3 gousses d'ail
- 1/2 cuil. à café de piment en poudre*
- 1/2 cuil. à café de coriandre en poudre*
- 1 cuil. à café de gingembre en poudre*
- 1 cuil. à café de sucre roux en poudre

Pour la sauce aux cacahuètes :
- 100 g de cacahuètes entières, non salées
- 3 échalotes
- 1 gousse d'ail
- 1 cuil. à café de pâte de crevettes*
- 25 g de tamarin séché*
- 1 cuil. à café de sucre roux en poudre
- 2 pincées de piment en poudre*
- 6 cuil. à soupe d'huile d'arachide
- sel

Pour la sauce pimentée :
- 3 cuil. à soupe de sauce de soja*
- 2 échalotes
- 1 gousse d'ail
- 1/2 cuil. à café de piment en poudre*
- 1/2 cuil. à café de sucre roux en poudre
- 1 cuil. à café d'huile d'olive
- 2 cuil. à soupe de jus de citron

1. Préparez la marinade : mettez le tamarin dans un bol, ajoutez-y 2 cuillerées à soupe d'eau chaude. Pelez les échalotes et hachez-les menu. Pelez les gousses d'ail et passez-les au presse-ail au-dessus d'une terrine ; ajoutez-y les échalotes, le piment, la coriandre, le gingembre, le sucre et l'eau de trempage du tamarin, en la passant à travers une passoire, et la sauce de soja. Mélangez.
2. Coupez l'agneau en dés de 2 cm de côté et mettez-les dans la terrine. Mélangez et laissez mariner pendant 2 h, en remuant de temps en temps.
3. Pendant ce temps, préparez la sauce aux cacahuètes : mettez le tamarin dans

un bol, ajoutez-y 2 cuillerées à soupe d'eau chaude et laissez reposer. Décortiquez les cacahuètes. Faites chauffer 5 cuillerées à soupe d'huile dans une poêle et faites-y dorer les cacahuètes. Retirez-les de la poêle et laissez-les égoutter sur du papier absorbant. Laissez refroidir.
4. Pelez les échalotes et les gousses d'ail et hachez-les grossièrement. Mettez-les dans un mortier avec les cacahuètes et la pâte de crevettes et réduisez le tout en une très fine pâte. Ajoutez le piment, salez et mélangez.
5. Éliminez l'huile de cuisson des cacahuètes et versez dans la poêle la dernière cuillerée d'huile. Faites-y revenir la pâte contenue dans le mortier pendant 30 secondes, puis ajoutez l'eau de trempage du tamarin, en la passant à travers une passoire, et le sucre. Mélangez jusqu'à ce que la sauce soit bien sèche. Retirez du feu et laissez refroidir.
6. Préparez la sauce pimentée : pelez l'ail et les échalotes et hachez-les menu. Mettez-les dans une terrine, ajoutez-y la sauce de soja, le piment, le sucre, le jus de citron et l'huile d'olive ; mélangez bien.
7. Au bout de 2 h de marinade, faites chauffer le gril du four ou préparez des braises. Retirez les dés d'agneau de la marinade et enfilez-les sur 6 brochettes en bambou. Faites-les griller pendant 6 mn, en les retournant souvent.
8. Lorsque les brochettes sont cuites, rangez-les sur un plat de service et dégustez-les toutes chaudes avec les sauces froides, servies à part dans de petites coupelles.
Note :
Servez ces brochettes avec des Cubes de riz (voir recette page 81).

Agneau en sauce, servi avec des Légumes à la sauce au coco (voir page 77) et du Riz blanc nature (voir page 80).

Carottes et chou-fleur en sauté

Pour 4 personnes
Préparation et cuisson : 30 mn

- 6 carottes moyennes
- 200 g de chou-fleur
- 1 gousse d'ail
- 1 cuil. à café de pâte de crevettes*
- 4 oignons nouveaux
- 1 cuil. à soupe de sauce de soja légère*
- 2 pincées de piment en poudre*
- 2 pincées de gingembre en poudre*
- 2 cuil. à soupe d'huile
- sel

1. Pelez les carottes, lavez-les et coupez-les en rondelles de 1/2 cm d'épaisseur, en biais. Séparez le chou-fleur en petits bouquets et lavez-les.

2. Faites chauffer de l'eau dans une marmite et faites-y bouillir les légumes pendant 3 mn, puis égouttez-les dans une passoire. Réservez-les dans la passoire.

3. Lavez les oignons nouveaux et coupez-les en tronçons de 2 cm de long. Pelez la gousse d'ail et hachez-la menu.

4. Faites chauffer l'huile dans une sauteuse et faites-y revenir l'ail et la pâte de crevettes pendant 30 secondes. Ajoutez les oignons nouveaux, la sauce de soja, les légumes égouttés, le piment, le gingembre et du sel. Mélangez pendant 2 mn.

5. Mettez les carottes, le chou-fleur et leur sauce dans un plat de service et dégustez tout chaud.

Salade cuite
à la sauce
aux cacahuètes

Pour 6-8 personnes
Préparation et cuisson : 1 h

- 75 g de chou vert
- 75 g de chou-fleur
- 75 g de haricots verts
- 100 g de germes de soja*
- 1 pomme de terre moyenne
- 1 petit concombre
- 2 carottes

Pour la sauce :
- 100 g de cacahuètes entières, non salées
- 1 cuil. à café de pâte de crevettes*
- 2 échalotes
- 1 gousse d'ail
- 1/2 cuil. à café de piment en poudre*
- 1/2 cuil. à café de sucre roux en poudre
- 25 g de crème de coco*
- 1 cuil. à soupe de jus de citron
- 2 cuil. à soupe d'huile
- sel

Pour servir :
- 1 ou 2 œufs durs
- Chips de crevettes coupés en morceaux (page 60)
- rondelles d'oignon revenues à l'huile
- 1 cœur de laitue

1. Lavez le chou vert et coupez-le en fines lanières. Lavez le chou-fleur et séparez-le en tout petits bouquets. Équeutez les haricots verts, lavez-les et coupez-les en tronçons de 5 cm de long. Lavez les germes de soja dans une terrine d'eau froide, éliminez les haricots non germés qui restent au fond de la terrine et égouttez les germes de soja. Pelez la pomme de terre et coupez-la en fines tranches. Pelez les carottes, lavez-les et coupez-les en fines rondelles. Lavez le concombre et coupez-le en fines rondelles.

2. Faites bouillir de l'eau dans trois marmites. Faites cuire dans la première le chou et le chou-fleur pendant 5 mn, dans la seconde les haricots verts, les carottes et la pomme de terre pendant 5 mn, et dans la troisième les germes de soja pendant 3 mn. Égouttez les légumes dans une passoire et laissez-les tiédir dans la passoire.

3. Pendant ce temps, préparez la sauce : décortiquez les cacahuètes. Faites chauffer l'huile dans une poêle et faites-y dorer les cacahuètes, puis égouttez-les sur du papier absorbant et laissez-les refroidir.

4. Pelez les échalotes et la gousse d'ail et hachez-les grossièrement. Mettez-les dans un mortier, ajoutez-y la pâte de crevettes et les cacahuètes et réduisez le tout en une très fine pâte. Mettez cette pâte dans la poêle où ont doré les cacahuètes et faites-la revenir pendant 1 mn en remuant sans arrêt avec une spatule. Ajoutez le sel, le piment, le sucre et 4 dl d'eau ; portez à ébullition, mélangez et laissez cuire jusqu'à ce que la sauce épaississe. Ajoutez la crème de coco et remuez jusqu'à ce qu'elle soit dissoute dans la sauce. Retirez du feu et ajoutez le jus de citron. Gardez au chaud.

5. Préparez la garniture : effeuillez la salade, lavez-en les feuilles, essorez-les et rangez-les dans un plat de service. Coupez le ou les œufs durs en rondelles. Rangez les légumes égouttés sur la salade, décorez de rondelles d'œuf dur et de concombre, de chips de crevettes et de rondelles d'oignon. Nappez le tout de sauce chaude.

6. Portez le plat à table et mélangez avant de servir. Cette salade cuite se déguste tiède.

Salade cuite à la sauce aux cacahuètes ;
Haricots verts épicés.

Légumes à la sauce au coco

Pour 4 personnes
Préparation et cuisson : 1 h

- 100 g de chou vert
- 100 g de haricots verts
- 100 g de germes de soja*
- 100 g de pulpe de noix de coco fraîche râpée*
- 2 carottes
- 25 g de tamarin séché*
- 1 cuil. à café de pâte de crevettes*
- 1 échalote
- 2 gousses d'ail
- 1/2 cuil. à café de piment en poudre*
- 1 cuil. à café de sucre roux en poudre
- sel

1. Mettez le tamarin dans un bol, versez-y 2 cuillerées à soupe d'eau chaude. Mettez la pâte de crevettes dans une petite poêle sur feu doux et faites-la revenir pendant 1 mn, puis versez-la dans un mortier. Pelez l'ail et les échalotes, hachez-les grossièrement et ajoutez-les dans le mortier. Réduisez le tout en une fine pâte. Ajoutez le piment, le sucre, l'eau de trempage du tamarin, en la passant à travers une passoire, du sel et mélangez bien, en y incorporant la pulpe de noix de coco.
2. Lavez le chou et coupez-le en fines lanières. Équeutez les haricots verts, lavez-les et coupez-les en tronçons de 5 cm de long. Lavez les germes de soja dans une terrine d'eau froide et éliminez les haricots non germés qui tombent au fond ; égouttez les germes de soja. Pelez les carottes, lavez-les et coupez-les en fines rondelles.
3. Faites bouillir de l'eau dans deux marmites ; dans la première, faites cuire le chou, les haricots et les carottes pendant 5 mn, et, dans la seconde, les germes de soja pendant 2 mn. Égouttez ensuite tous les légumes dans une passoire.
4. Lorsque les légumes sont bien égouttés, mettez-les dans une terrine et nappez-les du contenu du mortier. Mélangez bien, puis mettez les légumes dans un plat de service et dégustez-les tièdes.
Note :
Vous pouvez réaliser cette recette avec les légumes de votre choix, mais il est important que ceux-ci restent croquants et soient servis tièdes.

Haricots verts épicés

Pour 4 personnes
Préparation : 15 mn
Cuisson : 10 mn

- 500 g de haricots verts fins
- 3 échalotes
- 1 gousse d'ail
- 1 dl de bouillon de volaille
- 2 pincées de noix muscade rapée*
- 2 pincées de piment en poudre*
- 1 cuil. à café de gingembre en poudre*
- 2 cuil. à soupe d'huile
- sel
- poivre

1. Équeutez les haricots, lavez-les, égouttez-les et coupez-les en tronçons de 5 cm de long. Pelez la gousse d'ail et hachez-la menu. Pelez les échalotes et coupez-les en fines rondelles.
2. Faites chauffer l'huile dans une sauteuse et faites-y revenir l'ail et les échalotes à feu doux pendant 2 mn. Ajoutez ensuite les haricots verts, la noix muscade, le piment, le gingembre, du sel et du poivre, et mélangez pendant 2 mn.
3. Versez le bouillon dans la sauteuse, couvrez et laissez cuire pendant 5 mn, puis découvrez et laissez réduire le jus de cuisson pendant 2 à 3 mn, en remuant sans arrêt.
4. Mettez les haricots dans un plat de service et servez-les tout chauds.

Sauté de légumes mélangés

Pour 4 personnes
Préparation : 30 mn
Cuisson : 20 mn

- 200 g de haricots verts
- 120 g de carottes
- 1 petit concombre
- 10 oignons grelots
- 200 g de chou-fleur
- 1 poivron vert
- 3 noix de kemiri*
- 2 échalotes
- 1 gousse d'ail
- 1 piment vert frais*
- 2 cuil. à café de sucre roux
- 1 cuil. à café de moutarde en poudre
- 4 cuil. à soupe de vinaigre d'alcool
- 1/2 cuil. à café de curcuma*
- 1/2 cuil. à café de gingembre en poudre*
- 2 pincées de piment en poudre*
- 2 cuil. à soupe d'huile
- sel

1. Équeutez les haricots, lavez-les, égouttez-les et coupez-les en tronçons de 5 cm de long. Pelez les carottes, coupez-les en quatre dans le sens de la longueur, puis en tronçons de 5 cm de long. Pelez le concombre, coupez-le en deux dans le sens de la longueur, ôtez-en les graines à l'aide d'une petite cuillère, puis coupez chaque demi-concombre en deux, ensuite en tronçons de 5 cm de long. Pelez les oignons. Séparez le chou-fleur en petits bouquets. Lavez le poivron et coupez-le en rondelles en éliminant les graines et le pédoncule.

2. Pelez l'ail et les échalotes. Lavez le piment frais, coupez-le en deux, ôtez les graines et le pédoncule et hachez-en grossièrement la pulpe avec l'ail et les échalotes. Mettez ce hachis dans un mortier, ajoutez-y les noix de kemiri et réduisez le tout en une fine pâte. Ajoutez-y le piment en poudre, le curcuma et le gingembre ; mélangez.

3. Faites chauffer l'huile dans une sauteuse et faites-y revenir le contenu du mortier pendant 1 mn, en remuant avec une spatule. Ajoutez les oignons, remuez, puis versez le vinaigre et 1 dl d'eau. Cou-

vrez et laissez cuire pendant 2 mn, puis ajoutez les carottes et les haricots. Laissez cuire à couvert pendant 3 mn, puis ajoutez le chou-fleur, le poivron et 1,5 dl d'eau. Laissez cuire pendant 5 mn, puis ajoutez le sucre, la moutarde et le concombre. Mélangez et laissez cuire à couvert pendant 2 mn. Découvrez et laissez cuire encore 3 mn environ, jusqu'à ce que la sauce soit épaisse.

4. Mettez le sauté dans un plat creux et servez chaud ou froid.

Émincés de bœuf au piment (voir page 72), servis avec des Chips de crevettes (voir page 60), du Noix de coco aux cacahuètes (voir page 60), du Condiment à la noix de coco (voir page 83) et un Sauté de légumes mélangés (page ci-contre).

Curry végétal

Pour 4 personnes
Préparation : 20 mn
Cuisson : 20 mn

- 750 g de paku* ou de chou vert frisé, non pommé
- 1/2 mangue verte*
- 6 échalotes
- 3 gousses d'ail
- 2 piments verts frais*
- 6 noix de kemiri*
- 2 cuil. à café de gingembre en poudre*
- 1 cuil. à café de curcuma*
- 6 brins de menthe fraîche*
- 450 g de crème de coco*
- sel

1. Lavez les piments, coupez-les en deux et ôtez-en les graines et le pédoncule. Pelez les échalotes et les gousses d'ail et hachez-les grossièrement, avec le piment. Mettez le tout dans un mortier avec les noix de kemiri et réduisez le tout en une fine pâte.

2. Pelez la mangue et hachez-la finement au couteau, puis ajoutez ce hachis au contenu du mortier avec le gingembre, le curcuma, du sel et la crème de coco. Lavez la menthe, ôtez-en les tiges, détachez les feuilles et ciselez-les grossièrement. Ajoutez-les au contenu du mortier et mélangez bien.

3. Lavez le paku ou le chou, ôtez-en les tiges trop dures, et coupez en 2 ou 3 morceaux les feuilles trop grandes. Lavez-les et égouttez-les.

4. Versez le contenu du mortier dans une casserole et portez à ébullition sur feu doux. Laissez frémir pendant 5 mn en remuant sans arrêt avec une spatule. Ajoutez le paku ou le chou et laissez cuire pendant environ 15 mn, jusqu'à ce que le légume soit tendre.

5. Au bout de ce temps, augmentez le feu sous la casserole et laissez réduire le jus de cuisson.

6. Mettez le curry dans un plat creux et servez chaud.

Mélange de légumes à la citronnelle

Pour 4 personnes
Préparation et cuisson : 30 mn

- 500 g de potiron
- 2 petites pommes de terre
- 100 g de chou blanc
- 3 échalotes
- 1 gousse d'ail
- 1 piment vert frais*
- 1 bâtonnet de citronnelle fraîche*
- 1 cuil. à café de curcuma*
- 1 cuil. à café de gingembre en poudre*
- 4,5 dl de bouillon de volaille
- 50 g de crème de coco*
- sel

1. Otez la peau du potiron et coupez la pulpe en dés de 4 cm de côté. Pelez les pommes de terre, lavez-les et coupez-les en dés de 4 cm de côté. Pelez les échalotes et coupez-les en fines rondelles. Pelez la gousse d'ail et coupez-la en fins éclats. Lavez le piment et coupez-le en fines rondelles en ôtant graines et pédoncule.

2. Mettez les échalotes dans une casserole, ajoutez-y l'ail, le piment, 1 dl d'eau, le gingembre, la citronnelle et du sel. Portez à ébullition et laissez cuire pendant 2 mn, puis ajoutez les pommes de terre, le potiron et la moitié du bouillon. Dès la reprise de l'ébullition, couvrez et laissez cuire pendant 5 mn.

3. Lavez le chou et coupez-le en fines lanières.

4. Au bout de 5 mn de cuisson du potiron et des pommes de terre, ajoutez le chou dans la casserole et le reste du bouillon, et laissez cuire pendant encore 5 mn.

5. Ajoutez la crème de coco dans la casserole et mélangez, jusqu'à ce que la crème soit dissoute; retirez du feu.

6. Mettez les légumes dans un plat creux et servez tout chaud.

Riz doré

Pour 4-6 personnes
Préparation et cuisson : 30 mn
Trempage : 1 h

- 350 g de riz long
- 1 cuil. à café de curcuma*
- 1 cuil. à café de coriandre en poudre*
- 1/2 cuil. à café de cumin en poudre*
- 1 morceau d'écorce de cannelle de 4 cm de long*
- 1 clou de girofle*
- 1 feuille de laurier*
- 6 dl de bouillon de volaille
- 2 cuil. à soupe d'huile

1. 1 h avant de commencer la cuisson du riz, lavez-le dans plusieurs eaux, égouttez-le, puis couvrez-le d'eau froide et laissez-le gonfler

2. Au bout de ce temps, égouttez le riz. Faites chauffer l'huile dans une sauteuse et faites-y revenir le riz pendant 2 mn, en le retournant avec une spatule. Ajoutez le curcuma et mélangez pendant 1 mn. Ajoutez ensuite la coriandre, le cumin, la cannelle, le clou du girofle, la feuille de laurier, du sel et le bouillon. Mélangez et laissez cuire à découvert, jusqu'à ce que tout le bouillon ait été absorbé.

3. Mettez ensuite un couvercle sur la sauteuse et laissez cuire à feu doux pendant encore 10 mn.

4. Au bout de ce temps, mettez le riz dans un plat de service et dégustez tout chaud.

Riz frit

Pour 4 personnes
Préparation et cuisson : 45 mn

- 275 g de riz long
- 4 échalotes
- 2 piments frais verts*
- 50 g de lard fumé
- 1 cuil. à soupe de soja légère*
- 2 cuil. à soupe d'huile
- sel

Pour la garniture :
- 1 omelette préparée avec 1 œuf
- rondelles d'oignon revenues à l'huile
- rondelles de concombre
- feuilles de coriandre ciselées*

1. Faites cuire le riz comme il est dit dans la recette ci-contre à droite avec 4,5 dl d'eau, puis laissez-le refroidir.

2. Pendant ce temps, pelez les échalotes et coupez-les en très fines rondelles. Otez la couenne du lard et hachez grossièrement le lard au couteau. Lavez les piments, essuyez-les et coupez-les en fines rondelles, en éliminant les graines au fur et à mesure et le pédoncule. Coupez l'omelette en lanières.

3. Lorsque le riz est froid, faites chauffer l'huile dans un wok ou une grande poêle et faites-y revenir échalotes et piments pendant 1 mn, en les remuant avec une spatule. Ajoutez le lard, mélangez pendant 3 mn, puis ajoutez le riz et la sauce de soja. Laissez cuire pendant 5 mn, en tournant sans arrêt.

4. Mettez le riz frit dans un plat de service, garnissez-le de lanières d'omelette, de rondelles d'oignon, de rondelles de concombre et de coriandre ciselée. Servez sans attendre.

Note :
Les ingrédients qui entrent dans la composition du riz frit varient selon les goûts et les produits que l'on peut avoir chez soi. Le riz frit est en fait un plat de riz agrémenté de viande et de légumes, qui se déguste seul ou comme accompagnement d'un autre plat.

Riz blanc naturel

Pour 4-6 personnes
Préparation et cuisson : 20 mn

- 350 g de riz long

1. Lavez le riz dans plusieurs eaux, puis égouttez-le.

2. Mettez le riz dans une casserole à fond épais. Versez 6 dl d'eau. Portez à ébullition, mélangez deux ou trois fois et laissez cuire à feu doux et à découvert, jusqu'à ce que toute l'eau ait été absorbée.

3. Mélangez le riz, puis posez un couvercle sur la casserole et laissez cuire à feu doux pendant 10 mn.

4. Mettez le riz dans un plat creux et servez chaud.

Note :
Ne vous étonnez pas de voir un peu de riz collé au fond de la casserole : cela est dû à la dernière phase de la cuisson.

Riz au lait de coco

Pour 4-6 personnes
Préparation et cuisson : 25 mn

- 350 g de riz long
- 6 dl de lait de coco*
- 1/2 cuil. à café de sel

1. Rincez le riz dans plusieurs eaux, puis égouttez-le.

2. Versez le lait de coco dans une casserole à fond épais, ajoutez le sel et le riz, et mélangez. Posez la casserole sur feu doux, portez à ébullition et laissez cuire, en mélangeant souvent, jusqu'à ce que tout le lait ait été absorbé.

3. Mettez un couvercle sur la casserole et laissez cuire pendant encore 10 mn, à feu très doux.

4. Mettez le riz dans un plat de service et dégustez très chaud.

Note :
En Indonésie, ce riz porte le nom de *nasi uduk* ou *nasi gurih*.

Brochettes de poulet (voir page 69); Brochettes de porc (voir page 70); Agneau à la sauce aux cacahuètes (voir page 74); servis avec des Cubes de riz.

Cubes de riz

Pour 4-6 personnes
Préparation et cuisson : 1 h 15
Repos : 6 h

- 350 g de riz long
- 1/2 cuil. à café de sel

1. Divisez le riz en trois parties égales. Enfermez chacune dans un sachet congélation supportant la cuisson (carrés de 20 cm de côté). Fermez les sachets en les soudant de façon à obtenir un rectangle de 14 × 20 cm. Piquez la surface des sachets de quelques petits coups d'épingle.
2. Faites bouillir de l'eau dans un grande marmite pouvant contenir les trois sachets à plat. Salez et plongez-y les sachets de riz. Laissez cuire pendant 1 h 15, en ajoutant de l'eau dès qu'elle s'évapore.

3. Au bout de ce temps, le riz doit être gonflé dans les sachets et ceux-ci doivent être fermes sous la pression du doigt. Retirez les sachets et laissez refroidir le riz dans les sachets pendant 6 h.
4. Au bout de 6 h, enlevez les sachets et découpez le riz en cubes ou en losanges. Servez froid.
Note :
Traditionnellement, les musulmans de l'île de Java dégustent ce riz pour la fête du Jour de l'An.

Bananes frites

Pour 4 personnes
Préparation : 20 mn
Cuisson : 10 mn

- 4 bananes moyennes, pas trop mûres
- 75 g de farine de riz*
- 1,7 dl de lait de coco*
- 50 g de beurre
- sel

1. Tamisez la farine et 2 pincées de sel au-dessus d'une terrine. Faites fondre la moitié du beurre et versez-le dans la terrine avec le lait de coco. Mélangez le tout avec le fouet à main, jusqu'à ce que vous obteniez une pâte bien fluide et sans grumeaux.

2. Pelez les bananes et coupez-les en deux dans le sens de la longueur. Plongez-les dans la pâte.

3. Faites fondre le reste du beurre dans une grande poêle et faites-y cuire les demi-bananes à feu doux pendant 10 mn, en les retournant à mi-cuisson, jusqu'à ce qu'elles soient bien dorées.

4. Mettez les bananes frites dans un plat creux et servez-les toutes chaudes.

Note :

Ces bananes accompagneront avec bonheur n'importe quel plat de viande ou de légume très épicé.

Condiment à la noix de coco ; Condiment aux piments frais ; Condiment pimenté au citron.

Condiment pimenté au citron

Pour 6-8 personnes
Préparation et cuisson : 20 mn

- 6-8 piments frais*
- 1 échalote
- 1 gousse d'ail
- 1 cuil. à café de pâte de crevettes*
- 1/2 cuil. à café de sucre roux
- 2 cuil. à café de jus de citron
- 1 cuil. à café d'huile

1. Faites chauffer l'huile dans une poêle et faites-y revenir la pâte de crevettes pendant 30 secondes, puis retirez la poêle du feu.
2. Lavez les piments, essuyez-les, coupez-les en deux, ôtez-en les graines et le pédoncule. Pelez la gousse d'ail et l'échalote. Mettez les piments, l'échalote, l'ail et la pâte de crevettes dans un mortier, et réduisez le tout en une fine pâte. Ajoutez-y le sucre et le jus de citron; mélangez bien.
3. Mettez le condiment dans un plat creux et servez-le froid, le jour même de sa fabrication.

Condiment à la noix de coco

Pour 6-8 personnes
Préparation et cuisson : 30 mn

- 3-5 piments lombok rawit*
- 7 cuil. à soupe de pulpe de noix de coco fraîche râpée*
- 1 cuil. à café de sucre roux en poudre
- 2 gousses d'ail
- 1 cuil. à café de pâte de crevettes*
- 25 g de tamarin séché*
- 1 cuil. à café d'huile
- sel

1. Mettez le tamarin dans un bol, versez-y 2 cuillerées à soupe d'eau chaude et laissez reposer.
2. Faites chauffer l'huile dans une petite poêle et faites-y revenir la pâte de crevettes pendant 30 secondes, puis retirez la poêle du feu.
3. Lavez les piments, essuyez-les, coupez-les en deux, ôtez-en les graines et le pédoncule et hachez-les grossièrement. Pelez les gousses d'ail et hachez-les grossièrement. Mettez ces deux ingrédients dans un mortier, ajoutez-y la pâte de crevettes et le sucre, et réduisez le tout en une fine pâte. Ajoutez-y la pulpe de noix de coco, l'eau de trempage du tamarin, en la passant à travers une passoire, et salez légèrement. Mélangez bien.
4. Mettez le condiment dans un plat creux et servez-le froid, le jour même de sa fabrication.

Condiment aux piments frais

Pour 10 personnes
Préparation et cuisson : 30 mn

- 20 piments rouges frais*
- 10 échalotes
- 2 gousses d'ail
- 5 noix de kemiri*
- 1 cuil. à café de pâte de crevettes*
- 1 cuil. à café de gingembre en poudre*
- 1 cuil. à café de sucre roux en poudre
- 25 g de tamarin séché*
- 1,5 dl de crème de coco*
- 2 cuil. à soupe d'huile
- sel

1. Mettez le tamarin dans un bol, versez 3 cuillerées à soupe d'eau chaude et laissez reposer. Lavez les piments, essuyez-les, coupez-les en deux et ôtez-en les graines et le pédoncule. Pelez les échalotes et les gousses d'ail. Hachez grossièrement ces trois ingrédients. Mettez-les ensuite dans un mortier et écrasez-les au pilon afin d'obtenir une fine pâte.
2. Faire chauffer l'huile dans une poêle et faites-y revenir la pâte précédente pendant 2 mn, en mélangeant. Ajoutez le gingembre, le sucre et l'eau de trempage du tamarin, en la passant à travers une passoire, et salez. Mélangez et ajoutez la crème de coco. Laissez frémir pendant 15 mn, en remuant de temps en temps, jusqu'à ce que la préparation épaississe.
3. Versez le condiment dans un plat de service et dégustez-le chaud ou froid.
Notes :
- Vous pouvez conserver ce condiment pendant 3 mois au réfrigérateur dans un bocal fermant hermétiquement.
- Dégustez-le en petites quantités avec tous les plats indonésiens.

Gelée
d'algues

Pour 6-8 personnes
Préparation et cuisson : 35 mn
Trempage : 2 h
Repos : 4 h

- 7 g d'agar-agar*
- 75 g de sucre

Pour le serikaya :
- 3 œufs
- 50 g de sucre roux en poudre
- 600 g de crème de coco*

1. Mettez les feuilles d'agar-agar dans une terrine, couvrez-les à peine d'eau et laissez-les tremper pendant 2 h.

2. Au bout de ce temps, égouttez l'agar-agar et éliminez l'eau de trempage. Mettez l'agar-agar dans une casserole et versez 1,2 litre d'eau. Ajoutez le sucre et portez à ébullition. Laissez frémir pendant quelques minutes, jusqu'à ce que le sucre soit fondu. Retirez la casserole du feu, puis passez la préparation à travers une passoire fine et versez-la dans le moule de votre choix. Laissez refroidir, puis mettez au réfrigérateur et laissez prendre la gelée pendant 4 h au moins.

3. Préparez la serikaya : cassez les œufs dans une casserole, ajoutez le sucre et battez-les au fouet, jusqu'à ce que la préparation blanchisse. Ajoutez-y la crème de coco, sans cesser de fouetter. Posez la casserole dans une seconde casserole remplie d'eau frémissante et faites cuire la sauce pendant 10 mn environ, jusqu'à ce qu'elle épaississe, sans cesser de remuer. (Vous pouvez servir cette sauce chaude ou froide, donc la préparer pendant que la gelée se trouve au réfrigérateur ou au moment de la servir, c'est-à-dire 4 h après avoir fait la gelée.)

4. Au moment de servir, démoulez la gelée : pour cela, plongez le moule pendant quelques secondes dans de l'eau chaude, puis retournez-le sur un plat de service. Mettez la sauce dans une saucière et servez.

Note :
L'agar-agar a un goût d'algue très prononcé ; si vous ne l'aimez pas, vous pouvez le remplacer par de la gélatine, que vous parfumerez comme il vous plaira.

Crêpes
à la noix de coco

Pour 4-8 personnes
Préparation et cuisson : 45 mn

Pour la pâte à crêpes :
- 100 g de farine
- 1 œuf
- 3 dl de lait
- 25 g de beurre

Pour la garniture :
- 250 g de pulpe de noix de coco fraîche râpée*
- 2 pincées de cannelle en poudre*
- 2 pincées de noix muscade râpée*
- 2 cuil. à soupe de jus de citron
- 150 g de sucre roux en poudre

Pour la cuisson :
- 50 g de beurre

1. Préparez la pâte à crêpes : tamisez la farine au-dessus d'une terrine. Faites un puits au centre et cassez-y l'œuf. Faites fondre le beurre dans une petite casserole et versez-le dans le puits avec le lait. Battez le tout au fouet à main, jusqu'à ce que vous obteniez une pâte fluide et sans grumeaux. Si ce n'était pas le cas, passez-la à travers une passoire fine. Réservez la pâte pendant le temps que vous préparez la garniture.

2. Préparez la garniture : mettez le sucre dans une casserole et ajoutez-y 3 dl d'eau. Posez la casserole sur feu doux et mélangez jusqu'à ce que le sucre soit fondu. Ajoutez alors la pulpe de noix de coco, la

cannelle et la noix muscade. Mélangez sur feu doux, jusqu'à ce que la noix de coco ait absorbé tout le sirop. Retirez alors la casserole du feu et laissez tiédir 20 mn, puis ajoutez le jus de citron et mélangez une dernière fois.

3. Faites cuire les crêpes : faites fondre le beurre dans une petite casserole ; il vous servira à beurrer la poêle ou la crêpière entre chaque crêpe, à l'aide d'un nouet ou d'un pinceau. Beurrez une poêle ou une crêpière de 18 cm de diamètre et posez-la sur feu modéré. Versez une louche de pâte dans la poêle et bercez la poêle afin que la pâte couvre toute la surface de la poêle. Laissez cuire 1 mn, puis retournez la crêpe et laissez-la cuire sur l'autre face pendant environ 30 secondes. Continuez jusqu'à épuisement de la pâte : vous obtiendrez environ 8 à 10 crêpes.

4. Répartissez la garniture au centre des crêpes et roulez-les. Servez aussitôt ou complètement froid.

Salade de fruits épicée

Pour 4-6 personnes
Préparation : 45 mn

- 1 mangue plutôt verte*
- 1 pomme : idared, red delicious
- 1/2 ananas
- 1 ugli* ou 1 pamplemousse
- 1 petit concombre
- 1/2 cuil. à café de sel

Pour le bumbu* :
- 1 pincée de piment en poudre*
- 50 g de sucre roux en poudre
- 25 g de tamarin séché*

1. Coupez la mangue en deux, ôtez-en le noyau et coupez-en la pulpe en dés de 1 cm de côté. Pelez la pomme, ôtez-en le cœur et coupez-la en fines tranches. Coupez le demi-ananas en dés en éliminant la peau. Mettez ces fruits dans une terrine, couvrez-les d'eau froide, ajoutez le sel et mélangez. Laissez reposer.

2. Préparez le bumbu : mettez le tamarin dans un bol, versez 1 cuillerée à soupe d'eau chaude et laissez reposer. Pelez l'ugli ou le pamplemousse et séparez-le en quartiers en en éliminant les cloisons blanchâtres.

3. Passez l'eau de trempage du tamarin au-dessus d'un autre bol, ajoutez-y le sucre et le piment ; mélangez jusqu'à ce que le sucre fonde.

4. Pelez la concombre et coupez-le en fines rondelles ; arrangez-les dans un plat de service avec les quartiers d'ugli et les autres fruits, que vous égouttez au fur et à mesure.

5. Versez le bumbu sur les fruits, mélangez délicatement er servez.

Entremets au coco

Pour 4 personnes
Préparation et cuisson : 45 mn

- 250 g d farine de riz*
- 350 g de crème de coco*
- 1 pincée de sel

Pour la garniture :
- 75 g de sucre roux
- 100 g de pulpe de noix de coco fraîche râpée*
- 1 cuil. à soupe de farine de riz gluant*

Pour la crème :
- 250 g de crème de coco*

1. Tamisez la farine de riz et le sel au-dessus d'une casserole. Ajoutez la crème de coco et mélangez à l'aide d'une spatule, jusqu'à ce que la préparation soit lisse. Posez la casserole sur feu doux et laissez cuire sans cesser de mélanger pendant 10 mn environ, jusqu'à ce que la préparation soit épaisse. Retirez la casserole du feu.

2. Préparez la garniture : mettez le sucre dans une seconde casserole, ajoutez 2,5 dl d'eau et posez la casserole sur feu doux. Laissez cuire jusqu'à ce que le sucre soit dissous ; ajoutez alors la pulpe de noix de coco et mélangez pendant quelques minutes, jusqu'à ce que le sirop ait été absorbé par la noix de coco. Ajoutez la farine de riz gluant et mélangez pendant encore 10 mn, puis retirez la casserole du feu.

3. Préparez la crème : mettez la crème de coco dans une troisième casserole et posez-la sur feu vif. Portez à ébullition et laissez bouillir pendant 3 mn, en remuant sans arrêt. Retirez ensuite la casserole du feu.

4. Préparez 4 ramequins supportant la chaleur. Faites bouillir de l'eau dans une marmite pouvant contenir les ramequins les uns à côté des autres, jusqu'à ce qu'elle arrive à la moitié des ramequins. Versez 2 cuillerées à café de crème au fond de chaque ramequin, puis répartissez la garniture entre les ramequins. Répartissez le reste de préparation à base de farine de riz entre les ramequins, puis couvrez-la du reste de crème de coco.

5. Posez les ramequins dans l'eau bouillante et laissez cuire les entremets couverts pendant 15 mn.

6. Servez ces entremets chauds ou froids.

Note :
En Indonésie, on fait cuire ces entremets dans les feuilles de bananier, comme vous pouvez le voir sur l'illustration.

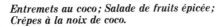

Entremets au coco ; Salade de fruits épicée ; Crêpes à la noix de coco.

Birmanie

Patricia Herbert

La Birmanie est probablement l'un des pays de l'Asie que l'on connaît le moins, surtout quand il s'agit des traditions culinaires. Les restaurants y sont rares et dispersés à travers tout le territoire et pourtant, la gastronomie est loin d'être négligée. En Birmanie, la cuisine a subi les influences de ses deux grands voisins : la Chine et l'Inde ; et bien sûr, elle utilise bon nombre d'ingrédients communs à tous les pays orientaux, mais elle a su préserver son caractère original.

Déja au XIIIᵉ siècle, le roi Narathihapate, qui régnait à Pagan, était surnommé le «mangeur de trois cents curries», car, disait-on, chacun de ses repas se composait de trois cents plats : salés, doux, amers, acides, piquants, succulents, épicés... De la splendeur de Pagan, il reste les milliers de temples bouddhiques que l'on peut encore admirer aujourd'hui ; et la tradition des menus, où des différentes saveurs se complètent et s'équilibrent, a survécu jusqu'à nos jours.

De la soupe est servie en même temps que le plat de résistance. On en boit une gorgée de temps à autre pour se rafraîchir le palais entre deux bouchées ; le plus souvent, elle est légère et désaltérante.

Le plat de résistance est généralement un curry de viande — mais pas de bœuf, les Birmans sont bouddhistes — de volailles, de poissons ou de légumes, relevé, mais sans excès, d'autant qu'il est toujours servi avec un riz blanc nature ou délicatement parfumé comme le Riz à la noix de coco de la page 97. Les amateurs de mets qui

recettes de *món* (pages 98 et 99), faciles à réaliser, qui vous permettront d'offrir un dessert agréable à la fin d'un repas birman.

Vous trouverez la recette du fameux Poulet aux nouilles et à la noix de coco (page 92), un plat unique à partager entre de nombreux convives. Les Birmans le préparent souvent à l'occasion de fêtes de famille.

Les ustensiles de cuisine
Les Birmans ont, pour la plupart, des cuisinières à bois ou à mazout. Les méthodes de cuisson, très simples, ne font appel à aucun ustensile particulier. Cependant, il y en a un qui joue un rôle important, c'est le mortier en pierre avec son pilon dans les cuisines birmanes. Vous pouvez vous servir d'une moulinette électrique, ou employer des ingrédients en poudre, mais si vous voulez vraiment respecter la « manière » birmane, vous écraserez au pilon l'ail, l'oignon, les piments (au lieu d'utiliser du chili en poudre), le gingembre et les grains de poivre.

Les ingrédients
En Birmanie, on cuisine à l'huile d'arachide ou de sésame et, si nous avons systématiquement indiqué l'huile d'arachide, cela ne doit pas vous empêcher d'utiliser l'huile de tournesol ou de maïs si vous les préférez. Vous trouverez de l'huile de sésame de très bonne qualité dans les magasins de diététique.

La plupart des ingrédients sont les mêmes que pour les autres cuisines asiatiques : vous retrouverez notamment le nuoc mam, la sauce de soja et le gingembre. Toutefois, les Birmans apprécient tout particulièrement la saveur acide du tamarin, plus subtile que celle du vinaigre ou du citron, et la légère amerturme du lait de coco.

Le repas
Les convives prennent place autour d'une table ronde et assez basse, où tous les plats et les condiments sont à portée de la main. La table ne porte aucune décoration, aucune fleur, car rien ne doit perturber le plaisir de la nourriture partagée.

Une assiette et un bol (pour la soupe) sont placés devant chaque convive. Traditionnellement, on se sert d'une cuillère en porcelaine pour la soupe et de ses doigts pour les aliments solides. Mais les couteaux et les fourchettes ont fait leur entrée dans de nombreux foyers birmans influencés par l'occupation britannique.

La nourriture est pésentée sur de petits plats ronds, sauf le riz et les nouilles qui sont mis dans des saladiers et la soupe, qui est servie dans une soupière sans couvercle. La maîtresse de maison ne sert pas la totalité de chaque mets : elle garde la nourriture au chaud dans sa cuisine et remplit les plats chaque fois qu'ils sont à moitié vides.

emportent la bouche grignotent négligemment quelques petits piments forts, qu'ils trempent dans du sel. Les légumes sont présents dans tous les repas, et les Birmans confectionnent toutes sortes de salades, à base de tomates et de concombres, mais aussi avec des mangues et des pousses de bambou, voire les bourgeons de bananiers. Sur la table, ils disposent un choix de condiments. L'un des plus courants est le Condiment aux crevettes de la page 96.

Le plus souvent, on termine le repas par un assortiment de fruits frais coupés en tranches. Mais il existe de nombreuses recettes de gâteaux et d'entremets, les *món*, que les Birmans préparent chez eux ou achètent à un étal, au bord de la route. Vous trouverez dans ce chapitre trois

Soupe verte aux crevettes

Pour 4 personnes
Préparation : 10 mn
Cuisson : 5 mn

- 3 cuil. à soupe de crevettes séchées*
- 250 g de feuilles de chou frisé
- 1 oignon moyen
- 3 gousses d'ail
- 2 cuil. à café de sauce de soja*
- 1/2 cuil. à café de pâte de crevettes séchées*
- 1 cuil. à café de sel

1. Lavez les feuilles de chou, essorez-les et coupez-les en deux. Pelez l'ail et hachez-le grossièrement. Pelez l'oignon et émincez-le. Émiettez les crevettes du bout des doigts. Délayez la pâte de crevettes dans la sauce de soja.
2. Mettez 1 litre d'eau dans une casserole, ajoutez le sel, l'ail et l'oignon et portez à ébullition. Réduisez la chaleur et ajoutez dans la casserole les crevettes et la sauce de soja additionnée de pâte de crevettes. Mélangez avec une cuillère de bois et ajoutez le chou.
3. Laissez cuire à petits frémissements pendant 5 mn, rectifiez l'assaisonnement et versez dans une soupière chaude. Servez très chaud.

Notes :
• Vous pouvez remplacer le chou par de l'oseille, des épinards, du chou chinois, du cresson, de la salade verte ou tout autre légume vert de saison. Ainsi, cette recette, à la fois facile et rapide à réaliser, vous permettra de préparer toute l'année des soupes légères et variées.
• Vous trouverez dans le commerce des crevettes séchées en poudre, qui conviennent aussi bien.

Bouillon de porc

Pour 4 personnes
Préparation et cuisson : 35 mn

- 300 g d'os de porc
- 3 gousses d'ail
- 2 cuil. à café de sauce de soja*
- 1 cuil. à café de poivre blanc en grains
- sel
- poivre

Pour servir :
- 1 feuille de céleri
- 2 oignons nouveaux avec leur tige

1. Pelez l'ail et passez-le au presse-ail. Écrasez le poivre blanc au pilon.
2. Mettez les os, le poivre écrasé, l'ail et la sauce de soja dans une grande casserole. Ajoutez 1,5 litre d'eau. Portez à ébullition, puis laissez frémir pendant 30 mn.
3. Pendant ce temps, lavez la feuille de céleri et ciselez-la. Pelez les oignons et lavez-les. Coupez les bulbes et le vert en petits tronçons.
4. Quand le bouillon est cuit, éteignez sous la casserole. Retirez les os à l'aide d'une écumoire, salez, poivrez. Versez le bouillon dans une soupière chaude, parsemez-le de céleri et d'oignon, et servez très chaud.

Notes :
• Ce bouillon clair accompagne habituellement des plats plutôt gras, comme le Porc rouge de la page 93.
• Pour faire un bouillon de volaille, il suffit de remplacer l'os de porc par une carcasse de poulet ou de canard.
• Vous pouvez également utiliser cette recette comme base d'une soupe plus consistante. Dans ce cas, vous ajouterez du chou, du chou-fleur, des carottes, des germes de soja ou des nouilles, que vous n'ajouterez que 10 mn avant la fin de la cuisson.

*Soupe de poisson au radis blanc; Soupe verte
aux crevettes; Bouillon de porc.*

Soupe de poisson
au radis blanc

Pour 4 personnes
Préparation : 20 mn
Cuisson : 30 mn (30 mn à l'avance)

- 250 g de filets de poisson blanc : cabillaud, merlan, colin...
- 1 radis blanc de 300 g environ
- 1 oignon moyen
- 3 gousses d'ail
- 4 tomates
- 1/2 cuil. à café de pâte de crevettes séchées* (facultatif)
- 1 cuil. à soupe de nuoc mam*
- 1/2 cuil. à café de curcuma*
- 1/2 cuil. à café de gingembre en poudre*
- 1/2 cuil. à café de chili en poudre
- 3 cuil. à soupe de tamarin*
- 5 brins de coriandre fraîche*
- 2 cuil. à soupe d'huile d'arachide
- 1 cuil. à café de sel

1. Épongez les filets de poisson dans du papier absorbant. Coupez-les en gros tronçons et mettez-les dans une assiette creuse. Poudrez les morceaux de poisson de sel et de curcuma et laissez reposer.

2. Délayez la pâte de crevettes dans le nuoc mam. Pelez l'oignon et émincez-le. Pelez l'ail et écrasez-le au presse-ail. Lavez les tomates et coupez-les en petits morceaux. Lavez les brins de coriandre, effeuillez-les et ciselez les feuilles.

3. Faites chauffer l'huile dans une grande casserole. Ajoutez en même temps l'ail, l'oignon, le gingembre et le chili. Laissez cuire quelques minutes, jusqu'à ce que tous les ingrédients soient légèrement colorés, puis ajoutez les morceaux de poisson. Laissez cuire encore quelques minutes en remuant constamment, puis ajoutez les tomates et le nuoc mam additionné de pâte de crevettes. Versez 1 litre d'eau froide dans la casserole, ajoutez la coriandre et portez à ébullition, puis laissez mijoter pendant 15 mn.

4. Pendant ce temps, mettez le tamarin dans un bol. Versez dessus 1 dl d'eau chaude. Pressez la pulpe de tamarin entre vos doigts pour en extraire le suc. Laissez tremper encore quelques minutes. Épluchez le radis en conservant un peu de vert et coupez-le en fines rondelles.

5. Retirez du bol la pulpe de tamarin et versez l'eau de trempage dans la casserole. Ajoutez le radis et laissez cuire encore 15 mn. Rectifiez l'assaisonnement. Laissez «infuser» hors du feu pendant 30 mn, pour que la soupe s'imprègne de tous les arômes.

6. Réchauffez la soupe et versez-la dans une soupière. Servez très chaud.

Notes :
- Cette soupe nourrissante et parfumée doit son goût particulier à l'eau de trempage de la pulpe de tamarin.
- Vous pouvez remplacer le radis blanc par des feuilles d'épinards ou de l'oseille.

Sauté de crevettes aux tomates; Poisson en papillotes; Poisson épicé.

Sauté de crevettes aux tomates

Pour 4 personnes
Préparation : 10 mn
Cuisson : 20 mn

- 500 g de grosses crevettes roses, crues et décortiquées
- 3 tomates
- 1 gros oignon
- 4 gousses d'ail
- 2 cuil. à soupe de nuoc mam*
- 1/2 cuil. à café de chili en poudre
- 1/2 cuil. à café de gingembre en poudre*
- 10 brins de coriandre fraîche*
- 4 cuil. à soupe d'huile d'arachide
- 1/2 cuil. à café de sel

1. Mettez les crevettes dans un plat creux avec le nuoc mam, le sel et le curcuma. Laissez-les mariner. Pelez l'oignon et émincez-le. Pelez l'ail et passez-le au presse-ail. Lavez les tomates et coupez-les en petits morceaux. Lavez la coriandre, effeuillez-la et ciselez les feuilles.
2. Faites chauffer l'huile dans une sauteuse. Ajoutez l'oignon, l'ail, le gingembre et le chili. Faites revenir quelques minutes tous ces ingrédients, en les remuant constamment et sans les laisser se dessécher.
3. Ajoutez les crevettes, les tomates et les trois quarts de la coriandre. Augmentez un peu la chaleur et laissez cuire 5 mn en remuant sans arrêt.
4. Ajoutez 4 cuillerées à soupe d'eau dans la sauteuse, couvrez, réduisez la chaleur et laissez mijoter encore 10 mn, jusqu'à ce que le liquide soit absorbé.
5. Versez le contenu de la sauteuse dans le plat de service. Décorez avec le reste de la coriandre. Servez très chaud.

Note :
Ce plat est meilleur s'il est préparé avec de grosses crevettes, comme cela se fait en Birmanie. Si vous ne trouvez pas de grosses crevettes du Sénégal, vous pouvez très bien utiliser des crevettes roses ordinaires.

Poisson épicé

Pour 4 personnes
Préparation et cuisson : 30 mn

- 750 g de filets de poisson blanc : cabillaud, colin, merlan...
- 2 oignons moyens
- 2 cuil. à soupe de tamarin*
- 1 cuil. à soupe de nuoc mam*
- 1/2 cuil. à café de curcuma*
- 1 1/2 cuil. à café de chili en poudre
- 7 cuil. à soupe d'huile d'arachide

1. Épongez les filets de poisson dans du papier absorbant et coupez-les en carrés de 10 cm de côté environ. Disposez les morceaux dans un plat creux. Mélangez le nuoc mam et le curcuma, et badigeonnez les morceaux de poisson de ce mélange.
2. Mettez le tamarin dans un bol. Versez dessus 1 dl d'eau chaude. Pressez la pulpe de tamarin entre vos doigts pour en extraire le suc et laissez-la tremper encore un peu. Pelez les oignons et émincez-les.
3. Faites chauffer l'huile dans une grande poêle, ajoutez les oignons et faites-les frire sur feu vif, jusqu'à ce qu'ils soient dorés et croustillants. Retirez les oignons à l'aide d'une écumoire et égouttez-les sur du papier absorbant.
4. Videz la moitié de l'huile contenue dans la poêle. Mettez le chili dans la poêle, ajoutez le poisson et faites-le frire sur feu vif pendant 1 mn.
5. Retirez la pulpe de tamarin et versez l'eau de trempage dans la poêle. Couvrez et laissez cuire sur feu moyen pendant environ 20 mn, jusqu'à ce que le liquide soit presque totalement absorbé. Si le poisson a tendance à attacher, ajoutez un peu d'huile en cours de cuisson.
6. Disposez les morceaux de poisson dans le plat de service, répartissez les oignons frits sur le poisson et servez très chaud.

Poisson
en papillotes

Pour 10 papillotes
Préparation : 30 mn
Cuisson : 20 mn

- 600 g de filets de poisson blanc : cabillaud, colin, merlan... assez épais
- 10 feuilles de chou chinois*
- 3 petits oignons
- 2 gousses d'ail
- 1 cuil. à soupe de farine de riz*
- 7 cuil. à soupe de lait de coco*
- 1/2 cuil. à café de curcuma*
- 1 cuil. à café de gingembre en poudre*
- 1/2 cuil. à café de chili en poudre
- 1/2 cuil. à café de citronnelle en poudre*
- 2 cuil. à café d'huile d'arachide
- 2 cuil. à café de sel

1. Épongez les filets de poisson dans du papier absorbant et coupez-les en carrés de 6 cm de côté. Disposez les morceaux de poisson dans un plat creux et frottez-les avec la moitié du sel et du curcuma.
2. Pelez les oignons et les gousses d'ail. Émincez 1 oignon, hachez finement les 2 autres et écrasez-les au pilon avec les gousses d'ail. Mélangez la purée d'oignon et d'ail, le gingembre, le chili, la farine de riz et le reste de sel et de curcuma. Travaillez le mélange avec les doigts jusqu'à obtention d'une pâte épaisse. Incorporez le lait de coco, l'huile, la citronnelle et l'oignon émincé sans cesser de travailler le mélange avec les doigts.
3. Lavez les feuilles de chou, égouttez-les et coupez-les en deux. Découpez dans une feuille de papier sulfurisé 10 carrés de 18 cm de côté. Placez une demi-feuille de chou au milieu de chaque carré, puis

recouvrez successivement avec un peu de pâte aux oignons, un morceau de poisson, un peu de pâte aux oignons, et enfin une demi-feuille de chou. Repliez le papier de façon à former 10 petits paquets. Roulez les bords pour bien les fermer.
4. Faites cuire les papillotes à la vapeur pendant 20 mn. Servez aussitôt.
Notes :
- Les Birmans réalisent les papillotes avec des feuilles de bananier (comme le montre notre photographie), mais le papier sulfurisé ou d'aluminium fait très bien l'affaire. Chacun ouvrira ses papillotes dans son assiette pour mieux en apprécier le parfum subtil.
- Vous pouvez remplacez le chou chinois par des feuilles d'épinard ou de laitue.

Sauté de poulet
à la birmane

Pour 4 personnes
Préparation : 20 mn
Cuisson : 1 h

- 1 poulet de 1,5 kg
- 3 oignons moyens
- 4 gousses d'ail
- 2 cuil. à soupe de sauce de soja*
- 1 morceau de 25 g de gingembre frais*
- 1 cuil. à café de chili en poudre
- 1/2 cuil. à café de curcuma*
- 3 feuilles de laurier*
- 1 bâton de cannelle*
- 5 cuil. à soupe d'huile d'arachide
- 1 cuil. à café de sel

1. Découpez le poulet en morceaux selon la méthode chinoise (décrite page 133). Placez les morceaux dans un plat creux avec la sauce de soja, le sel et le curcuma. Retournez-les pour bien les enrober.

2. Pelez les oignons et les gousses d'ail. Émincez 1 oignon, hachez finement les 2 autres et écrasez-les au pilon avec 3 gousses d'ail. Coupez la quatrième gousse d'ail en fines lamelles. Pelez le gingembre et râpez-le.
3. Mélangez l'oignon et l'ail écrasés, le gingembre et le chili. Badigeonnez le poulet de cette pâte parfumée.
4. Faites chauffer l'huile dans une sauteuse, ajoutez l'oignon et l'ail émincés et faites-les cuire sur feu doux pendant 5 à 10 mn, jusqu'à ce qu'ils soient bien tendres et blonds. Ajoutez les morceaux de poulet avec leur marinade. Faites-les revenir pendant 10 mn, en les retournant de temps en temps pour qu'ils soient bien dorés sur toutes les faces.
5. Ajoutez les feuilles de laurier et le bâton de cannelle dans la sauteuse, puis juste assez d'eau pour recouvrir le poulet. Portez à ébullition, couvrez, puis laissez cuire sur feu moyen pendant 35 mn environ : la graisse doit remonter à la surface et, dessous, la sauce doit être épaisse (si nécessaire, augmentez la chaleur en fin de cuisson pour la faire réduire).
6. Servez ce sauté de poulet très chaud, après avoir ôté les feuilles de laurier et le bâton de cannelle.
Notes :
- Vous accompagnerez ce plat avec du riz nature ou du Riz à la noix de coco (page 97).
- Ce plat typiquement birman est préparé de telle façon que la graisse remonte à la surface (ce qui se dit *hsi-byan*) en fin de cuisson.
- Vous pourrez très facilement modifier ce plat en remplaçant le laurier et la cannelle par 4 tomates coupées en petits morceaux et 1/2 cuillerée à café de citronnelle en poudre. Le résultat sera aussi bon.

Poulet aux nouilles et à la noix de coco

Pour 6-8 personnes
Préparation et cuisson : 1 h 30

- 1 poulet de 1,5 kg
- 1 kg de nouilles aux œufs
- 4 oignons moyens
- 4 gousses d'ail
- 1/4 de litre de lait de coco*
- 5 cuil. à soupe de farine de pois chiches
- 5 cuil. à soupe de farine de lentilles
- 1/2 cuil. à café de curcuma*
- 1 morceau de 25 g de gingembre frais*
- 2 cuil. à café de chili en poudre
- 7 cuil. à soupe d'huile d'arachide
- sel

Pour servir :
- 3 œufs
- 12 gousses d'ail
- 2 oignons
- 5 oignons nouveaux avec leur tige
- 2 citrons
- 6 cuil. à soupe d'huile d'arachide

1. Découpez le poulet en 8 morceaux. Frottez ces morceaux avec 1 cuillerée à soupe de sel et le curcuma, puis mettez-les dans une casserole. Couvrez avec 3 litres d'eau, portez à ébullition, puis laissez cuire à petits frémissements pendant 25 mn environ, jusqu'à ce que le poulet soit juste cuit, mais encore ferme.
2. Pendant ce temps, pelez les oignons et les gousses d'ail, hachez-les finement et écrasez-les au pilon. Pelez le morceau de gingembre et râpez-le.
3. Quand le poulet est juste cuit, retirez la casserole du feu. Retirez les morceaux de poulet. Otez la peau et les os et remettez-les dans le liquide de cuisson. Découpez la chair en gros morceaux.
4. Faites chauffer l'huile dans une autre grande casserole, ajoutez l'oignon, l'ail, le gingembre et le chili et faires revenir ces ingrédients pendant 5 mn en remuant constamment. Ajoutez la chair de poulet et laissez cuire encore 5 à 10 mn, sans cesser de remuer. Retirez du feu.

5. Mélangez les deux farines avec 1/2 litre du liquide de cuisson, de façon à obtenir une pâte fluide. Passez le reste du liquide et versez-le sur la chair de poulet. Incorporez la pâte de farines en remuant bien. Portez à ébullition, puis réduisez la chaleur et ajoutez le lait de coco. Laissez cuire à petits frémissements pendant 20 mn environ en remuant souvent, jusqu'à ce que le mélange ait la consistance d'une soupe épaisse. S'il est trop liquide, ajoutez un peu de farine de lentilles délayée dans un peu d'eau et s'il est trop épais, ajoutez de l'eau. Éteignez sous la casserole. Rectifiez l'assaisonnement et posez un couvercle sur la casserole.
6. Faites durcir les œufs. Faites cuire les nouilles dans une casserole d'eau bouillante salée. Arrêtez la cuisson au bout de 7 mn, égouttez les nouilles et tenez-les au chaud.
7. Avant de servir : pelez les oignons et émincez-les. Disposez les rondelles sur une assiette. Lavez les oignons nouveaux, pelez-les en petits tronçons. Mettez-les dans une autre assiette. Lavez les citrons et coupez-les en quatre. Rafraîchissez les œufs durs sous l'eau froide courante, écalez-les et coupez les en quatre. Dispo-

sez les quartiers d'œuf dur et les quartiers de citron sur une troisième assiette.
8. Pelez l'ail et coupez-le en lamelles. Faites chauffer l'huile dans une poêle. Ajoutez une poignée de nouilles cuites, et faites-les frire sur feu vif jusqu'à ce qu'elles soient bien dorées et croustillantes. Retirez les nouilles à l'aide d'une écumoire, épongez-les sur du papier absorbant et disposez-les dans un grand bol. Mettez l'ail dans la poêle, faites-le dorer sur feu vif, puis versez-le dans un petit bol.
9. Faites réchauffer doucement le mélange au poulet, puis versez-le dans un plat chaud. Servez très chaud, avec tous les accompagnements dans leurs petits plats.
Notes :
- Cette spécialité birmane est l'une des plus réputées. C'est un plat de fête, parfait pour recevoir quelques amis. Chaque convive remplit le fond de son bol avec des nouilles, répartit dessus un peu de chaque accompagnement et enfin recouvre le tout avec du mélange au poulet bien chaud.
- Le jus de citron s'ajoute au dernier moment, avant de déguster.

Porc rouge

Pour 4 à 6 personnes
Préparation et cuisson : 50 mn

- 1 kg de porc désossé
- 3 oignons moyens
- 3 gousses d'ail
- 3 cuil. à soupe de sauce de soja*
- 1 morceau de 50 g de gingembre frais*
- 1 cuil. à café de chili en poudre
- 5 cuil. à soupe d'huile d'arachide
- 1 cuil. à café de poivre noir moulu

1. Coupez la viande en cubes de 2 ou 3 cm de côté. Mettez ces morceaux dans un plat creux avec 2 cuillerées à soupe de sauce de soja et le poivre moulu.
2. Pelez les oignons et les gousses d'ail, hachez-les finement et écrasez-les au pilon. Pelez la racine de gingembre et coupez-la en deux. Écrasez-en une moitié au pilon et coupez l'autre en très fines rondelles.
3. Faites bouillir 2 dl d'eau dans une casserole, ajoutez-y le mélange oignon-ail et le gingembre. Passez ensuite la pâte obtenue dans une passoire et gardez d'un côté le mélange oignon-ail-gingembre, de l'autre le liquide parfumé.
4. Mélangez le chili avec 1 cuillerée à soupe d'eau chaude. Faites chauffer l'huile dans une sauteuse ou une cocotte en fonte, ajoutez les rondelles de gingembre et faites-les cuire jusqu'à ce qu'elles grésillent. Ajoutez aussitôt les morceaux de porc. Faites saisir la viande en la remuant constamment, jusqu'à ce qu'elle ait pris une couleur dorée.
5. Ajoutez le liquide parfumé et couvrez. Laissez mijoter pendant 10 mn environ, jusqu'à ce que presque toute l'eau soit absorbée. Ajoutez alors le chili délayé, 1 cuillerée à soupe de sauce de soja et le mélange oignon-ail-gingembre.
6. Couvrez à nouveau et laissez cuire sur feu doux pendant environ 40 mn, jusqu'à ce que la viande soit bien tendre, en remuant de temps en temps pour éviter qu'elle n'attache. (Si vous utilisez une viande maigre, vous devrez peut-être ajouter de l'eau en cours de cuisson.) Servez sans attendre.
Note :
Ce plat doit son nom à la jolie couleur que lui donne le chili. Les Birmans réalisent cette recette avec des morceaux plutôt gras, pris dans l'échine ou la poitrine de porc. Mais si vous préférez une viande plus maigre, vous pouvez utiliser du carré ou du filet mignon.

Bœuf mijoté au gingembre

Pour 4 à 6 personnes
Marinade : 4 h
Préparation et cuisson : 1 h 15

- 1 kg de bœuf à braiser : gîte à la noix, macreuse...
- 2 oignons moyens
- 4 gousses d'ail
- 1 cuil. à soupe de nuoc mam*
- 1 cuil. à soupe de vinaigre de cidre
- 1/2 cuil. à café de curcuma*
- 1 morceau de 25 g de gingembre frais*
- 1 cuil. à café de chili en poudre
- 3 feuilles de laurier*
- 1 bâton de cannelle*
- 5 grains de poivre
- 4 cuil. à soupe d'huile d'arachide

1. Au moins 4 h avant l'heure du repas : coupez la viande en cubes de 3 cm de côté et mettez-la dans un plat creux avec le nuoc mam, le curcuma et le vinaigre. Mélangez bien et laissez mariner au moins 4 h (si possible toute la nuit).
2. Quand la viande a suffisamment mariné, pelez les oignons, les gousses d'ail et le gingembre, hachez-les finement et écrasez-les au pilon. Mélangez l'oignon, l'ail et le gingembre avec le chili.
3. Faites chauffer l'huile dans une sauteuse ou dans une grande casserole à fond épais, ajoutez le mélange et faites-le revenir sur un feu vif en remuant constamment pendant 10 mn environ, jusqu'à ce qu'il commence à roussir.
4. Ajoutez la viande, les feuilles de laurier, le bâton de cannelle cassé en deux, les grains de poivre et juste assez d'eau pour couvrir à demi les morceaux de bœuf. Couvrez la sauteuse et laissez mijoter sur feu doux pendant environ 1 h, jusqu'à ce que la viande soit bien tendre. Si nécessaire, ajoutez un peu d'eau en cours de cuisson. Rectifiez l'assaisonnement en fin de cuisson (attendez le dernier moment pour ajouter du sel si vous jugez que c'est utile.
5. Servez très chaud, après avoir retiré les feuilles de laurier et la cannelle.

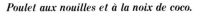

Poulet aux nouilles et à la noix de coco.

Curry de légumes

Pour 4 personnes
Préparation : 15 mn
Cuisson : 30 mn

- 3 pommes de terre
- 4 carottes
- 1 aubergine moyenne
- 1 petit chou-fleur
- 250 g de gombos*
- 1 oignon
- 3 gousses d'ail
- 3 tomates
- 10 brins de coriandre fraîche*
- 50 g de poisson séché (facultatif)
- 1 piment vert fort* (facultatif)
- 1/2 cuil. à café de curcuma*
- 1 cuil. à café de chili en poudre
- 1 morceau de 20 g de gingembre frais*
- 4 cuil. à soupe d'huile d'arachide

Curry de légumes ; à droite : ingrédients pour la Mosaïque de légumes.

1. Épluchez les pommes de terre et les carottes et coupez-les en dés de 3 cm de côté. Lavez l'aubergine, ôtez le pédoncule et coupez-la en rondelles de 2,5 cm d'épaisseur. Lavez le chou-fleur, éliminez les feuilles et le trognon, et détachez-le en petits bouquets. Lavez les gombos, ôtez le pédoncule et coupez-les en 2 tronçons. Mettez tous ces légumes — sauf les gombos — dans un saladier et couvrez-les d'eau froide.

2. Lavez les tomates et coupez-les en gros morceaux. Pelez l'oignon, les gousses d'ail et le gingembre, hachez-les finement et écrasez-les au pilon. Rincez le poisson séché, si vous en utilisez et coupez-le en petits morceaux. Lavez la coriandre, essorez-la avec les tiges et ciselez les feuilles.

3. Faites chauffer l'huile dans une grande casserole, ajoutez l'oignon, l'ail, le gingembre, le chili et le curcuma, et faites-les revenir sur feu vif, en remuant constamment, pendant 1 ou 2 mn. Ajoutez le poisson séché, faites cuire encore 2 mn sans cesser de remuer, puis ajoutez un tiers de la tomate et la coriandre. Remuez, ajoutez les dés de pommes de terre et juste assez d'eau pour les recouvrir (salez légèrement si vous n'avez pas utilisé de poisson séché), portez à ébullition, puis réduisez la chaleur et laissez cuire à petits frémissements pendant 10 mn.

4. Ajoutez ensuite les rondelles d'aubergine et les dés de carotte, laissez cuire encore 5 mn, puis ajoutez les bouquets de chou-fleur et un peu d'eau si nécessaire. Portez à ébullition, ajoutez le reste de tomate et le piment, si vous en utilisez un. Laissez cuire pendant 5 mn, puis ajoutez les gombos.

5. Réduisez la chaleur et laissez cuire 5 mn de plus : les légumes doivent rester fermes et le liquide doit être presque totalement absorbé. Servez chaud, après avoir retiré le piment, si vous en avez utilisé un.

Note :
Vous pouvez modifier à votre gré les proportions des différents légumes.

Mosaïque de légumes

Pour 6 à 8 personnes
Préparation et cuisson : 30 mn

- 4 petites carottes
- 100 g de haricots verts
- 100 g de gombos*
- 100 g de germes de soja*
- 100 g de chou-fleur
- 100 g de pousses de bambou*
- 1 oignon
- 50 g de graines de sésame*
- 2 cuil. à soupe d'huile d'arachide
- sel

1. Pelez les carottes, rincez-les et plongez-les dans une casserole d'eau bouillante salée. Laissez-les cuire 5 mn. puis égouttez-les et laissez-les refroidir.
2. Épluchez les haricots verts et lavez-les. Lavez le gombo et ôtez le pédoncule. Rincez les germes de soja à l'eau froide. Lavez le chou-fleur et détachez les bouquets. Rincez les pousses de bambou. Faites cuire ces légumes séparément, pendant environ 3 mn, dans de l'eau bouillante salée. Ils doivent rester bien croquants. Égouttez-les, puis laissez-les refroidir.
3. Pelez l'oignon et émincez-le. Mettez les graines de sésame dans une petite poêle à fond épais et faites-les griller sans matière grasse, en secouant constamment la poêle, jusqu'à ce qu'elles soient bien dorées. Retirez les graines de sésame et mettez l'huile dans la poêle.
4. Quand l'huile commence à chauffer, ajoutez l'oignon et faites-le revenir, jusqu'à ce qu'il soit bien doré et croustillant. Retirez l'oignon à l'aide d'une écumoire et épongez-le sur du papier absorbant. Gardez 1 cuillerée à soupe de l'huile qui reste dans la poêle.
5. Coupez les carottes en bâtonnets. Coupez les haricots et gombo en tronçons de 3 cm. Placez les différents légumes les uns à côté des autres sur un grand plat.
6. Faites dissoudre 1 pincée de sel dans l'huile que vous avez réservée et arrosez les légumes avec cette huile. Parsemez de graines de sésame et de rondelles d'oignon frit. Servez froid ou glacé.

Note :
Vous pouvez bien sûr modifier la composition de cet assortiment de légumes selon vos propres préférences.

Purée d'aubergine

Pour 4 personnes
Préparation et cuisson : 1 h 15

- 1 grosse aubergine
- 1 oignon
- 2 oignons nouveaux avec leur tige
- 1 gousse d'ail
- 1 morceau de 20 g de gingembre frais*
- 2 cuil. à soupe d'huile d'arachide
- 1/2 cuil. à café de sel

1. Allumez le four, thermostat 7 (220 °C). Lavez l'aubergine et ôtez le pédoncule. Essuyez-la et piquez-la de quelques coups de couteau. Huilez légèrement la plaque du four, posez l'aubergine dessus et enfournez-la. Laissez-la cuire pendant 1 h environ, en la retournant de temps en temps, jusqu'à ce qu'elle soit bien molle. Éteignez le four, sortez l'aubergine et laissez-la tiédir.
2. Pelez l'aubergine et écrasez la pulpe avec une fourchette. Pelez l'oignon et émincez-le. Pelez l'ail et écrasez-le au presse-ail. Pelez les oignons nouveaux en gardant beaucoup de vert, lavez-les et coupez-les en tout petits tronçons. Pelez le gingembre et râpez-le.
3. Faites chauffer l'huile dans une poêle, ajoutez l'ail et l'oignon émincés et faites-les frire doucement, jusqu'à ce qu'il commencent à se colorer. Ajoutez la pulpe d'aubergine, le gingembre et le sel, et faites cuire pendant 5 mn en remuant constamment.
4. Mettez la purée d'aubergine dans un plat et décorez avec les oignons nouveaux. Servez chaud ou froid.

Note :
Cette purée accompagnera agréablement un curry présenté avec une garniture de riz. Elle peut aussi être servie en entrée.

Salade de tomates

Pour 4 personnes
Préparation : 15 mn

- 4 tomates bien fermes
- 1 oignon
- 1 cuil. à soupe de poudre de cacahuètes grillées (page 129)
- 1 cuil. à café de nuoc mam*
- le jus de 1/2 citron
- 4 brins de coriandre fraîche*
- 4 cuil. à soupe d'huile d'arachide

1. Lavez les tomates, essuyez-les et coupez-les en fines rondelles. Mettez-les dans un saladier. Pelez l'oignon et émincez-le en défaisant les anneaux.
2. Faites chauffer 3 cuillerées à soupe d'huile dans une petite poêle. Ajoutez l'oignon et faites-le frire sur feu vif, jusqu'à ce qu'il soit doré et croustillant. Retirez-le à l'aide d'une écumoire et égouttez-le sur du papier absorbant.
3. Lavez les brins de coriandre, essorez-les et effeuillez-les. Gardez quelques feuilles entières pour la décoration et ciselez les autres. Ajoutez les feuilles ciselées dans le saladier, ainsi que la poudre de cacahuètes, le nuoc mam et 1 cuillerée à soupe d'huile. Mélangez délicatement.
4. Disposez la salade de tomates sur un plat, arrosez de jus de citron, garnissez avec les anneaux d'oignon et décorez avec les feuilles de coriandre.
5. Servez froid ou glacé.

Les ingrédients suivis d'un astérisque font l'objet d'une explication ou d'une précision dans le glossaire que vous trouverez à la page 216.

Salade de concombres

Pour 4 personnes
Préparation et cuisson : 15 mn

- 2 petits concombres
- 2 oignons
- 8 gousses d'ail
- 2 cuil. à soupe de graines de sésame*
- 1/2 cuil. à café de curcuma*
- 3 cuil. à soupe de vinaigre
- 6 cuil. à soupe d'huile d'arachide
- 1 cuil. à café de sucre en poudre
- sel

1. Pelez les concombres, coupez-les en quatre dans le sens de la longueur et ôtez les graines. Coupez la pulpe des concombres en tronçons de 7 cm environ et mettez-la dans une grande casserole avec 2 cuillerées à soupe de vinaigre et juste assez d'eau pour la recouvrir. Portez à ébullition, puis réduisez la chaleur et laissez cuire à petits frémissements pendant 4 mn environ, jusqu'à ce que le concombre soit translucide.
2. Égouttez le concombre, saupoudrez-le de 1/2 cuillerée à café de sel et laissez-le refroidir. Pelez les oignons et émincez-les. Pelez l'ail et coupez-le en lamelles.
3. Faites chauffer l'huile dans une poêle, ajoutez l'oignon et faites-le revenir sur feu vif jusqu'à ce qu'il soit doré et croustillant. Retirez l'oignon à l'aide d'une écumoire et égouttez-le sur du papier absorbant. Mettez l'ail dans la poêle, faites-le dorer sur feu vif, retirez-le à l'aide d'une écumoire et égouttez-le sur du papier absorbant.
4. Mettez le curcuma, le sucre et 1/2 cuillerée à café de sel dans la poêle. Mélangez et ajoutez la moitié des graines de sésame. Faites chauffer sur feu vif pendant 1 ou 2 mn, en remuant constamment, puis retirez du feu et laissez refroidir dans la poêle.
5. Ajoutez 1 cuil. à soupe de vinaigre dans la poêle, puis le concombre. Mélangez bien. Éliminez l'excédent d'huile et de vinaigre, puis disposez le concombre en pyramide sur un plat. Répartissez l'ail, l'oignon et le reste des graines de sésame sur la pyramide. Servez froid ou glacé.
Note :
Vous pouvez préparer de la même façon des carottes, du chou-fleur, des haricots verts ou des germes de soja frais.

Condiment aux crevettes

Pour 450 g de condiment
Préparation et cuisson : 15 mn

- 200 g de crevettes séchées*
- 2 cuil. à soupe de pâte de crevettes*
- 1 cuil. à soupe de tamarin*
- 1 oignon
- 8 gousses d'ail
- 1 morceau de 25 g de gingembre frais*
- 1 cuil. à café de chili en poudre
- 1 cuil. à café de curcuma*
- 2 dl d'huile d'arachide

1. Mettez le tamarin dans un bol, versez dessus 3 cuillerées à soupe d'eau chaude et pressez la pulpe pour en extraire le suc. Laissez tremper. Pelez le gingembre et coupez-le en lamelles. Pelez l'oignon et émincez-le. Pelez les gousses d'ail et coupez-les en lamelles. Écrasez les crevettes au pilon ou à la fourchette.
2. Faites chauffer l'huile dans un wok ou dans une poêle. Faites revenir l'oignon, puis l'ail, puis le gingembre, jusqu'à ce qu'ils soient dorés et croustillants. Retirez-les au fur et à mesure à l'aide d'une écumoire et posez-les sur du papier absorbant.

3. Mettez le chili dans l'huile chaude, attendez 30 secondes et ajoutez le curcuma et les crevettes. Laissez frire, jusqu'à ce que les crevettes soient croustillantes et qu'elles aient absorbé une grande partie de l'huile. Retirez les crevettes à l'aide d'une écumoire en les égouttant bien.

4. Retirez la pulpe de tamarin et versez l'eau de trempage dans le wok ou dans la poêle. Ajoutez la pâte de crevettes. Faites cuire sur feu doux pendant 3 mn en remuant constamment. Remettez les crevettes dans le wok, mélangez rapidement et retirez du feu. Ajoutez alors l'ail, l'oignon et le gingembre. Laissez ensuite refroidir.

Notes :

• Chaque famille birmane possède sa propre recette de condiment aux crevettes et celui-ci accompagne la plupart des repas. Vous le présenterez dans des minibols individuels.

• Il se conserve 6 mois au réfrigérateur dans un récipient bien fermé.

Riz
à la noix
de coco

Pour 6 personnes
Préparation : 5 mn
Cuisson : 20 mn

• 450 g de riz à grains longs
• 1 dl de lait de coco*
• 1 oignon
• 1 cuil. à café d'huile d'arachide
• 1/2 cuil. à café de sel

1. Pelez l'oignon et coupez-le en quatre. Mesurez le riz à l'aide d'une tasse. Mettez le riz dans une casserole, ajoutez-lui deux fois son volume d'eau, puis le lait de coco, le sel, l'oignon et l'huile.

2. Portez à ébullition, couvrez la casserole et laissez cuire sur feu très doux pendant 20 mn environ, jusqu'à ce que le riz soit tendre et gonflé et qu'il ait absorbé le liquide. Retirez du feu, remuez une fois avec une cuillère et servez chaud.

Notes :

• Le riz à la noix de coco peut accompagner la plupart des plats de façon moins banale que le riz nature, mais il s'accorde particulièrement bien avec le Sauté de poulet à la birmane de la page 91).

• Si vous voulez lui donner une saveur particulière, vous ferez cuire le riz avec 1 bâton de cannelle, 1 feuille de laurier, 2 cardamomes et 2 clous de girofle (vous retirerez tous ces ingrédients avant de servir).

Salade de tomates ; Salade de concombres.

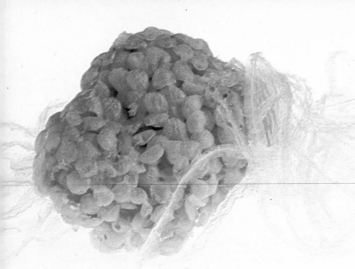

Gelée d'algue
à la noix de coco

Pour 6-8 personnes
Préparation : 10 mn
Cuisson : 10 mn
Réfrigération : 1 h

- 25 g d'agar-agar séché*
- 1,5 dl de lait de coco*
- 200 g de sucre cristallisé

1. Mettez l'agar-agar dans un bol, ajoutez juste assez d'eau pour l'imbiber et laissez-la gonfler pendant 2 h.
2. Au bout de ce temps, égouttez l'agar-agar et éliminez l'eau de trempage.
3. Versez les trois quarts du lait de coco et 6 dl d'eau dans une casserole. Ajoutez le sucre et l'agar-agar. Portez à ébullition, puis laissez cuire sur feu doux pendant 10 mn, en remuant de temps en temps, jusqu'à ce que le mélange soit homogène. Versez la préparation dans un moule carré peu profond et laissez-la refroidir.
4. Quand la gelée est presque froide, versez le reste du lait de coco dans le moule, sans mélanger : une fois prise, la gelée aura un aspect plus crémeux sur le dessus. Mettez ensuite le moule dans le réfrigérateur.
5. Quand la gelée est prise, c'est-à-dire au bout d'1 h environ, démoulez-la et découpez-la en losanges avant de la servir.

Bouchées
à la noix de coco

Pour 6 personnes
Préparation et cuisson : 15 mn

- 200 g de tapioca
- 200 g de sucre roux en poudre
- 100 g de noix de coco fraîche*
- 2 cuil. à café de sucre blanc en poudre
- 1 cuil. à café d'huile
- 1/2 cuil. à café de sel

1. Mettez la tapioca, le sucre roux, le sel et 8 dl d'eau dans une casserole. Portez à ébullition, puis réduisez la chaleur et laissez cuire sur feu doux pendant 10 mn environ, en remuant très souvent, jusqu'à ce que le mélange épaississe et devienne transparent.
2. Pendant ce temps, huilez un moule peu profond.
3. Quand la préparation est cuite, versez-la dans le moule et laissez-la refroidir.
4. Râpez la noix de coco, mettez-la dans une assiette avec le sucre blanc et mélangez. Quand la préparation au tapioca est froide, prenez-en 1 cuillerée à soupe, roulez-la dans la noix de coco sucrée et continuez avec le reste de la préparation.
Note :
En Birmanie on utilise du sucre de palme, mais celui-ci est introuvable — ou presque — chez nous ; mais le sucre roux convient parfaitement ici.

Petits gâteaux de semoule

Bouchées à la noix de coco; Petits gâteaux de semoule; Gelée d'algue à la noix de coco.

Pour 6 personnes
Préparation et cuisson : 45 mn + 1 h 30
Repos : 30 mn

- 200 g de semoule
- 200 g de cassonade
- 3 dl de lait de coco*
- 75 g de raisins secs
- 4 cuil. à soupe de graines de sésame*
- 2 œufs
- 60 g de beurre
- 2 cuil. à café d'huile
- 1/2 cuil. à café de sel

1. Mettez la semoule dans une grande casserole à revêtement antiadhésif et faites-la cuire sur feu doux pendant 10 mn en remuant de temps en temps : la semoule doit dorer, pas brûler. Pendant ce temps, faites bouillir 1 litre d'eau.
2. Retirez la casserole du feu. Ajoutez la cassonade, le sel, le lait de coco et l'eau bouillante. Mélangez, puis laissez reposer pendant au moins 30 mn.
3. Au bout de ce temps, posez la casserole sur feu doux et laissez cuire la préparation pendant 15 mn environ, en remuant de temps en temps, jusqu'à ce qu'elle épaississe.
4. Retirez la casserole du feu. Ajoutez 50 g de beurre et mélangez jusqu'à ce qu'il soit fondu. Incorporez l'huile en mélangeant bien, puis laissez tiédir.

5. Cassez les œufs dans un bol et battez-les à la fourchette. Ajoutez-les au contenu de la casserole en battant au fouet à main. Allumez le four, thermostat 6 (200 °C).
6. Remettez la casserole sur le feu et laissez cuire doucement pendant 5 mn en remuant constamment. Ajoutez les raisins secs, mélangez et laissez cuire encore 5 à 10 mn, jusqu'à ce que le mélange soit très épais mais encore souple.
7. Beurrez un moule carré avec le reste du beurre. Versez la préparation dans le moule et lissez-en la surface à l'aide d'une spatule. Saupoudrez de graines de sésame, mettez le moule dans le four et laissez cuire environ 1 h 30, jusqu'à ce que le gâteau se détache des bords du moule et que les graines aient pris une couleur brune.
8. Sortez le gâteau du four et laissez-le refroidir dans le moule, puis démoulez-le et découpez-le en carrés ou en losanges.
Notes :
• C'est la méthode de cuisson «à sec» de la semoule qui donne sa saveur particulière à ce gâteau.
• Vous pouvez remplacer les graines de sésame par des graines de pavot.

Thaïlande

Ornsiri Selby-Lowndes

Nai nam mee Pla, Nai nar mee Kow («Dans l'eau il y a des poissons, dans les champs il y a du riz»), disait Râma Khamheng, deuxième souverain du royaume de Siam fondé par son père en 1220. En 1939, le royaume a changé de nom et s'appelle désormais la Thaïlande, «pays des Thaïs», mais la petite phrase du roi de Siam n'a pas été oubliée.

C'est la seule région du Sud-Est asiatique qui n'ait jamais été colonisée, aussi le peuple thaï a-t-il pu préserver ses traditions ancestrales. La Thaïlande est toujours une monarchie, où la religion bouddhiste est largement prépondérante. Ce qui fait qu'il n'y pas d'interdits religieux touchant la nourriture.

Les Thaïlandais ont une alimentation très variée, où les viandes figurent en bonne place à côté du poisson, et où les légumes verts sont très abondants. Ils utilisent des herbes et des épices fraîches qu'ils peuvent se procurer toute l'année, et ils consomment beaucoup de crudités.

Les ustensiles
Dans les grandes agglomérations urbaines, les réchauds à gaz ont supplanté les traditionnelles cuisinières à charbon. Mais le principal ustensile reste le wok, qui sert aussi bien pour les fritures, les plats mijotés ou les cuissons à la vapeur. Dans ce dernier cas, une sorte de tamis en bambou est posé sur de l'eau qui bout dans le fond du wok. Très souvent, les Thaïlandais enveloppent les ingrédients dans une feuille de bananier ou de bambou, ce qui donne une saveur très agréable aux aliments.

Parmi les autres ustensiles utiles, mais pas indispensables pour réaliser les recettes thaïlandaises, citons le mortier et le pilon, de préférence en granite rugueux pour mieux écraser les aliments fibreux tels que les viandes ou les crevettes, et le petit barbecue d'intérieur pour les grillades.

Les repas
Le riz est la nourriture de base en Thaïlande comme dans la plupart des pays asiatiques. Les Thaïlandais mangent parfois des nouilles dans la journée, mais le riz est présent à tous le menus, entouré d'au moins quatre plats. Ce peuvent être, par exemple, une soupe, un curry, un plat de viande ou de poisson et une salade mélangée.

Les plats sucrés sont rarement servis au dessert. Les Thaïlandais préfèrent les déguster en dehors des repas et le plus souvent ils les achètent tout préparés. Ils finissent plutôt le repas avec des tranches de fruits glacés, notamment des ananas ou des mangues, qu'ils trempent dans du sel relevé d'épices.

Le riz
Le meilleur riz est celui qui vient de Nakhorn Pathom, une ville célèbre pour son immense stûpa en briques émaillées élevé au XIXe siècle. D'une manière générale, le riz thaïlandais est excellent — on l'appelle «riz parfumé» — et vous l'apprécierez certainement. Quand le riz est frais, c'est-à-dire de la dernière récolte, il absorbe une fois et demie son volume d'eau en cuisant. Plus il est vieux plus la quantité d'eau nécessaire augmente. Cette eau n'est jamais salée. Si vous ne pouvez vous procurer du riz thaïlandais, remplacez-le par du riz blanc à grains longs.

Les soupes
Il existe deux sortes de soupes : les *Kang Chud*, bouillons légers, et les *Tom Yum*, soupes plus nourrissantes, qui contiennent généralement des morceaux de crevettes, de porc, de bœuf, de poulet ou de poisson. Ces *Tom Yum* ont une saveur particulière due au mélange de citronnelle, de nuoc mam et de jus de citron vert. La soupe est habituellement servie en même temps que les autres plats.

Les salades
Les salades thaïlandaises sont très relevées. Elles contiennent très souvent de petits piments oiseaux frais, bien cachés parmi les autres ingrédients, que l'on croque au moment où on s'y attendait le moins... On peut aussi y trouver des feuilles de manguier, des boutons de fleurs et toutes sortes de pousses variant selon les saisons, mais aussi des tomates, des concombres et autres légumes qui nous sont plus familiers.

Le curry

Les Thaïlandais préparent toujours le curry avec des épices et des condiments frais, qu'ils réduisent en poudre. Leur curry a donc une saveur incomparable, qu'il vous sera malheureusement difficile de retrouver, car vous devrez remplacer de nombreuses épices fraîches par des épices séchées ou en poudre.

Les poissons

En Thaïlande, les marchés regorgent de poissons et un plat de poisson est toujours présent dans un repas. On y consomme beaucoup de *Pla Tu*, une sorte de petit maquereau — vendu déjà cuit sur les marchés — et le *Pla Jelamed*, que l'on trouve dans certaines épiceries orientales, au rayon des

surgelés ; il peut être remplacé par de la daurade.

Les *Pla Muek* (calmars) entrent dans la composition de nombreuses soupes et salades. Choisissez-les plutôt petits, ils s'accommodent ainsi d'un temps de cuisson assez réduit et n'ont pas une consistance caoutchouteuse.

Les boissons

A table, les Thaïlandais boivent de l'eau ou du thé léger, glacés. Les boissons alcoolisées ne se mariant pas très bien avec les plats épicés de la cuisine thaïlandaise, surtout au-delà de 5° d'alcool. La bière est donc préférable au vin. Les bières de Bangkok les plus réputées sont vendues sous les marques « Singha » et « Amarit ».

Soupe aux crevettes et aux calmars

Pour 4 personnes
Préparation : 15 mn
Cuisson : 10 mn

- 250 g de petits calmars
- 250 g de crevettes crues décortiquées
- 3 feuilles fraîches de citron vert*
- 1 bulbe de citronnelle fraîche*
- 1,25 l de bouillon de volaille
- 2 ou 3 piments verts*
- 2 gousses d'ail
- 1 cuil. à soupe de nuoc mam*
- 1 citron vert

Pour servir :
- 2 brins de coriandre fraîche*

1. Nettoyez les calmars en éliminant le cartilage à l'intérieur et la tête, mais pas les tentacules. Coupez les tentacules en petits morceaux et le blanc en anneaux. Lavez et essorez. Lavez les piments, ôtez le pédoncule et coupez la pulpe en anneaux. Pelez l'ail et écrasez-le au presse-ail. Lavez les brins de coriandre, effeuillez-les et ciselez les feuilles.

2. Mettez le bouillon, les feuilles de citron et le bulbe de citronnelle dans une casserole. Portez à ébullition, puis réduisez la chaleur et laissez cuire à petits frémissements pendant 5 mn.

3. Ajoutez les crevettes, les calmars et le nuoc mam et poursuivez la cuisson jusqu'à ce que les crevettes soient bien roses. Ajoutez les piments et retirez du feu.

4. Coupez le citron vert et pressez-le. Mélangez l'ail et le jus du citron. Versez la soupe dans 4 bols individuels en éliminant le bulbe de citronnelle et les feuilles de citron. Ajoutez un peu de jus de citron à l'ail dans chaque bol, remuez, décorez avec la coriandre et servez très chaud.

Note :
La recette thaïlandaise originale utilise du Bouillon de porc (fait avec des os de porc, comme dans la recette de la page 88), mais le bouillon de volaille en tablettes est un bon substitut.

Soupe aux vermicelles transparents

Pour 4 personnes
Préparation : 20 mn
Cuisson : 10 mn

- 100 g de vermicelles de haricots mung*
- 100 g de viande de porc fraîche
- 100 g de crevettes décortiquées
- 25 g de crevettes séchées*
- 25 g d'encornets séchés
- 1 petit oignon
- 2 cuil. à soupe de champignons séchés «oreilles de chat»*
- 2 racines de coriandre séchées*
- 2 gousses d'ail
- 1 œuf
- 1 pincée de glutamate de sodium*
- 1 cuil. à café de poivre moulu

Pour servir :
- 2 oignons nouveaux avec leur tige

1. Mettez les champignons dans un grand bol, couvrez-les d'eau et laissez-les tremper pendant 20 mn.
2. Mettez les vermicelles dans un grand bol, couvrez-les d'eau et laissez-les tremper pendant 10 mn.
3. Pendant ce temps, râpez la racine de coriandre. Pelez l'ail et pressez-le au presse-ail. Hachez la viande.

4. Mettez la racine de coriandre, l'ail et le poivre dans un mortier. Travaillez au pilon jusqu'à obtention d'une pâte épaisse. Ajoutez la viande hachée et continuez à travailler le mélange jusqu'à ce qu'il soit homogène. Façonnez cette préparation en 10 ou 12 boulettes d'environ 1 cm de diamètre.
5. Quand les vermicelles ont suffisamment trempé, égouttez-les dans une passoire. Pelez l'oignon et émincez-le.
6. Mettez 1,25 litre d'eau dans une casserole et portez à ébullition. Plongez les boulettes de viande dans l'eau bouillante et laissez-les cuire pendant 5 mn. Ajoutez les crevettes et éliminez l'écume qui se forme à la surface. Laissez cuire à petits frémissements pendant 2 mn en remuant constamment.
7. Ajoutez les crevettes et les encornets séchés, l'oignon, le glutamate de sodium et les vermicelles. Egouttez les champignons et mettez-les dans la casserole. Prolongez la cuisson pendant 2 mn, puis cassez l'œuf dans un bol, battez-le légèrement et ajoutez-le peu à peu, en remuant constamment.
8. Retirez la casserole du feu. Epluchez les oignons nouveaux en gardant beaucoup de vert et coupez-les en petits tronçons. Versez la soupe dans une soupière, parsemez d'oignon nouveau et servez très chaud.

Note :
Vous trouverez des encornets (ou calmars) séchés dans les épiceries orientales, mais si leur consistance caoutchouteuse vous déplaît, vous pouvez très bien vous en passer.

Soupe aux crevettes et aux calmars ; Soupe aux vermicelles transparents.

Soupe au riz et à la viande

Pour 4 personnes
Préparation : 15 mn
Cuisson : 10 mn

- 2 blancs de poulet
- 100 g de pointe de porc désossée
- 350 g de riz cuit
- 2 branches de céleri
- 2 oignons nouveaux avec leur tige
- 1,25 litre de bouillon de volaille
- nuoc mam*
- poivre

Pour servir :
- 4 gousses d'ail
- 100 g de lard fumé, en fines tranches
- 1 cuil. à soupe d'huile d'arachide

1. Débarrassez le lard de sa couenne, et coupez-le en rectangles de 1 cm de large. Otez la peau des blancs de poulet. Coupez le porc et le poulet en cubes de 1 cm de côté. Nettoyez le céleri en conservant les feuilles et coupez-le en morceaux de 1 cm. Lavez les oignons nouveaux, pelez-les en gardant beaucoup de vert et coupez-les en petits tronçons. Pelez l'ail et hachez-le finement.
2. Mettez le bouillon dans une casserole, portez à ébullition, puis ajoutez le poulet et le porc. Laissez cuire jusqu'à ce que le porc soit presque blanc, ajoutez le riz et retirez la casserole du feu, puis ajoutez les tronçons d'oignon et les cubes de céleri. Assaisonnez à votre goût avec du nuoc mam et du poivre et laissez en attente.
3. Faites chauffer l'huile dans une poêle, et faites frire l'ail jusqu'à ce qu'il soit bien doré. Retirez-le à l'aide d'une écumoire. Mettez le lard fumé dans la poêle et faites-le frire jusqu'à ce qu'il soit doré et croustillant. Retirez-le à l'aide d'une écumoire en l'égouttant bien.
4. Versez la soupe dans 4 bols individuels. Garnissez d'ail et de lard fumé et servez très chaud.

Note :
En Thaïlande, cette soupe reconstituante est consommée au petit déjeuner ou tard dans la soirée. Elle est souvent servie avec des piments au vinaigre.

Nouilles de riz en sauce au crabe

Pour 4 personnes
Préparation et cuisson : 30 mn

- 175 g de nouilles de riz*
- huile pour friture

Pour la sauce :
- 200 g de crevettes décortiquées
- 75 g de chair de crabe
- 1 oignon
- 2 gousses d'ail
- 5 g de pulpe de tamarin séchée*
- 1 cuil. à soupe de sauce de soja*
- 2 cuil. à café de sucre roux en poudre
- 1 cuil. à soupe d'huile d'arachide
- 1 cuil. à café de sel

Pour garnir :
- 100 g de germes de soja frais*
- 2 piments rouges*
- 1 zeste d'orange non traitée
- 2 brins de coriandre*

1. Faites tremper la pulpe de tamarin dans 2 cuillerées à soupe d'eau, pressez-la pour en extraire le suc, puis retirez-la. Gardez l'eau de trempage.
2. Lavez les piments, ôtez les pédoncules et coupez la chair en tout petits morceaux. Lavez les brins de coriandre, effeuillez-les et ciselez les feuilles. Râpez le zeste d'orange. Cassez les nouilles en deux ou trois.
3. Faites chauffer l'huile pour friture dans une friteuse et plongez-y les nouilles par poignées. Laissez-les cuire 30 secondes, jusqu'à ce qu'elles gonflent et flottent à la surface, puis égouttez-les.
4. Préparez la sauce : pelez l'oignon et hachez-le finement. Pelez l'ail et écrasez-le au presse-ail. Faites chauffer l'huile dans un wok ou dans une poêle, mettez-y l'ail et l'oignon et faites-les frire jusqu'à ce qu'ils commencent à blondir, puis ajoutez les crevettes et la chair de crabe et laissez cuire encore quelques secondes. Ajoutez la sauce de soja, le sel, le sucre, l'eau de trempage du tamarin et les nouilles. Mélangez, rectifiez l'assaisonnement et laissez sur le feu jusqu'à ce que les nouilles et leur sauce soient bien chaudes, puis versez le contenu de la poêle dans un plat chaud.
5. Décorez avec le zeste d'orange, la coriandre et les piments. Disposez les germes de soja en couronne tout autour. Servez chaud.

Maquereaux en sauce au tamarin

Pour 4 personnes
Préparation et cuisson : 1 h

- 4 maquereaux
- 100 g de gingembre frais*
- 10 g de tamarin séché*
- 3 gousses d'ail
- 1 cuil. à café de sucre
- 2 cuil. à soupe d'huile d'arachide

Pour servir :
- 1 concombre
- 3 oignons nouveaux avec leur tige

1. Allumez le four, thermostat 4 1/2 (150°). Nettoyez soigneusement les maquereaux et épongez-les avec du papier absorbant. Découpez une grande feuille de papier d'aluminium, posez les maquereaux côte à côte sur la feuille et enveloppez-les dans le papier d'aluminium. Mettez cette papillote dans le four et laissez cuire pendant 45 mn.
2. Pendant ce temps, faites tremper la pulpe de tamarin dans 3 cuillerées à soupe d'eau. Pelez la racine de gingembre, coupez-la en fines rondelles, puis en bâtonnets : vous devez obtenir 2 cuillerées à soupe de bâtonnets de gingembre. Pelez l'ail et hachez-le finement. Epluchez les oignons nouveaux en conservant beaucoup de vert et coupez-les en tout petits tronçons. Pelez le concombre, coupez-le en rondelles de 1 cm d'épaisseur et mettez-le dans un petit plat creux. Pressez la pulpe de tamarin pour en extraire tout le suc, retirez-la et gardez l'eau de trempage.
3. Quand le poisson est cuit, éteignez le four, sortez la papillote, ouvrez-la et laissez refroidir les poissons.
4. Faites chauffer l'huile dans un wok ou dans une poêle, ajoutez les poissons et faites-les frire jusqu'à ce qu'ils soient bien dorés sur une face. Retirez-les en veillant à ne pas déchirer la peau, égouttez-les sur du papier absorbant, puis disposez-les sur un plat de service. Tenez-les au chaud.
5. Préparez la sauce : mettez l'ail dans la poêle où a cuit le poisson, faites le blondir sur feu vif, puis ajoutez le gingembre et laissez encore cuire 1 mn. Versez 3 cuillerées à soupe d'eau dans la poêle, remuez, ajoutez le sucre et l'eau de trempage du tamarin, remuez encore et laissez chauffer tous les ingrédients.
6. Versez la sauce chaude sur les maquereaux, parsemez de morceaux d'oignons nouveaux et servez chaud, avec le concombre en accompagnement.

Boulettes de poisson épicées

Pour 4 personnes
Préparation et cuisson : 35 mn

- 750 g de filets de cabillaud
- 4 gousses d'ail
- 4 racines de coriandre séchées*
- 3 piments séchés*
- 20 grains de poivre
- 1 cuil. à soupe de farine
- 1 cuil. à soupe de sauce de soja*
- 1 pincée de sucre en poudre
- 5 cuil. à soupe d'huile d'arachide

Pour servir :
- 1 petit concombre
- 1 petite carotte
- 2 échalotes
- 1 cuil. à café de sucre en poudre
- 1 cuil. à café de vinaigre

1. Préparez la salade de concombre : pelez le concombre et coupez-le en fines tranches. Disposez les tranches dans un petit plat creux. Pelez les échalotes et coupez-les en fines rondelles. Lavez la carotte, pelez-la et râpez-la. Mélangez le vinaigre, le sucre, les échalotes et la carotte. Versez ce mélange sur les rondelles de concombre.
2. Pelez l'ail et écrasez-le au presse-ail. Râpez la racine de coriandre. Rincez les filets de poisson, épongez-les avec du papier absorbant et coupez-les en morceaux. Otez le pédoncule des piments.
3. Mettez l'ail, les grains de poivre, la coriandre, le sucre et les piments dans un mortier. Travaillez au pilon jusqu'à ce que tous les ingrédients écrasés forment une pâte épaisse. Ajoutez peu à peu les filets de poisson en continuant à écraser au pilon : le mélange doit être homogène. Tamisez la farine au-dessus du mortier, ajoutez la sauce de soja et travaillez la préparation pendant encore 1 mn.
4. Façonnez la pâte au poisson en 20 à 25 boulettes de 2,5 cm de diamètre environ. Faites chauffer l'huile dans un wok ou dans une poêle et faites frire quelques boulettes, jusqu'à ce qu'elles soient bien dorées sur toute leur surface. Retirez-les à l'aide d'une écumoire, égouttez-les et tenez-les au chaud pendant que vous faites frire les autres boulettes, toujours par petites quantités.
5. Servez chaud, avec la salade de concombre en accompagnement.

Blancs de poulet au curry

Pour 4 personnes
Préparation : 15 mn
Cuisson : 25 mn

- 2 blancs de poulet
- 1,5 dl de lait de coco*

Pour le curry :
- 2 piments*
- 3 échalotes
- 5 gousses d'ail
- 1/2 cuil. à café de graines de coriandre*
- 1/2 cuil. à café de graines de carvi*
- 2 cuil. à café de citronnelle en poudre*
- 1 cuil. à café de racine de coriandre râpée*
- 1/2 cuil. à café de zeste de makrut* (ou de citron) râpé
- 1/2 cuil. à café de pâte de crevettes*
- 3 tranches de galanga séché*

1. Faites tremper le galanga dans de l'eau fraîche. Otez le pédoncule des piments, coupez-les en deux dans le sens de la longueur, éliminez les graines et hachez la pulpe. Pelez les échalotes et les gousses d'ail. Otez la peau des blancs de poulet et coupez-les en quatre.

2. Mettez le lait de coco dans une grande casserole, ajoutez le poulet et laissez cuire sur feu doux pendant 10 mn. Retirez les morceaux de poulet et faites bouillir le liquide de cuisson à feu vif, pendant quelques minutes, jusqu'à ce qu'il soit bien onctueux.

3. Préparez le curry : égouttez le galanga. Mettez les graines de carvi dans un mortier, écrasez-les au pilon, ajoutez les graines de coriandre, écrasez-les et continuez à ajouter un à un tous les autres ingrédients du curry, sans cesser de travailler au pilon. Lorsque vous avez obtenu une pâte épaisse, mélangez-la avec le lait de coco, dans la casserole. Faites chauffer en remuant constamment.

4. Remettez le poulet dans la casserole, laissez chauffer sur feu doux en retournant la viande pour l'enrober de sauce, puis versez le contenu de la casserole dans un plat. Servez chaud.

Maquereaux en sauce au tamarin ; Nouilles de riz en sauce au crabe.

Boulettes de porc

Pour 4 personnes
Préparation et cuisson : 25 mn

- 500 g de porc haché
- 2 racines de coriandre séchées*
- 4 gousses d'ail
- 2 cuil. à soupe de nuoc mam*
- 2 cuil. à café de poivre moulu
- 1 pincée de sucre en poudre
- 2 cuil. à soupe de farine
- 4 cuil. à soupe d'huile d'arachide

Pour servir :
- quelques feuilles de coriandre*

1. Râpez les racines de coriandre et mettez-les dans un mortier. Pelez l'ail et ajoutez-le dans le mortier, ainsi que le poivre et le sucre. Ecrasez au pilon jusqu'à obtention d'une pâte lisse.

2. Ajoutez le porc et continuez à écraser au pilon, jusqu'à ce que tous les éléments soient bien amalgamés. Tamisez la farine au-dessus d'une assiette plate. Mettez le hachis dans un bol, ajoutez le nuoc mam et mélangez bien. Façonnez cette préparation en 20 boulettes. Roulez celles-ci dans la farine de façon à les enrober très légèrement.

3. Faites chauffer l'huile dans un wok ou dans une poêle. Faites cuire 5 boulettes sur feu moyen pendant 2 ou 3 mn, jusqu'à ce qu'elles ne laissent plus perler de jus lorsque vous les piquez avec une fourchette. Retirez-les à l'aide d'une écumoire, égouttez-les et tenez-les au chaud pendant que vous faites cuire les autres boulettes, toujours par 5.

4. Servez chaud, avec quelques feuilles de coriandre pour décorer le plat.

Poulet au gingembre ; Boulettes de porc.

Poulet à l'ail

Pour 4 personnes
Marinade : 2 h
Préparation : 10 mn
Cuisson : 10 mn

- 4 blancs de poulet
- 3 gousses d'ail
- 2 cuil. à soupe de sauce de soja*
- 1 cuil. à café de sucre en poudre
- 1 cuil. à café d'huile de sésame*
- huile pour friture
- 1 cuil. à soupe de poivre moulu
- 1 cuil à café de sel

1. Pelez l'ail, écrasez le au presse-ail et mettez-le dans un grand bol. Ajoutez le poivre, la sauce de soja, le sucre, le sel et l'huile de sésame. Mélangez bien. Otez la peau des blancs de poulet, puis faites de petites entailles superficielles sur leurs deux faces, avec un couteau pointu. Badigeonnez le poulet avec la préparation à l'ail en frottant pour bien les imprégner. Laissez mariner pendant 2 h.
2. Quand le poulet a suffisamment mariné, faites chauffer 5 cuillerées à soupe d'huile dans un wok ou dans une poêle. Faites cuire 2 blancs de poulet pendant 5 mn sur chaque face, jusqu'à ce qu'ils soient bien dorés. Retirez-les et égouttez-les sur du papier absorbant. Faites cuire de la même façon les 2 autres blancs, en ajoutant éventuellement de l'huile si nécessaire.
3. Servez les blancs de poulet chauds et dorés.

Poulet au gingembre

Pour 4 personnes
Préparation et cuisson : 25 mn

- 3 blancs de poulet
- 4 foies de poulet
- 100 g de gingembre frais*
- 1 oignon
- 5 oignons nouveaux avec leur tige
- 3 gousses d'ail
- 2 cuil. à soupe de champignons séchés «oreilles de chat»*
- 2 cuil. à soupe de sauce de soja*
- 1 cuil. à soupe de miel liquide
- 2 cuil. à soupe d'huile d'arachide

1. Mettez les champignons dans un grand bol, couvrez-les d'eau tiède et laissez-les tremper pendant 20 mn.
2. Pendant ce temps, pelez les oignons nouveaux en gardant beaucoup de vert, et coupez-les en tronçons de 1 cm environ. Mettez-les dans un autre bol, couvrez-les d'eau froide et laissez-les tremper. Pelez les racines de gingembre, râpez-les. Pelez l'ail et hachez-le grossièrement. Pelez l'oignon et émincez-le. Rincez les foies, épongez-les avec du papier absorbant et hachez-les. Otez la peau des blancs de poulet et coupez-les en petits morceaux.
3. Faites chauffer l'huile dans un wok ou dans une poêle, ajoutez les blancs et les foies de poulet et faites-les revenir pendant 4 mn. Retirez-les à l'aide d'une écumoire en les égouttant bien.
4. Egouttez les champignons. Mettez l'oignon dans la poêle et faites-le cuire sur feu doux, jusqu'à ce qu'il ait ramolli, puis ajoutez l'ail et les champignons. Laissez cuire pendant 1 mn en remuant constamment, puis remettez les blancs et les foies dans la poêle.
5. Mélangez la sauce de soja et le miel, versez-les dans la poêle et remuez. Ajoutez le gingembre et poursuivez la cuisson pendant 2 ou 3 mn en remuant constamment. Egouttez les oignons nouveaux et mettez-les dans la poêle. Remuez, puis versez le contenu de la poêle dans un plat creux. Servez chaud.

Omelettes fourrées

Pour 4 personnes
Préparation et cuisson : 30 mn

- 6 œufs
- 250 g de porc haché
- 2 cuil. à soupe de légumes chinois en conserve*
- 2 oignons
- 2 cuil. à soupe de sauce de soja*
- 1 cuil. à café de sucre en poudre
- 2 cuil. à soupe d'huile d'arachide

Pour servir :
- quelques feuilles de coriandre*

1. Pelez les oignons et hachez-les fine-mennt. Mettez le porc, les légumes chi-nois, le sucre, la sauce de soja et les oignons dans un saladier et mélangez bien. Cassez les œufs dans un grand bol et battez-les à la fourchette.

2. Faites chauffer 1 cuillerée à soupe d'huile dans un wok ou dans une poêle, ajoutez la préparation précédente et laissez-la cuire sur feu assez doux pen-dant 3 mn. Versez le contenu de la poêle dans une assiette creuse.

3. Mettez 1 autre cuillerée à soupe d'huile dans le wok ou dans la poêle, secouez pour étaler l'huile dans le fond, puis videz l'excédent. Faites chauffer l'huile, puis versez dans la poêle la moitié des œufs afin de réaliser une omelette très fine. Dès qu'elle est prise, mettez la moitié de la farce au milieu. Repliez les bords de l'omelette, puis retournez-la et faites cuire l'autre côté pendant quelques secondes, jusqu'à ce qu'il soit légèrement doré. Retirez l'omelette fourrée et tenez-la au chaud pendant que vous faites cuire de la même façon le reste des œufs et de la farce.

4. Coupez les omelettes en tranches et disposez-les sur un plat. Décorez avec les feuilles de coriandre et servez aussitôt.

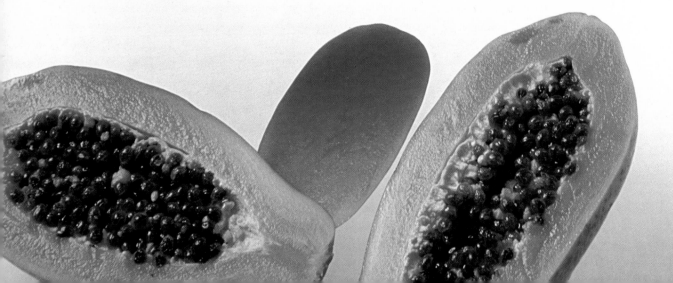

Bœuf grillé aux légumes crus

Pour 4 personnes
Préparation et cuisson : 20 mn

- 500 g de bœuf : filet, bavette, onglet...
- 1 gros oignon
- 2 piments frais*
- 2 gousses d'ail
- 1 cuil. à café de menthe fraîche ciselée*
- 1/2 cuil. à café de sauce de soja*
- le jus de 1 citron ou de 1 citron vert*
- 1/2 cuil. à café de sucre en poudre
- 1 cuil. à café de sel

Pour servir :
- légumes de saison au choix (concombre, tomates, germes de soja, chou chinois...)

1. Lavez les légumes, essuyez-les et coupez-les en morceaux d'égale grosseur. Mélangez-les.
2. Coupez la viande, dans le sens des fibres, en morceaux de 6 cm de long et de 3 cm de large environ. Pelez l'ail et écrasez-le au presse-ail. Pelez l'oignon et coupez-le en rondelles en défaisant les anneaux. Lavez les piments, ôtez le pédoncule et coupez-les en deux.
3. Faites chauffer le gril et posez-y les anneaux d'oignons et les piments. Quand ils sont bien ramollis et dorés, retirez-les et écrasez-les ou passez-les au moulin à légumes, grille fine.
4. Mettez le bœuf sur le gril et faites-le cuire à votre goût (saignant ou à point), puis retirez-le et mélangez-le avec la purée d'oignon au piment. Ajoutez l'ail, le sel, le sucre, la sauce de soja, la menthe et le jus de citron. Mélangez bien et versez sur un plat chaud.
5. Ajoutez les légumes, mélangez encore une fois et servez aussitôt.

Note :
Vous pouvez vous servir d'un gril ordinaire, mais si vous pouvez faire griller la viande, l'oignon et les piments sur des braises ardentes, le plat n'en sera que meilleur.

Bœuf à l'horapa

Pour 4 personnes
Préparation et cuisson : 25 mn

- 750 g de bœuf à braiser
- 3 cuil. à soupe de feuilles d'horapa ciselées*
- 2 oignons
- 3 gousses d'ail
- 3 piments*
- 1 oignon nouveau avec sa tige
- 1 pincée de glutamate de sodium*
- nuoc mam*
- 3 cuil. à soupe d'huile d'arachide

1. Coupez la viande en fines tranches. Pelez les oignons et émincez-les. Pelez l'ail et hachez-le. Lavez les piments, ôtez le pédoncule et les graines et coupez-les en anneaux. Pelez l'oignon nouveau et coupez-le en petits tronçons.
2. Faites chauffer 1 cuillerée à soupe d'huile dans un wok ou dans une poêle et ajoutez le bœuf. Quand la viande est juste saisie, remuez et laissez-la cuire encore 3 mn, puis retirez-la de la poêle.
3. Faites chauffer le reste de l'huile dans la poêle, ajoutez l'ail et l'oignon et faites-les blondir sur feu vif. Ajoutez l'horapa, puis remettez le bœuf dans la poêle. Ajoutez les piments, laissez réchauffer 1 mn, puis assaisonnez avec du nuoc mam (à volonté) et le glutamate de sodium.
4. Versez le contenu de la poêle dans un plat. Garnissez d'oignon nouveau et servez chaud.

Page de gauche : Bœuf grillé aux légumes crus ; Bœuf à l'horapa. Ci-dessous : Omelettes fourrées.

Œufs durs aux échalotes

Pour 4 personnes
Préparation et cuisson : 15 mn

- 4 œufs durs
- 5 échalotes
- 5 g de tamarin séché*
- 2 cuil. à café de sucre roux en poudre
- nuoc mam*
- 2 cuil. à soupe d'huile d'arachide

1. Faites tremper la pulpe de tamarin dans 2 cuillerées à soupe d'eau. Pressez-la pour en extraire le suc, puis retirez-la et gardez l'eau de trempage. Écalez les œufs et coupez-les en quatre. Pelez les échalotes et hachez-les.
2. Faites chauffer l'huile dans une poêle. Ajoutez les échalotes et laissez-les cuire jusqu'à ce qu'elles soient dorées, puis retirez-les à l'aide d'une écumoire.
3. Mettez les quartiers d'œuf dur dans la poêle et laissez-les cuire jusqu'à ce que le blanc commence à se couvrir de cloques brunes, puis retirez-les à l'aide d'une écumoire.
4. Mettez l'eau de trempage du tamarin, le sucre, du nuoc mam à volonté et 1 cuillerée à soupe d'eau dans la poêle. Faites réduire pendant 2 mn en remuant constamment. Remettez les œufs dans la poêle pour les enrober de sauce, mais sans écraser les jaunes.
5. Versez le contenu de la poêle dans un plat, garnissez d'échalotes et servez chaud.

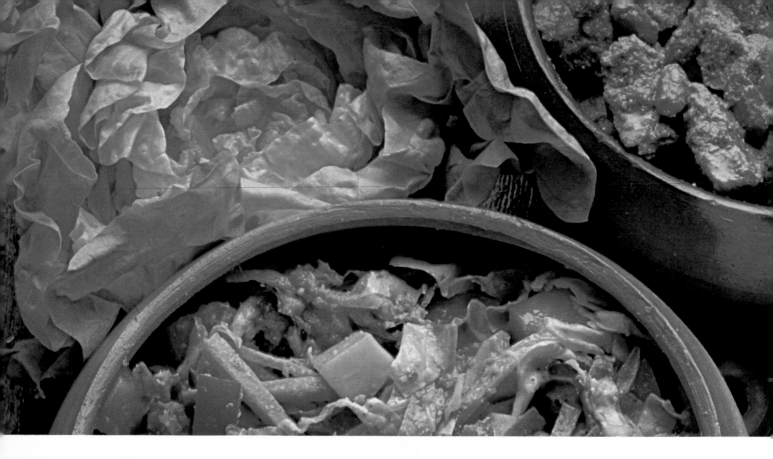

Salade
thaïlandaise

Pour 4 personnes
Préparation : 10 mn

- 100 g de chou blanc
- 1 grosse carotte
- 25 g de poudre de cacahuètes grillées (page 129)
- 25 g de crevettes séchées*

Pour la sauce :
- 2 gousses d'ail
- 2 cuil. à soupe de jus de citron ou de citron vert*
- 1 cuil. à soupe de nuoc mam*
- 1 cuil. à café de sucre en poudre
- poivre

1. Lavez le chou, essorez-le et coupez-le en fines lanières. Pelez la carotte, lavez-la et râpez-la sur la grille à gros trous. Écrasez les crevettes ou passez-les à la moulinette. Mettez tous ces ingrédients dans un saladier, ajoutez la poudre de cacahuètes et mélangez.
2. Préparez la sauce : pelez l'ail, écrasez-le au presse-ail et mettez-le dans un bol. Ajoutez le jus de citron, le nuoc mam, le sucre et un peu de poivre moulu. Mélangez et versez cette sauce dans le saladier. Mélangez bien avant de servir.

Note :
Cette salade possède plusieurs variantes. Le plus souvent, les Thaïlandais ajoutent des dés de papaye, des rondelles de tomate et des feuilles de laitue. C'est un excellent accompagnement pour les Boulettes de porc de la page 106 et le Poulet à l'ail de la page 107.

Curry
masaman

Pour 6 personnes
Préparation et cuisson : 1 h 10

- 1 kg de bœuf à braiser
- 3,5 dl de lait de coco*
- 100 g de cacahuètes grillées (page 129)
- 10 g de tamarin séché*
- nuoc mam*
- sucre roux en poudre

Pour le curry :
- 7 échalotes
- 7 piments séchés*
- 5 gousses d'ail
- 2 cuil. à soupe de graines de coriandre*
- 2 cuil. à soupe de graines de cumin*
- 5 graines de cardamome*
- 1 bâton de cannelle*
- 2 cuil. à café de citronnelle en poudre*
- 1/4 de noix muscade*
- 1/2 cuil. à café de pâte de crevettes*
- 1/2 cuil. à café de poivre moulu
- 1 cuil. à café de sel

1. Coupez la viande en cubes de 2 cm de côté, mettez-la dans une cocotte et ajoutez 1,25 litre d'eau. Portez à ébullition, puis réduisez la chaleur, couvrez et laissez mijoter pendant 1 h.
2. Pendant ce temps, préparez le curry : pelez les échalotes et hachez-les grossièrement. Otez le pédoncule des piments et émiettez-les entre vos doigts. Râpez la noix muscade. Pelez les gousses d'ail. Mettez les piments dans une petite casserole avec les graines de coriandre, de cumin et de cardamome, le bâton de cannelle cassé en morceaux, la citronnelle et le poivre. Faites chauffer sur feu doux en remuant constamment, jusqu'à ce que le

mélange se dessèche et commence à roussir. Versez cette préparation dans un mortier et écrasez au pilon jusqu'à obtention d'une pâte lisse. Ajoutez le sel, l'ail, les échalotes et la pâte de crevettes. Continuez à écraser au pilon jusqu'à ce que le mélange forme une pâte homogène.
3. Mettez la pulpe de tamarin dans un bol, couvrez-la de 3 cuillerées à soupe d'eau et pressez-la pour en extraire le suc. Retirez la pulpe du bol et gardez l'eau de trempage.
4. Quand la viande est cuite, retirez-la de la cocotte à l'aide d'une écumoire. Mélangez le lait de coco avec le liquide de cuisson et faites chauffer sur feu doux en remuant fréquemment. Ajoutez les cacahuètes et un peu de nuoc mam, puis faites bouillir le mélange jusqu'a ce qu'il ait réduit d'un tiers. Incorporez le curry que vous venez de préparer et prolongez la cuisson pendant 5 mn, en remuant constamment.
5. Remettez la viande dans la cocotte et couvrez hermétiquement. Portez à ébullition et laissez cuire jusqu'à ce que la viande soit très tendre. Otez le couvercle, ajoutez l'eau de trempage du tamarin, un peu de sucre roux et du nuoc mam, et mélangez. Servez très chaud.

Note :
Vous pouvez utiliser cette recette pour préparer du poulet, exactement de la même manière. Le masaman est un plat traditionnel très réputé. Le roi Râma IV en était grand amateur, et dans un de ses poèmes, on peut lire ceci : « Une femme qui fait un bon masaman ne manquera jamais de soupirants ».

Sauce
au lait de coco

Pour 4 personnes
Préparation : 10 mn
Cuisson : 10 mn environ

- 3 dl de lait de coco*
- 3 cuil. à soupe de haricots salés
  en boîte*
- 1 oignon ou 2 échalotes
- 50 g de crevette cuites décortiquées
- 50 g de pomme de terre bouillie
- 10 g de tamarin séché*
- 2 piments*
- 1 cuil. à café de sucre roux en poudre

Pour servir :
- 8 piments verts*

1. Mettez la pulpe de tamarin dans l'eau froide et laissez-la tremper. Pressez-la pour en extraire le suc, puis retirez-la et gardez l'eau de trempage. Pelez l'oignon, ou les échalotes, et hachez-le. Écrasez la pomme de terre avec une fourchette. Lavez les 2 piments, ôtez les graines et le pédoncule et hachez la pulpe.
2. Réduisez les haricots et l'oignon en une purée épaisse, en utilisant un mixer électrique ou un pilon. Mettez le lait de coco dans une casserole, ajoutez les haricots et l'oignon écrasés, les crevettes et la purée de pomme de terre. Faites cuire, en remuant constamment pour éviter que le mélange n'attache, jusqu'à ce que la graisse du lait remonte à la surface.
3. Ajoutez les piments hachés, le sucre et l'eau de trempage du tamarin. Mélangez et portez à ébullition, puis versez la sauce dans un plat creux.
4. Décorez avec des piments. Servez chaud, pour accompagner des crudités.

Note :
Vous pourrez, par exemple, servir cette sauce avec un mélange de poivrons rouges et verts, concombre, céleri et laitue. Chacun trempera les légumes crus et bien croquants dans la sauce chaude.

Salade thaïlandaise ; Curry masaman ; Sauce au lait de coco.

Boulettes caramélisées aux haricots mung

Pour 4 personnes
Trempage : 12 h
Préparation et cuisson : 1 h 15
Réfrigération : 3 h

- 150 g de haricots mung*
- 2,5 dl de lait de coco*
- 200 g de sucre en poudre
- 4 jaunes d'œufs

1. Mettez les haricots dans un mortier et écrasez-les grossièrement au pilon. Mettez-les dans un grand bol, couvrez-les d'eau froide et laissez-les tremper au moins 12 h.

2. Quand les haricots ont suffisamment trempé, égouttez-les et rincez-les pour éliminer toutes les petites peaux vertes. Mettez-les dans une casserole, ajoutez juste assez d'eau pour les recouvrir et laissez-les cuire sur feu doux, à couvert, pendant environ 20 mn, jusqu'à ce qu'ils soient bien ramollis.

3. Égouttez les haricots, remettez-les dans la casserole et faites chauffer doucement, en remuant de temps en temps, pour les dessécher et terminer leur cuisson. Retirez du feu. Écrasez encore une fois les haricots, de façon à obtenir une purée lisse.

4. Ajoutez 150 g de sucre au lait de coco, puis versez ce liquide sur la purée de haricots. Mélangez bien, remettez sur le feu et portez à ébullition, puis laissez cuire à petits bouillons et à découvert pendant environ 30 mn, en remuant souvent avec une cuillère de bois, jusqu'à obtention d'une pâte épaisse. Retirez du feu et laissez refroidir.

5. Mettez le reste du sucre et 3 dl d'eau dans une autre casserole. Faites chauffer sur feu doux, jusqu'à ce que le sucre soit tout à fait dissous, puis portez à ébullition et laissez cuire à petits bouillons jusqu'à obtention d'un sirop léger. Maintenez à ébullition.

6. Façonnez la pâte de haricots refroidie en une cinquantaine de boulettes d'environ 1 cm de diamètre.

7. Mettez les jaunes d'œufs dans un bol et battez-les à la fourchette. Trempez les boulettes une à une dans le jaune d'œuf, en les retournant pour bien les enrober, puis dans le sirop très chaud. Chaque boulette doit cuire dans le sirop pendant environ 30 secondes.

8. Retirez les boulettes au fur et à mesure et posez-les sur un plat assez grand pour qu'elles ne se touchent pas, car elles se colleraient les unes aux autres. Mettez le plat dans le réfrigérateur et laissez réfrigérer pendant au moins 3 h avant de servir.

Boulettes caramélisées aux haricots mung ; Gâteau de riz aux haricots noirs ; Riz et crème renversée au lait de coco.

Gâteau de riz aux haricots noirs

Pour 4 personnes
Trempage : 12 h
Préparation : 10 mn
Cuisson : 3 h

- 150 g de lait coco*
- 50 g de haricots noirs secs*
- 40 g de riz gluant*
- 25 g de sucre roux en poudre

1. Mettez les haricots dans l'eau froide et laissez-les tremper pendant au moins 12 h.

2. Quand les haricots ont suffisamment trempé, égouttez-les. Allumez le four, thermostat 3 (110 °C). Mettez le lait de coco dans une casserole, ajoutez-y 6 dl d'eau et faites chauffer sur feu doux, jusqu'à obtention d'une crème. Retirez du feu et laissez tiédir. Mélangez les haricots avec le lait obtenu, tiède, le riz et le sucre.

3. Mettez cette préparation dans un plat à gratin, couvrez avec une feuille de papier d'aluminium et enfournez. Laissez cuire pendant 2 h, sortez le plat, ôtez la feuille d'aluminium, remuez le mélange riz-haricots, recouvrez le plat et remettez-le au four. Laissez cuire encore 1 h. Servez chaud.

Riz et crème renversée au lait de coco

Pour 6 personnes
Préparation et cuisson : 2 h

Pour la crème :
- 150 g de lait de coco*
- 4 œufs
- 2 cuil. à café d'eau de rose*
- 2 cuil. à café de sucre roux en poudre

Pour le riz :
- 175 g de riz gluant*
- 100 g de lait de coco*
- 1 cuil. à soupe de sucre en poudre
- 1/2 cuil. à café de sel

Pour décorer :
- 1 citron vert*

1. Préparez la crème renversée : allumez le four, thermostat 4 (140 °C). Mettez le lait de coco dans une casserole, ajoutez-y 3 dl d'eau et posez la casserole sur feu doux. Laissez chauffer jusqu'à obtention d'une crème. Retirez du feu et laissez tiédir. Versez dans le lait obtenu l'eau de rose, puis ajoutez le sucre. Mélangez, puis

incorporez les œufs, un à un, en battant le mélange à la fourchette. Versez ce liquide dans un moule à manqué, en le filtrant à travers une passoire fine. Placez le moule dans un grand plat à four à demi rempli d'eau froide et mettez le tout dans le four. Laissez cuire pendant 1 h 30 environ, jusqu'à ce que la crème ait pris.

2. Pendant ce temps, préparez le riz : mettez le lait de coco dans une casserole, ajoutez-y 3 dl d'eau et faites chauffer jusqu'à obtention d'une crème. Retirez du feu, laissez tiédir, puis ajoutez-y le sucre et le sel. Mettez le riz dans un plat creux résistant à la chaleur, et placez ce plat dans une casserole d'eau ou sur la grille d'une marmite à vapeur. Versez le lait de coco sur le riz et laissez cuire au bain-marie ou à la vapeur pendant 30 mn environ, jusqu'à ce que le riz soit bien cuit.

3. Lavez le citron et coupez-le en tranches fines. Quand la crème est cuite, démoulez-la au milieu du plat de riz. Décorez avec les tranches de citron vert. Servez chaud ou froid.

Cambodge
Laos
Vietnam

Gloria Zimmerman
et Bach Ngo

Les pays du Sud-Est asiatique sont souvent
éclipsés par les grandes puissances voisines — la
Chine, le Japon ou l'Inde —, dont l'histoire et la
civilisation sont mieux connues en Occident. Le
Cambodge, le Laos et le Vietnam ont de
nombreux points communs : tous trois ont subi
les influences chinoise, indienne et française ; tous
trois possèdent une culture très ancienne et
passionnante, mais relativement méconnue. C'est
à leur langue que les Chinois ont emprunté les
mots qui leur servent à désigner, entre autres, les
charrues, les graines, la poterie, les fours, l'or, le
fer, les bateaux et les haches. C'est là que la
culture du riz a été pratiquée pour la première
fois, 1 000 ans avant d'apparaître en Inde et en
Chine.

Le Vietnam
Le peuple vietnamien, après des siècles de lutte
contre la domination chinoise, a réussi a préserver
son identité culturelle. Et la cuisine vietnamienne,
même si on y décèle parfois les influences
indiennes ou chinoises, est restée tout à fait
unique. Elle a su se faire apprécier dans le monde
entier. En France, les restaurants vietnamiens
sont aujourd'hui plus nombreux que les
restaurants chinois. Aux Etats-Unis, peu après
l'élection du président John Kennedy, c'est à un

chef vietnamien que furent confiées les cuisines de
la Maison-Blanche.
La diversité géographique du Vietnam se reflète
dans son art culinaire. Avec plus de 2 000 km de
littoral, il est largement approvisionné en poissons
et coquillages de toutes sortes. Le delta du
Tonkin (formé par le fleuve Rouge), au Nord, et le
delta de Cochinchine (formé par le Mékong), au
Sud, sont entourés de vastes plaines alluviales
très fertiles. Ces deux régions sont reliées par une
étroite bande de terre qui s'étire entre mer et
montagne. Là, le climat tempéré se prête à la
culture de légumes tels que les asperges, les
choux-fleurs, les pommes de terre et les
artichauts. Le Sud, soumis à un climat plus chaud

et humide que le Nord, produit des céréales, des fruits et des légumes beaucoup plus variés. Les cuisines régionales se répartissent de la même façon : Hanoï au nord, Huê au centre et Saïgon au sud.

Le Laos
Le Laos est très différent : ce tout petit pays n'a pas de débouché sur la mer et sa population dispersée n'a jamais pu opposer une véritable résistance aux influences chinoise et thaïlandaise.

Le Cambodge
Il y a quelque mille ans, le Cambodge, devenu officiellement le « Kampuchea démocratique », jouait un rôle prépondérant en Asie du Sud-Est. Angkor, capitale du royaume khmer, fut naguère un prestigieux foyer de civilisation. Le somptueux temple funéraire d'Angkor Vat est le plus grand édifice religieux du monde. Mais depuis le XVe siècle, le rayonnement culturel des Khmers n'a cessé de s'affaiblir, jusqu'à disparaître presque totalement. Devenu protectorat français à la fin du XIXe siècle, le Cambodge n'a retrouvé son indépendance qu'en 1953 et la reconstruction nationale s'avère très difficile.

Les matières premières
Dans ces trois pays, le riz est la nourriture de base. Préparé de multiples façons, il est présent à tous les repas. Les Laotiens se distinguent par leur préférence marquée pour le riz gluant, tandis que les Vietnamiens utilisent plutôt un riz très sec. Dans toutes ces régions, la cuisine fait une large place aux fruits, légumes et herbes fraîchement cueillis. La menthe, la citronnelle et la cardamome parfument de nombreux plats.

Les protéines sont surtout fournies par les poissons et les coquillages. Même le Laos ne manque pas de poissons, avec ses rivières et ses lacs. La consommation de viande est beaucoup moins importante. Il n'y a pas d'agneau ni de mouton. Le bœuf fait figure de denrée de luxe, ainsi que le gibier laotien. Mais les cochons vietnamiens, nourris avec des copeaux de bananiers, fournissent une viande excellente et relativement bon marché. Les poulets, et les canards, beaucoup moins gras qu'en Occident, sont souvent réservés aux repas de réception.

Le nuoc mam est une spécialité adoptée depuis longtemps dans le monde occidental. Il remplace le sel dans toutes sortes de plats et il sert à préparer les sauces les plus diverses. C'est un liquide salé, riche en protéines, obtenu par la macération d'anchois, de sardines et d'autres petits poissons dans une saumure exposée au soleil.

Au Vietnam, le nuoc mam mélangé à de l'ail, du jus de citron, du sucre et des piments rehausse la saveur des aliments. Au Cambodge et au Laos, on lui incorpore souvent des cacahuètes grillées ou de la pâte d'anchois.

La cuisine du Vietnam
La cuisine vietnamienne est tout en subtilité et délicatesse. Parce qu'elle respecte la saveur des aliments et qu'elle est très légère, elle apparaît un peu comme une « nouvelle cuisine » avant la lettre. Et elle est tout à fait originale. Même si, par leur aspect, les plats ressemblent parfois à ceux de la cuisine chinoise, leur goût est complètement différent. Même s'ils mangent du « curry », celui-ci n'a rien à voir avec le curry indien. Et puis, les Vietnamiens ont une véritable aversion pour la cuisine grasse, et ils restreignent l'utilisation de l'huile au strict nécessaire.

• Le Nord
Dans le Nord, les plats sont moins épicés que dans le Sud, malgré une large utilisation du poivre. Une nette préférence est accordée aux légumes cuits à point et aux mélanges de saveurs subtilement dosées. On y mange beaucoup de crustacés, et notamment des crabes. C'est dans cette région que les sautés sont les plus fréquents, peut-être à cause de la proximité de la Chine.

• Le Centre
Le Centre est la région de Huê, ancienne cité impériale, qui a gardé l'empreinte de son glorieux passé. Les plats qui composent chaque repas y sont plus nombreux qu'ailleurs, et servis en plus petites quantités. Les condiments les plus largement utilisés sont le nuoc mam et les piments forts.

• Le Sud
Le climat chaud et les champs fertiles du Sud favorisent la variété des cultures. On y consomme de grandes quantités de légumes et de fruits et, comme c'est une région tropicale, les plats sont épicés. Le sucre de canne et la noix de coco, qui sont des productions locales, contribuent à différencier la cuisine du Sud, ainsi que l'influence française, plus marquée que dans le reste du pays : c'est à Saïgon que l'on mange le plus de pommes de terre et d'asperges.

La cuisine du Cambodge et du Laos
Le Cambodge et le Laos n'ont pas une production agricole aussi variée. En outre, ce sont les pays où le niveau de vie est assez bas. La cuisine cambodgienne est fortement épicée; elle accorde la prépondérance au riz et aux poissons d'eau douce ou séchés. Les viandes et les poissons cuits sur les braises sont souvent servis avec un plateau de crudités comme celui que nous vous proposons à la page 125.

Au Laos, la tradition culinaire s'apparente à celle de la Thaïlande, malgré la place privilégiée accordée au riz gluant et aux piments rouges. On y fait beaucoup de grillades sur les braises, qui sont ensuite accommodées avec des légumes et des épices.

Les ustensiles

Comme dans tout le Sud-Est asiatique, le mortier et son pilon, le wok, le couperet et la planche à découper sont des instruments essentiels. Au Laos, on fait cuire le riz gluant dans des marmites à vapeur en bambou tressé. Au Cambodge et au Vietnam, les marmites à vapeur sont en métal. Si les cuisinières à charbon sont toujours fréquentes dans les campagnes, les citadins utilisent plutôt des cuisinières à gaz ou à mazout.

Les repas

Au Laos et au Cambodge, il est impossible de trouver un restaurant qui serve de la nourriture locale. Pour goûter la cuisine du pays, les étrangers doivent se faire inviter dans des familles. Là, tous les convives sont assis sur des nattes en paille à même le sol et prennent la soupe à l'aide d'une cuillère en porcelaine, directement dans la soupière placée au milieu des autres plats, lesquels se mangent avec les doigts.

Au Vietnam, même les repas les plus simples sont servis sur une table. On utilise des baguettes de bambou et des cuillères à soupe en métal ou en porcelaine.

Soupe de poisson

Pour 4 personnes
Préparation et cuisson : 45 mn

Pour la soupe :
- 1 poisson de 1,5 kg entier : carpe, maquereaux, daurade...
- 2,5 dl de lait de coco*
- 2 gousses d'ail
- 5 feuilles de citronnelle*
- 3 cuil. à soupe de curcuma blanc*
- 1 cuil. à café de curcuma jaune*
- 1 cuil. à café de sucre en poudre
- 2 cuil. à café de pâte de poissons*
- 2 cuil. à café de nuoc mam*
- 1 pincée de glutamate de sodium*
- 1 cuil. à café de sel

Pour la garniture :
- 250 g de nouilles de riz*
- 40 g de germes de soja frais*
- 50 g de concombre
- 50 g de papaye verte*
- 50 g de chou
- 50 g de fenouil*

1. Ecaillez le poisson, videz-le, passez-le sous l'eau et essuyez-le dans du papier absorbant. Mettez 1,5 litre d'eau dans une grande casserole, portez à ébullition et ajoutez le poisson. Attendez la nouvelle ébullition, puis laissez cuire à petits frémissements pendant environ 15 mn, jusqu'à ce que le poisson se défasse.
2. Pendant ce temps, pelez l'ail et mettez-le dans un mortier. Lavez les feuilles de citronnelle, essorez-les, ciselez-les et mettez-les dans le mortier. Ajoutez le curcuma blanc et le curcuma jaune et écrasez le tout au pilon jusqu'à obtention d'une pâte épaisse.

3. Retirez le poisson de la casserole en conservant l'eau de cuisson. Eliminez les arêtes et la peau et mettez la chair dans le mortier avec la préparation précédente. Ecrasez encore jusqu'à obtention d'une purée homogène.
4. Faites bouillir l'eau de cuisson du poisson, ajoutez la pâte de poisson, le nuoc mam, le sel, le glutamate de sodium et le lait de coco. Attendez la nouvelle ébullition, puis ajoutez la purée de poisson et laissez cuire à petits bouillons pendant 10 à 15 mn.
5. Pendant ce temps, rincez les germes de soja. Pelez le concombre. Lavez le fenouil et le chou et essorez-les. Coupez le concombre, le chou, le fenouil et la papaye en fins bâtonnets. Faites bouillir 2 litres d'eau et plongez-y les nouilles de riz. Laissez-les cuire pendant 5 mn, puis égouttez-les et rincez-les à l'eau froide. Egouttez-les à nouveau.
6. Répartissez les nouilles dans le fond de 4 bols individuels, ajoutez les bâtonnets de légumes et de fruit et les germes de soja, puis versez la soupe chaude par-dessus. Servez aussitôt.

Note :
Au Cambodge, cette soupe est servie au petit déjeuner.

Soupe au poulet

Pour 4 personnes
Préparation et cuisson : 45 mn

- 1 poulet de 1 kg, prêt à cuire
- 2 oignons nouveaux
- 1 piment rouge*
- 3 cuil. à soupe de nuoc mam*
- 4 cuil. à soupe de racine de coriandre râpée*
- le jus de 1 citron vert*
- 1 pincée de glutamate de sodium*
- 1 cuil. à café de sucre en poudre

1. Eliminez la peau du poulet. Epongez-le et mettez-le dans une grande casserole avec 2 litres d'eau. Portez à ébullition, puis laissez cuire à petits bouillons pendant 30 mn environ, jusqu'à ce que la chair se détache facilement. Retirez le poulet, détaillez la chair en petits morceaux, puis remettez la carcasse et la chair dans l'eau de cuisson. Portez à ébullition et laissez cuire à petits bouillons pendant 5 mn. Retirez la casserole du feu.
2. Lavez le piment, ôtez le pédoncule et les graines et coupez la pulpe en anneaux. Pelez les oignons et émincez-les finement.
3. Mettez le glutamate de sodium, le sucre, le nuoc mam et le jus de citron dans le fond d'une soupière. Versez la soupe chaude par-dessus et mélangez bien. Parsemez de coriandre, de piment et d'oignon nouveau et servez chaud.

Soupe de poisson; Soupe au poulet.

Sauté de poulet au gingembre; Côtes de porc grillées; Bœuf braisé en sauce.

Sauté de poulet au gingembre

Pour 4 personnes
Préparation et cuisson : 25 mn

- 4 cuisses de poulet
- 1 morceau de 50 g de gingembre frais*
- 2 oignons nouveaux avec leur tige
- 1 cuil. à soupe de nuoc mam*
- 1 cuil. à café de sucre en poudre
- 2 cuil. à soupe d'huile d'arachide
- sel

Pour garnir :
- 5 brins de coriandre fraîche* ou du persil

1. Pelez la racine de gingembre, râpez-la sur une grille à gros trous, mettez-la dans une assiette et saupoudrez-la de sel. Laissez dégorger. Coupez les cuisses de poulet en morceaux de 5 cm de côté environ. Pelez l'ail et hachez-le. Pelez les oignons nouveaux en gardant beaucoup de vert et coupez-les en tronçons de 3 cm environ. Pressez la racine de gingembre râpée entre vos doigts, rincez-la à l'eau froide et égouttez-la en la pressant encore pour extraire toute l'eau.

2. Faites chauffer l'huile dans une poêle. Ajoutez l'ail et faites-le blondir, puis ajoutez le gingembre et laissez cuire encore 1 mn en remuant. Mettez les morceaux de poulet dans la poêle, avec le nuoc mam, le sucre et 1 cuil. à soupe d'eau. Remuez, puis couvrez et laissez cuire sur feu assez doux pendant 15 mn environ.

3. Pendant ce temps, lavez la coriandre ou le persil, essorez-la et détachez les feuilles de coriandre ou de persil.

4. Quand le poulet est bien cuit, ajoutez les oignons nouveaux, mélangez, puis versez le contenu de la poêle dans un plat.

5. Décorez avec la coriandre ou le persil et servez chaud, accompagné d'un plat de riz.

Bœuf braisé en sauce

Pour 6 personnes
Préparation : 15 mn
Cuisson 1 h 20

- 1 kg de bœuf à braiser : gîte, tranche, basses côtes...
- 3 gousses d'ail
- 1 piment rouge*
- 5 feuilles de citron vert*
- 2 bulbes de citronnelle fraîche*
- 4 cuil. à soupe de pâte de tamarin*
- 1 cuil. à soupe de curcuma*
- 2 cuil. à soupe de galanga en poudre*
- 2 cuil. à soupe de pâte de poissons*
- 2 cuil. à soupe de nuoc mam*
- 2 cuil. à soupe d'huile végétale

Pour servir :
- 2 tiges d'oignons nouveaux

1. Lavez les feuilles de citron, essorez-les et ciselez-les. Rincez le piment, ôtez le pédoncule et les graines et coupez la pulpe en petits morceaux. Pelez les gousses d'ail. Coupez le bœuf en cubes de 2,5 cm de côté environ.
2. Mettez les feuilles de citron vert, les gousses d'ail, la pâte de tamarin, le curcuma, le galanga et le piment dans un mortier et écrasez au pilon jusqu'à obtention d'une pâte épaisse.
3. Passez la pâte de poissons au tamis et recueillez le jus épais que vous obtenez. Faites chauffer l'huile dans un cocotte, ajoutez ce jus épais, faites-le cuire quelques secondes en remuant constamment, puis ajoutez la préparation précédente. Remuez, incorporez le nuoc mam en mélangeant bien, et mettez le bœuf, les bulbes de citronnelle et 1 dl d'eau dans la cocotte. Portez à ébullition, puis laissez cuire à découvert, sur feu assez doux, pendant 15 mn.
4. Ajoutez un peu d'eau de façon que la viande soit couverte de liquide, puis couvrez la cocotte et laissez mijoter pendant 1 h environ, jusqu'à ce que la viande soit tendre. Au besoin, ajoutez un peu d'eau en cours de cuisson.
5. Pendant ce temps, pelez les tiges d'oignons nouveaux et coupez-les en fines rondelles.
6. Quand le bœuf est cuit, versez le contenu de la cocotte dans un plat en éliminant les bulbes de citronnelle. Décorez avec les rondelles d'oignon nouveau et servez chaud, accompagné de riz.

Côtes de porc grillées

Pour 4 personnes
Marinade : 30 mn
Préparation 15 mn
Cuisson : 20 mn

- 1 kg de travers de porc
- 3 gousses d'ail
- 2 cuil. à soupe de nuoc mam*
- 1 cuil. à soupe de sucre en poudre
- 1 pincée de poivre moulu
- 3 cuil. à soupe d'huile d'arachide

Pour servir :
- 1 piment rouge*
- 1 brin de persil

1. Coupez la viande entre les os de manière à avoir un os par morceau. Pelez l'ail et écrasez-le au presse-ail. Mettez le porc dans un saladier, ajoutez-y le nuoc mam, l'ail, le sucre et le poivre, mélangez et laissez mariner pendant 30 mn.
2. Pendant ce temps, lavez le piment, ôtez le pédoncule et les graines, et coupez la pulpe en lanières dans le sens de la longueur. Lavez le persil et essorez-le.
3. Quand la viande a suffisamment mariné, faites chauffer l'huile dans une grande poêle. Ajoutez les morceaux de porc et laissez-les cuire 10 mn de chaque côté, jusqu'à ce qu'ils soient bien cuits et dorés.
4. Retirez la viande à l'aide d'une écumoire, en l'égouttant bien, puis disposez-la sur un plat. Décorez avec les lanières de piment enroulées autour du persil. Servez chaud, accompagné de riz.
Note :
Vous pouvez faire griller ces côtes de porc sur un barbecue ou sur les braises d'une cheminée.

Hachis de poulet aux épices

Pour 4 personnes
Préparation : 15 mn
Cuisson : 20 mn

- 250 g de chair de poulet, sans peau
- 100 g de foies de poulets
- 100 g de gésiers de poulets (facultatif)
- 2 cuil. à café de pâte d'anchois
- 2 cuil. à café de nuoc mam*
- 1 cuil. à soupe de piments rouges séchés*
- 2 cuil. à soupe de galanga en poudre*
- 4 cuil. à café de jus de citron vert*
- 1/4 de cuil. à café de poivre moulu
- 1/4 de cuil. à café de sel

Pour servir :
- 2 tiges d'oignons nouveaux
- quelques feuilles de coriandre*

1. Allumez le four, thermostat 5 (170 °C). Nettoyez les foies et éventuellement les gésiers, épongez-les avec du papier absorbant et émincez-les finement. Emincez la chair du poulet. Mélangez les foies, les gésiers et la chair de poulet et mettez cette préparation dans un plat à four carré de 20 cm de côté en tassant bien : la préparation doit avoir environ 1 cm d'épaisseur. Glissez le plat dans le four et laissez cuire pendant 20 mn.

2. Pendant ce temps, pelez les oignons nouveaux et coupez-les en fines rondelles. Lavez les feuilles de coriandre et essorez-les.

3. Eteignez le four, sortez le plat et laissez refroidir un peu, puis ajoutez tous les autres ingrédients et mélangez à la fourchette.

4. Placez le hachis de poulet dans un plat de service et décorez avec les oignons et les feuilles de coriandre. Servez chaud ou tiède.

Note :
Vous placerez le Hachis de poulet au milieu de la table, avec une soupière de Soupe au poulet laotienne (recette ci-contre), une marmite en bambou pleine de riz gluant et un Plateau de crudités (recette page 125). Chaque convive prendra un peu de riz, le façonnera en boulette, pressera cette boulette contre le hachis de poulet : une portion de hachis se collera au riz. Après chaque bouchée, il prendra une cuillerée de soupe, puis quelques crudités, et ainsi de suite. Le couvert se limitera à une assiette et une cuillère par personne.

Soupe au poulet laotienne

Pour 4 personnes
Préparation : 15 mn
Cuisson : 20 mn

- 750 g de poulet avec les os et la peau
- 1 cuil. à soupe de pulpe de tamarin séché*
- 2 tomates
- 6 feuilles de citron vert*
- 2 cuil. à soupe de nuoc mam*
- 1 pincée de poivre moulu
- 1/2 cuil. à café de sel

Pour servir :
- 2 tiges d'oignons nouveaux
- 2 brins de coriande fraîche*

1. Mettez la pulpe de tamarin dans un bol aved 1 dl d'eau chaude et laissez-la tremper pendant 10 mn.

2. Pendant ce temps, lavez les tomates et coupez-les en quartiers. Coupez le poulet en morceaux de 5 cm de côté environ.

3. Pressez la pulpe de tamarin pour en extraire le suc, puis filtrez l'eau de trempage à travers une passoire.

4. Mettez le poulet, les tomates, l'eau de trempage du tamarin, les feuilles de citron vert et 1,5 litre d'eau dans une casserole. Portez à ébullition, écumez la surface, puis réduisez la chaleur et laissez cuire à découvert pendant 20 mn environ, jusqu'à ce que le poulet se défasse.

5. Pendant ce temps, coupez les tiges des oignons nouveaux en tout petits tronçons. Lavez les brins de coriandre, essorez-les, effeuillez-les et ciselez les feuilles.

6. Quand la soupe a cuit suffisamment longtemps, incorporez le nuoc mam, le sel et le poivre. Versez la soupe dans une soupière, parsemez d'oignons nouveaux et de coriandre et servez chaud, pour accompagner le Hachis de poulet aux épices.

Hachis de poulet aux épices, servi avec de la Soupe au poulet, du Riz gluant (voir page 122) et un Plateau de crudités (voir page 125).

Carottes piquantes

Pour 4 personnes
Préparation et cuisson : 35 mn

- 3 carottes
- 200 g de tripes de porc, blanchies
- 2 tomates
- 5 gousses d'ail
- 5 piments rouges séchés*
- 2 cuil. à soupe de nuoc mam*
- 1 cuil. à café de glutamate de sodium*

1. Mettez les tripes dans une casserole, couvrez-les d'eau et laissez cuire à petits bouillons pendant 30 mn.
2. Pendant ce temps, pelez les gousses d'ail. Lavez les tomates, essuyez-les et coupez-les en gros morceaux.
3. Mettez l'ail, les piments, les tomates et le glutamate de sodium dans un mortier. Ecrasez au pilon, puis incorporez-y le nuoc mam.
4. Lavez les carottes, grattez-les et râpez-les. Mettez-les dans un plat et versez la préparation précédente par-dessus.
5. Quand les tripes sont cuites, égouttez-les, coupez-les en petits rectangles et posez-les sur la salade de carottes. Laissez refroidir.
6. Mélangez au moment de servir, en utilisant des baguettes de bambou.

Notes :
• Au Laos, les Carottes piquantes se mangent très couramment à l'apéritif.
• Vous pouvez également servir la salade de carottes seule, sans les tripes.

Cuisson du riz gluant

Trempage : 6 h
Cuisson : 15 mn

1. Mettez le riz dans un saladier (vous pouvez mesurer la quantité à vue d'œil, sachant que le riz gluant double de volume en cuisant), couvrez-le largement d'eau fraîche et laissez-le tremper pendant 6 h.

2. Quand le riz a suffisamment trempé, égouttez-le. Etendez une mousseline sur le panier perforé d'une marmite à vapeur et étalez le riz sur la mousseline. Mettez de l'eau au fond de la marmite, portez à ébullition, mettez le panier au-dessus de l'eau, couvrez et laissez cuire à la vapeur pendant 15 mn. Le riz gluant devient mou et très clair lorsqu'il est cuit.

Note :

Si vous augmentez le temps de trempage vous pourrez réduire un peu le temps de cuisson.

Porc aux légumes parfumés

Pour 4 personnes
Préparation et cuisson : 45 mn

- 250 g d'échine ou de pointe de porc désossée
- 1 morceau de couenne de porc fraîche de 10 × 10 cm
- 150 g de Riz gluant (page 122)
- 1 grosse aubergine
- 100 g de haricots verts
- 8 champignons chinois séchés*
- 1 cuil. à soupe de piments rouges séchés*
- 2 cuil. à soupe de nuoc mam*
- 3 feuilles de laurier*
- 1/2 cuil. à café de sel

Pour servir :
- 1 citron
- 1 piment rouge*
- 1 tige d'oignon nouveau de 2,5 cm de long

1. Allumez le four, thermostat 5 (170 °C). Mettez les champignons dans de l'eau tiède et laissez-les tremper. Coupez la viande en lanières de 1 cm d'épaisseur et de 2,5 cm de long, posez-la sur la lèche-frite, glissez-la dans le four et laissez-la cuire pendant 15 mn.
2. Pendant ce temps, mettez le riz gluant dans un mortier, ajoutez juste assez d'eau pour le couvrir et écrasez-le au

Porc aux légumes parfumés, servi avec un Plateau de crudités (voir page 125).

pilon. Effilez les haricots, lavez-les et coupez-les en tronçons de 2,5 cm. Lavez l'aubergine et débarrassez-la de son pédoncule. Découpez la couenne en fines lanières. Otez le pédoncule des piments.
3. Quand le porc est cuit, éteignez le four. Mettez 1,75 litre d'eau dans une grande casserole et portez à ébullition. Ajoutez le sel et le nuoc mam, puis le porc, l'aubergine et les piments. Laissez cuire à petits bouillons pendant 10 mn environ, jusqu'à ce que l'aubergine soit tendre, puis retirez l'aubergine et les piments.
4. Mettez l'aubergine et les piments dans un mortier, écrasez-les au pilon et remettez-les dans la casserole. Egouttez les champignons et ajoutez-les dans la casserole, ainsi que les haricots et les feuilles de laurier. Portez à ébullition et ajoutez enfin le riz gluant avec son eau de trempage et la couenne de porc. Laissez cuire à petits bouillons pendant 20 mn environ, jusqu'à ce que le riz soit bien cuit.
5. Pendant ce temps, lavez le citron et coupez-le en rondelles. Lavez le piment rouge, ôtez le pédoncule et les graines et coupez la pulpe en lanières.
6. Quand le riz est cuit, versez le contenu de la casserole dans un plat. Décorez avec les rondelles de citron et les lanières de piment enroulées autour de la tige d'oignon nouveau. Servez chaud avec un Plateau de crudités (recette page 125).
Notes :
• Le porc aux légumes parfumés, ou *Ocklam* est le plat national laotien. Vous pouvez réaliser la même recette avec du poulet.
• Si vous achetez de la couenne de porc séchée dans une épicerie orientale, vous devrez la laisser tremper dans de l'eau tiède pendant 30 mn avant de l'utiliser.

Bœuf épicé

Pour 4 personnes
Prparation et cuisson : 45 mn

- 500 g de bœuf : tranche
- 3 cuil. à soupe de Riz gluant (page 122)
- 2 tiges d'oignons nouveaux
- 2 brins de coriandre fraîche*
- 1 cuil. à soupe de nuoc mam*
- 2 cuil. à café de pâte d'anchois
- 2 cuil. à café de galanga en poudre*
- 1 cuil. à café de glutamate de sodium* (facultatif)

Pour servir :
- 1 piment rouge*
- le jus de 1/2 citron vert*

1. Allumez le four, thermostat 6 (200 °C). Faites griller le riz dans une poêle à revêtement antiadhésif, sur feu doux, jusqu'à ce qu'il commence à brunir, puis réduisez-le en poudre, au pilon ou au mixer électrique.
2. Coupez la viande en 3 morceaux et mettez-les dans le four, sur la lèchefrite. Laissez cuire pendant 15 mn.
3. Pendant ce temps, lavez les brins de coriandre, essorez-les, effeuillez-les et ciselez les feuilles. Pelez les tiges d'oignons nouveaux et hachez-les. Lavez le piment, ôtez le pédoncule et les graines et coupez la pulpe en anneaux.
4. Lorsque le viande est cuite, éteignez le four, retirez les morceaux de bœuf et laissez-les refroidir un peu, puis coupez-les en fines lanières et mélangez-les avec le riz.
5. Metttez le nuoc mam et la pâte d'anchois dans une grande casserole. Faites chauffer doucement, jusqu'à ce que le mélange soit homogène, puis ajoutez le bœuf, le glutamate de sodium et retirez du feu.
6. Versez le contenu de la casserole dans un plat. Décorez avec les anneaux de piment rouge.
7. Servez chaud ou tiède, en arrosant de jus de citron vert au dernier moment.

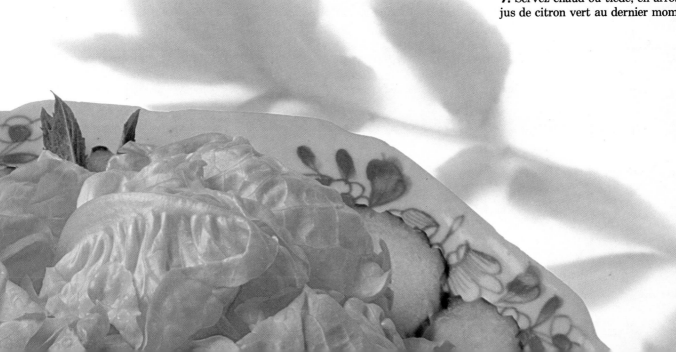

Pâtés impériaux

Pour 20 rouleaux
Préparation : 30 mn
Cuisson : 1 h 30

Pour la garniture
- 500 g de blancs de poulet
- 250 g de chair de crabe
- 50 g de nouilles de haricots mung*
- 2 cuil. à soupe de champignons séchés « oreilles de chat »*
- 3 gousses d'ail
- 3 échalotes
- 1/2 cuil. à café de poivre moulu

Pour les rouleaux :
- 20 galettes de riz séchées
- 4 œufs
- 5 dl d'huile d'arachide

Pour servir :
- 1 oignon nouveau avec sa tige

1. Mettez les champignons dans de l'eau tiède et les nouilles dans de l'eau froide. Laissez tremper les nouilles pendant 10 mn et les champignons pendant 20 mn.

2. Pendant ce temps, ôtez la peau des blancs de poulet, épongez-les avec du papier absorbant et coupez-les en fines lanières. Pelez l'ail et écrasez-le au presse-ail. Pelez les échalotes et hachez-les. Quand les nouilles ont suffisamment trempé, égouttez-les et coupez-les en morceaux de 2,5 cm environ.

3. Quand les champignons ont suffisamment trempé, égouttez-les et hachez-les, puis préparez la garniture : mettez tous les ingrédients dans un saladier et mélangez-les avec les doigts.

4. Cassez les œufs dans un saladier et battez-les à la fourchette. Étalez les galettes de riz sur le plan de travail et badigeonnez-les d'œuf battu. Attendez quelques secondes : les galettes s'assouplissent et deviennent malléables.

5. Déposez une cuillerée à café de garniture sur le bord de chaque galette, puis repliez les galettes de façon à bien enfermer la garniture : vous devez faire trois tours. Les rouleaux se soudent facilement parce que l'œuf a, en effet, des propriétés adhésives.

6. Chauffez l'huile dans une poêle de 30 cm de diamètre. Mettez-y 6 ou 7 rouleaux et faites-les cuire sur feu doux pendant 30 mn environ, jusqu'à ce qu'ils soient bien dorés. Retirez-les à l'aide d'une écumoire et égouttez-les sur du papier absorbant. Gardez-les au chaud. Faites cuire les autres rouleaux de la même façon.

7. Pendant que le dernier tiers des rouleaux est en train de cuire, pelez l'oignon nouveau et découpez le vert en très fines lanières.

8. Servez chaud ou à peine tiède, avec les lanières d'oignon nouveau en décoration.

Notes :
- Vous servirez les Pâtés impériaux à l'apéritif, avec un bol de nuoc cham ou au dîner, avec un Plateau de crudités (voir page 125) et un bol de nuoc cham pour tremper les crudités.
- Traditionnellement, la garniture de ces spécialités vietnamiennes bien connues est à base de porc et de crabe, mais vous pouvez utiliser n'importe quel mélange de viande et de chair de crustacé.

Pâtés impériaux, servis avec du nuoc cham (voir page 125).

Nuoc cham

Pour 4 personnes
Préparation : 10 mn

- 2 gousses d'ail
- 4 piments rouges séchés ou 1 piment rouge frais*
- 4 cuil. à soupe de nuoc mam*
- 5 cuil. à café de sucre en poudre
- le jus de 1/4 de citron vert*
- la pulpe de 1/4 de citron vert*

1. Pelez les gousses d'ail. Nettoyez le ou les piments et coupez la pulpe.
2. Mettez l'ail, la pulpe de piment et le sucre dans un mortier et écrasez-les au pilon. Ajoutez le jus et la pulpe de citron vert, puis le nuoc mam et 5 cuillerées à soupe d'eau.
3. Mélangez bien et versez cette sauce dans un bol.
Notes :
• Si vous n'avez pas de mortier et de pilon, vous pouvez écraser les ingrédients avec le dos d'une cuillère, mais surtout pas avec un mixer électrique, car la sauce n'aurait pas la consistance désirée.
• Le nuoc cham peut être préparé à l'avance en plus grande quantité. Il se conservera 1 semaine au réfrigérateur.

Plateau de crudités

Pour 4 personnes
Préparation : 15 mn

- feuilles de laitue
- feuilles de menthe*
- feuilles de coriandre fraîche*
- concombre

1. Lavez les feuilles de laitue, de menthe et de coriandre et essorez-les. Pelez partiellement le concombre et coupez-le en tranches fines, légèrement en biais, de façon à leur donner la forme d'un demi-cercle.
2. Disposez les feuilles de laitue au milieu du plat. Entourez de feuilles de coriandre et de menthe arrangées en petits tas alternés. Placez les tranches de concombre tout autour, sur le bord du plat.
Note :
Le plateau de crudités apparaît à presque tous les repas au Vietnam, comme au Laos ou au Cambodge. Toutes sortes de légumes et d'herbes peuvent entrer dans sa composition, selon la saison et les goûts de chacun.

125

Soupe de perles au crabe

Pour 4 personnes
Préparation et cuisson : 25 mn

- 125 g de perles de tapioca
- 250 g de chair de crabe
- 4 échalotes
- 2 cuil. à café de nuoc mam*
- 1,25 litre de bouillon de volaille
- 1 cuil. à soupe d'huile d'arachide

Pour servir :
- 2 brins de coriandre*
- 2 tiges d'oignons nouveaux
- poivre

1. Metttez les perles de tapioca dans de l'eau et laissez-les tremper pendant 10 mn.
2. Pendant ce temps, pelez les échalotes. Faites chauffer l'huile dans une casserole, ajoutez les échalotes et faites-les blondir sur feu doux, puis ajoutez la chair de crabe et laissez-la cuire en remuant constamment, jusqu'à ce qu'elle commence à dorer. Ajoutez le bouillon de volaille et le nuoc mam.
3. Egouttez les perles de tapioca, mettez-les dans la casserole et portez à ébullition, puis laissez cuire à petits bouillons pendant 5 mn environ, jusqu'à ce que le tapioca soit translucide.
4. Pendant ce temps, lavez la coriandre, essorez-la, effeuillez-la et ciselez les feuilles. Pelez les tiges d'oignons nouveaux et coupez-les en rondelles.
5. Quand le tapioca est cuit, versez la soupe dans 4 bols individuels. Poivrez et parsemez de coriandre et d'oignon nouveau. Servez chaud.
Note :
Si vous faites cuire vous-même 1 ou 2 crabes vivants, remplacez le bouillon par leur eau de cuisson. Si vous utilisez du crabe en boîte, égouttez-le soigneusement et supprimez les cartilages qui pourraient s'y trouver.

Soupe au chrysanthème et au porc

Pour 4 personnes
Repos : 15 mn
Préparation : 10 mn
Cuisson : 15 mn

- 100 g de porc haché
- 500 g de chrysanthèmes choy*
- 1 échalote
- 2 oignons nouveaux avec leur tige
- 1,5 litre de bouillon de volaille
- 2 cuil. à soupe + 1 cuil. à café de nuoc mam*
- poivre

1. Pelez l'échalote et hachez-la. Mettez la viande dans un grand bol, ajoutez 1 pincée de poivre, 1 cuillerée à café de nuoc mam et l'échalote. Mélangez bien, puis laissez reposer pendant 15 mn.
2. Façonnez la préparation précédente en 24 boulettes. Mettez le bouillon dans une casserole, portez à ébullition et plongez les boulettes dans le liquide bouillant. Laissez cuire à petits bouillons pendant 12 mn.
3. Pendant ce temps, nettoyez les

chrysanthèmes en éliminant toutes les tiges dures. Pelez les oignons nouveaux en gardant beaucoup de vert et coupez-les en tronçons de 5 cm.

4. Mettez les chrysanthèmes et les oignons nouveaux au fond d'une soupière. Ajoutez 2 cuillerées à soupe de nuoc mam dans la casserole et rectifiez l'assaisonnement de la soupe avec un peu de poivre avant de la verser bouillante dans la soupière.

5. Servez très chaud, avec du riz et du Nuoc cham (recette page 125).

Soupe au canard et aux pousses de bambou

Pour 8 personnes
Marinade : 1 h
Préparation et cuisson : 1 h 45

- 1 canard de 1,5 kg
- 25 g de pousses de bambou séchées*
- 250 g de nouilles de riz*
- 5 échalotes
- 1 cuil. à soupe de sucre cristallisé
- 4 cuil. à soupe de nuoc mam*
- 1/4 de cuil. à café de poivre moulu
- 1 cuil. à soupe de sel

Pour servir :
- 2 tiges d'oignons nouveaux avec leur tige
- 2 brins de coriandre*

1. Mettez les pousses de bambou dans de l'eau chaude et laissez-les tremper pendant 2 h.

2. Pelez les échalotes et écrasez-les au pilon ou passez-les à la moulinette. Frottez le canard avec le sel et le poivre, puis avec la purée d'échalotes, et laissez-le mariner pendant 1 h.

3. Quand les pousses de bambou ont

suffisamment trempé, égouttez-les très soigneusement.

4. Quand le canard a suffisamment mariné, mettez 1,25 litre d'eau dans une grande casserole et portez à ébullition. Ajoutez le canard entier et les pousses de bambou, attendez la nouvelle ébullition, puis laissez cuire à petits frémissements pendant 15 mn, en écumant la surface jusqu'à ce qu'il ne se forme plus du tout d'écume. Ajoutez le sucre, couvrez et laissez mijoter pendant 1 h.

5. Soulevez le couvercle de la casserole, ajoutez le nuoc mam, recouvrez et laissez cuire encore 30 mn environ : les pousses de bambou doivent prendre une consistance élastique.

6. Pendant ce temps, faites bouillir 2 litres d'eau dans une autre casserole, plongez-y les nouilles de riz et laissez-les cuire à petits bouillons pendant 5 mn, puis égouttez-les et rincez-les à l'eau courante froide. Pelez les tiges d'oignons nouveaux et coupez-les en fines rondelles. Lavez la coriandre, essorez-la, effeuillez-la et ciselez les feuilles.

7. Retirez le canard et les pousses de bambou de la casserole. Coupez le canard en 8 morceaux et partagez les nouilles en 8 portions. Mettez une portion de nouilles au fond de chaque bol individuel, puis un morceau de canard et quelques pousses de bambou. Versez la soupe chaude par-dessus. Parsemez de coriandre et d'oignon nouveau et servez aussitôt, avec du Nuoc cham (recette page 125).

Note :
Au cours des fêtes du Nouvel An, chaque famille vietnamienne mange au moins un plat contenant des pousses de bambou séchées.

Soupe de perles au crabe ; Soupe au chrysanthème et au porc ; Soupe au canard et aux pousses de bambou.

Poisson braisé à l'ananas

Pour 4 personnes
Préparation : 10 mn
Cuisson : 35 mn

- 500 g de filets de poisson sans peau et sans arêtes : cabillaud, colin, lieu...
- 150 g de pulpe d'ananas frais
- 1 échalote
- 6 cuil. à soupe de nuoc mam*
- 4 cuil. à soupe de sucre en poudre
- 1 cuil. à soupe de sucre caramélisé (voir ci-contre)
- 2 cuil. à soupe d'huile d'arachide

1. Pelez l'échalote et émincez-la. Coupez l'ananas en carrés de 2,5 cm de côté et de 0,5 cm d'épaisseur environ. Coupez les filets de poisson en 4 morceaux.
2. Faites chauffer 1 cuillerée à soupe d'huile dans une poêle. Ajoutez le poisson et faites-le revenir doucement, en le retournant une fois, jusqu'à ce qu'il soit légèrement doré sur les deux faces.
3. Faites chauffer 1 cuillerée à soupe d'huile dans une autre poêle, ajoutez l'échalote et faites-la blondir sur feu doux. Ajoutez l'ananas et laissez cuire encore 3 mn. Retirez l'ananas et l'échalote à l'aide d'une écumoire en les égouttant bien.
4. Mettez la moitié des morceaux d'ananas et d'échalote au fond d'une petite cocotte, recouvrez avec les morceaux de poisson, puis avec le reste d'ananas et d'échalote. Ajoutez le nuoc mam, le sucre en poudre, le sucre caramélisé et un peu de poivre. Couvrez hermétiquement et laissez mijoter pendant 20 à 30 mn, jusqu'à ce qu'il ne reste que 1 dl de liquide dans la cocotte.
5. Servez chaud avec du riz.

Sucre caramélisé
Mettez une cuillerée à soupe de sucre en poudre et 4 cuillerées à soupe d'eau dans une petite poêle. Mélangez bien et faites chauffer sur feu vif, en remuant constamment, jusqu'à ce que le mélange prenne une couleur doré foncé. Retirez du feu, mélangez et ajoutez 2 cuillerées à soupe d'eau. Remettez la poêle sur feu vif et laissez cuire 5 mn, sans cesser de remuer, puis ajoutez un filet de jus de citron. Remuez encore une fois, retirez du feu et laissez refroidir.

Note :
Conservez le sucre caramélisé dans un récipient en verre à couvercle hermétique jusqu'à la prochaine utilisation.

Crevettes grillées aux cacahuètes

Pour 4 personnes
Préparation et cuisson : 20 mn

- 500 g de grosses crevettes crues ou de gambas
- 200 g de nouilles de riz très fines*
- 3 oignons nouveaux avec leur tige
- 20 cacahuètes grillées (voir page ci-contre)
- 2 cuil. à café d'huile d'arachide

Pour servir :
- 1 citron
- 1 brin de coriandre*

1. Allumez le four, thermostat 6 (200 °C). Mettez 2 litres d'eau dans une casserole et portez à ébullition. Plongez les nouilles dans l'eau bouillante et laissez-les cuire à gros bouillons pendant 2 mn, puis égouttez-les bien. Gardez-les au chaud, sur une casserole d'eau frémissante, par exemple.
2. Mettez les crevettes dans le four. Laissez-les cuire 5 mn de chaque côté et décortiquez-les. Coupez-les en deux dans le sens de la longueur si elles sont très grosses.
3. Pelez les oignons nouveaux en gardant beaucoup de vert et coupez-les en rondelles épaisses. Faites chauffer l'huile dans une poêle, ajoutez les oignons nouveaux et faites-les cuire doucement, jusqu'à ce qu'il soient tendres.
4. Pendant ce temps, lavez la coriandre, essorez-la, effeuillez-la et ciselez les feuilles. Coupez le citron en tranches fines, puis chaque tranche en deux.
5. Etalez les nouilles sur un plat, recouvrez-les avec les crevettes et parsemez d'oignon nouveau et de cacahuètes grillées. Disposez les demi-rondelles de citron sur le pourtour du plat. Parsemez de coriandre.
6. Servez chaud, avec du nuoc cham (recette page 125).

Cacahuètes grillées

Placez une poêle à revêtement anti-adhésif sur feu doux. Laissez-la chauffer et mettez-y les cacahuètes décortiquées. Faites griller les cacahuètes, en remuant constamment, jusqu'à ce qu'elles deviennent brun foncé, puis versez-les dans une passoire. Laissez-les refroidir un peu, et frottez-les entre les paumes des mains pour éliminer toutes les petites peaux.

Note :

Pour obtenir de la poudre, écrasez les cacahuètes au pilon ou au mixer électrique.

Poulet épicé au lait de coco

Pour 4 personnes
Marinade : 30 mn
Préparation et cuisson : 45 mn

- 4 cuisses de poulet
- 2,5 dl de lait de coco*
- 2 gousses d'ail
- 1 échalote
- 1 cuil. à soupe de nuoc mam*
- 2 cuil. à café de citronnelle en poudre*
- 1 pincée de poudre de piment rouge*
- 1/2 cuil. à café de curry
- 1/2 cuil. à café de sucre en poudre
- 1 cuil. à soupe d'huile d'arachide
- 1 pincée de poivre moulu
- 1/4 de cuil. à café de sel

Pour servir :

- 1 oignon nouveau avec sa tige
- 2 cuil. à soupe de cacahuètes grillées (voir ci-contre)
- 4 rondelles de citron vert*

1. Coupez les cuisses de poulet en 2 ou 3 morceaux. Pelez les gousses d'ail et hachez-les. Pelez l'échalote et hachez-la. Mettez les morceaux de poulet dans un saladier, ajoutez l'échalote, le sel, le poivre, le curry, le piment, le nuoc mam et la moitié de l'ail. Mélangez bien et laissez mariner pendant 30 mn.

2. Quand le poulet a suffisamment mariné, faites chauffer l'huile dans un wok ou dans une grande poêle. Ajoutez le reste de l'ail et la poudre de citronnelle. Faites-les cuire quelques secondes, en remuant constamment, puis ajoutez les morceaux de poulet. Faites-les revenir pendant 10 mn environ, jusqu'à ce qu'ils soient dorés sur toutes les faces, puis mouillez-les avec le lait de coco.

3. Laissez cuire à découvert pendant 10 mn environ, jusqu'à ce que la sauce ait bien réduit et que la viande soit tendre.

4. Pendant ce temps, hachez grossièrement les cacahuètes. Pelez l'oignon nouveau en gardant beaucoup de vert et coupez-le en tronçons de 3 cm. Coupez les rondelles de citron vert en deux.

5. Mettez le poulet dans un plat, parsemez d'oignon nouveau et de cacahuètes grillées et disposez les demi-rondelles de citron sur le pourtour du plat. Servez chaud, avec du riz.

Poulet épicé au lait de coco ; Crevettes grillées aux cacahuètes.

Travers de porc grillé

Pour 4 personnes
Marinade : 1 h
Préparation : 15 mn
Cuisson : 45 mn

- 1 kg de travers de porc
- 5 échalotes
- 2 gousses d'ail
- 4 cuil. à soupe de nuoc mam*
- 2 cuil. à soupe de sucre en poudre
- 1/4 de cuil. à café de poivre moulu

Pour servir :
- 200 g de riz à grains longs
- 1/2 concombre
- 1 bol de nuoc cham (recette page 125)

1. Pelez les échalotes et hachez-les. Pelez l'ail et écrasez-le au presse-ail. Mettez les échalotes, l'ail et le sucre dans un mortier et écrasez au pilon jusqu'à obtention d'une pâte épaisse. Ajoutez le nuoc mam et le poivre et mélangez bien. Placez le travers de porc dans un grand plat à four. Versez la préparation précédente par-dessus. Retournez la viande pour bien l'enrober et laissez-la mariner pendant au moins 1 h.
2. Au bout de 45 mn de marinade, allumez le four, thermostat 5 (170 °C).
3. Quand le porc a suffisamment mariné, mettez le plat dans le four et laissez cuire pendant 45 mn, en le retournant à mi-cuisson.
4. Pendant ce temps, faites cuire le riz à l'eau bouillante, en respectant le temps de cuisson indiqué sur l'emballage, puis égouttez-le. Lavez le demi-concombre et coupez-le en tranches très fines.
5. Quand la viande est cuite et bien dorée, sortez le plat du four et coupez le travers de porc de façon à séparer les os. Mettez le riz dans un plat de service, posez les morceaux de viande dessus, et arrosez avec un peu de nuoc cham. Disposez les rondelles de concombre sur le pourtour du plat. Servez chaud et présentez le reste de nuoc cham à part, dans un bol.

Note :
Si vous pouvez faire griller la viande sur les braises, comme le font les Vietnamiens, elle sera encore meilleure.

Fondue vietnamienne

Pour 4 personnes
Préparation et cuisson : 30 mn

- 500 g de bœuf de 2,5 cm d'épaisseur environ, dans le gîte à la noix
- 1 oignon
- 1 cuil. à soupe de nuoc mam*
- 2 cuil. à soupe d'huile d'arachide
- poivre

Pour servir :
- 12 galettes de riz séchées
- 1 citron vert
- 1 bol de nuoc cham (recette page 125)
- 1 Plateau de crudités (recette page 125)

1. Coupez la viande en tranches très fines dans le sens perpendiculaire aux fibres. Disposez ces tranches sur un plat en les faisant chevaucher. Arrosez avec 1 cuillerée à soupe d'huile et le nuoc mam. Saupoudrez de poivre. Pelez l'oignon et émincez-le en défaisant les anneaux. Placez les anneaux sur la viande, au centre du plat. Coupez le citron en quartiers minces et disposez-les sur le pourtour du plat.
2. Mettez la viande sur la table, ainsi que les galettes de riz, la plateau de crudités, le bol de nuoc cham, un bol d'eau, et un réchauffe-plat ou, mieux, un barbecue de table. Chaque convive étale une galette de riz sur son assiette, en humecte la surface avec un peu d'eau et, quand la galette est devenue bien souple, la garnit d'une feuille de laitue, de quelques demi-rondelles de concombre et de feuilles de menthe et de coriandre.
3. Pendant ce temps, faites chauffer une poêle sur le chauffe-plat, puis mettez-y 1 cuillerée à soupe d'huile. Chacun y fera cuire pendant quelques secondes 2 ou 3 tranches de viande et un anneau d'oignon, qu'il arrosera ensuite d'un filet de jus de citron vert. La viande, une fois cuite, sera placée au milieu de la galette, sur les crudités, avant d'être enveloppée dans cette galette. On trempe les papillotes ainsi obtenues dans le nuoc cham avant de les déguster.
4. Recommencez jusqu'à épuisement des ingrédients.

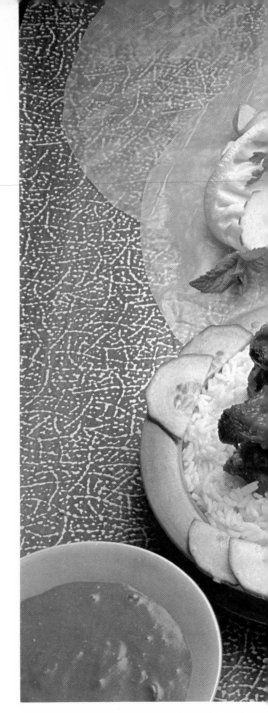

Travers de porc grillé, servi avec du nuoc cham (voir page 125); Fondue vietnamienne, servie avec un Plateau de crudités (voir page 125), du nuoc cham (voir page 125) et des galettes de riz.

Portez à ébullition, puis réduisez la chaleur et laissez cuire à petits bouillons pendant 30 mn environ, jusqu'à ce que toute l'eau soit évaporée. Retirez la casserole du feu et écrasez les haricots au moulin à légumes, grille fine. Ajoutez le sucre et mélangez bien.

2. Préparez la pâte : pelez les pommes de terre et passez-les au moulin à légumes, grille fine. Mettez 1 dl d'eau dans une casserole et portez à ébullition. Dans un saladier, mélangez la purée de pommes de terre, la farine, la levure, le sel et le sucre. Incorporez peu à peu l'eau bouillante et travaillez ce mélange avec les doigts jusqu'à ce qu'il soit homogène.

3. Prenez une cuillerée à soupe de pâte. Formez une petite boule, puis aplatissez-la de façon à obtenir un disque de 7 à 8 cm de diamètre. Placez 1 cuillerée à café de garniture au centre de ce disque, repliez les bords et reformez la boule de pâte en emprisonnant la garniture à l'intérieur. Procédez de même avec le reste de pâte et de garniture : vous devez avoir en tout 12 petites boules.

4. Etalez les graines de sésame dans une assiette ou sur une feuille de papier sulfurisé. Faites-y rouler les boules de pâte de façon à bien les enrober de graines.

5. Faites chauffer l'huile dans une petite bassine à friture, une casserole ou un wok et plongez-y une boule de pâte. Appuyez sur la boule avec le dos d'une louche en faisant un mouvement circulaire, puis plongez une autre boule de pâte dans l'huile et appuyez de la même façon avec le dos de la louche, et ainsi de suite. Laissez frire les boules de pâte, par petites quantités, pendant 10 mn environ, jusqu'à ce qu'elles soient bien dorées. Retirez-les au fur et à mesure à l'aide d'une écumoire et égouttez-les sur du papier absorbant. Gardez les au chaud.

6. Servez chaud.

Graines de sésame grillées.
Placez une poêle à revêtement antiadhésif sur feu assez vif. Quand elle est très chaude, mettez-y les graines de sésame et faites-les griller en les remuant jusqu'à ce qu'elles aient pris une couleur foncée.

Si la poêle n'est pas assez chaude au moment où vous y mettez les graines de sésame, celles-ci deviendront huileuses et n'adhéreront pas à la pâte des petits gâteaux.

Petits gâteaux ronds

Pour 12 gâteaux
Préparation et cuisson : 1 h

Pour la garniture :
- 100 g de haricots mung jaunes*
- 100 g de sucre en poudre

Pour la pâte :
- 250g de farine de riz gluant*
- 100 g de sucre en poudre
- 2 petites pommes de terre en robe des champs
- 1 cuil. à café de levure chimique
- 1/2 cuil. à café de sel

Pour réaliser les gâteaux :
- 50 graines de sésame grillées (voir ci-contre)
- 5 dl d'huile pour friture

1. Préparez la garniture : rincez les haricots à l'eau courante froide et mettez-les dans une petite casserole avec 2 dl d'eau.

131

Chine

Deh-ta Hsiung

La cuisine chinoise, dont la réputation n'est plus à faire, est pourtant l'objet de nombreuses idées toutes faites. Certains Occidentaux ne connaissent que le «chop suey» et le «porc à l'aigre-douce» baignant dans une sauce grasse, qui n'a rien de commun avec le raffinement de la cuisine chinoise. Ces mêmes Occidentaux seraient d'ailleurs bien étonnés d'apprendre que le «chop suey» n'existe pas en Chine. D'autres sont devenus de vrais amateurs de cuisine chinoise, mais ils ne l'ont goûtée que dans les restaurants. Ils n'ont jamais essayé de la préparer eux-mêmes.

En fait, la cuisine chinoise n'a rien de mystérieux. Une fois que vous aurez appris quelques principes essentiels — saveurs, parfums, consistance, couleur —, vous pourrez cuisiner à la chinoise.

Parfums et saveurs

L'assaisonnement est toujours destiné à rehausser la saveur d'un plat et ne doit en aucun cas la transformer ou l'occulter. Vous utiliserez de la sauce de soja, le vin de riz (fort bien remplacé par du xérès sec), du sucre, du vinaigre, du gingembre frais et de l'oignon nouveau. L'ail, le poivre et les piments resteront très discrets. La Maïzena, employée en très petites quantités, vous permettra d'épaissir les sauces sans leur donner une consistance farineuse, et aussi de préserver la saveur et le moelleux des viandes finement émincées.

Le mélange des parfums à l'intérieur d'un même plat se fonde toujours sur la complémentarité des saveurs. Chaque ingrédient relève la saveur des autres, et aucun d'entre eux ne peut être choisi au hasard.

Enfin, et surtout, les Chinois sont intransigeants sur la fraîcheur et la qualité des produits. Les légumes sont cueillis le jour même, les viandes ne traînent jamais sur l'étal, les volailles et les poissons sont achetés vivants.

Un peu de fraîcheur en moins, c'est un peu de saveur en moins, disent les Chinois. Tâchez de vous en souvenir.

Couleur et consistance

Dans chaque plat, les couleurs des différents ingrédients se complètent les unes les autres et on trouve au moins deux de ces consistances : tendre, croustillante, croquante, onctueuse et moelleuse. Autrement dit, le choix des ingrédients vise à obtenir l'harmonie des saveurs, des couleurs et des consistances. Prenons par exemple le Poulet sauté au céleri (recette page 155). Le poulet est blanc et tendre ; les champignons sont noirs et onctueux ; le céleri est vert pâle et croquant. Le piment contraste par sa couleur rouge vif, tandis que les pousses de bambou ajoutent un parfum et un moelleux subtils. Le blanc d'œuf, la sauce de soja, le xérès, le gingembre, la Maïzena, l'oignon nouveau et le sel permettent de mieux apprécier cette harmonie.

La préparation des ingrédients

Les Chinois accordent une très grande importance à la manière de découper les aliments avant de les cuisiner. Le découpage en petits morceaux permet de réduire le temps de cuisson et de préserver ainsi la saveur des ingrédients.

Le découpage

• *Émincer.* Pour émincer la viande, la couper perpendiculairement aux fibres : elle sera plus tendre. Couper les tranches de légumes tels que les carottes en biais, de façon qu'elles aient une plus grande surface et qu'elles s'imprègnent bien du parfum des autres ingrédients. D'une manière générale, les tranches ont une épaisseur de quelques millimètres et les dimensions d'un timbre-poste.

• *Découper en bâtonnets.* Après avoir émincé, empiler les tranches et les couper en bâtonnets de la taille d'une allumette.

• *Découper en cubes ou en dés.* Commencer par couper en bâtonnets aussi larges qu'épais. Puis couper perpendiculairement de façon à obtenir des dés d'environ 1 cm de côté.

• *Découper en losanges.* C'est une méthode souvent utilisée pour le céleri ou les carottes. Couper en biais dans le sens de la longueur, faire

faire un demi-tour au légume et couper à nouveau en biais dans le sens de la longueur.

• *Découper une volaille.* Utiliser un couteau à lame large et tranchante ou un couperet.
1) Couper le croupion et l'éliminer ou le couper en deux. 2) Détacher les ailerons au niveau des articulations. 3) Détacher les cuisses avec le pilon.
4) Tourner la volaille sur le côté et détacher le bréchet du reste de la carcasse. 5) Couper le long du sternum, puis couper chaque moitié du bréchet en 3 ou 4 morceaux. 6) Couper les ailerons en trois et les cuisses et pilons en cinq.

Les marinades
Une fois coupés, les poissons et les viandes doivent, le plus souvent, mariner avant d'être cuisinés. Le poisson et le poulet sont généralement enrobés de sel, de blanc d'œuf et de Maïzena, tandis que les viandes marinent dans la sauce de soja, du sucre et du xérès.

Les méthodes de cuisson
La cuisine chinoise utilise 4 grandes méthodes de cuisson :
• La cuisson à l'eau : ce sont les plats mijotés.
• La cuisson à l'huile : ce sont les sautés ou les braisés.
• La cuisson sur les braises : ce sont les grillades au barbecue.
• La cuisson à la vapeur : ce sont tous les plats cuits dans des paniers de métal ou de bambou au-dessus de l'eau, dans le wok.

Le temps de cuisson ne peut être donné qu'à titre indicatif, car il dépend du degré de chaleur, de la taille des ingrédients et de l'ustensile employé.

Les ustensiles

Le wok est l'accessoire le plus utile. Ce récipient métallique arrondi et très évasé maintient une température égale et très élevée, ce qui permet de réduire le temps de cuisson. Dans un wok, la chaleur se répartit uniformément, et les ingrédients reviennent toujours au centre quand on les remue. A noter que, pour ce type d'ustensile, les brûleurs à gaz conviennent mieux que les plaques électriques. Si vous n'avez pas de wok, vous utiliserez une poêle, une casserole ou une bassine à friture selon la recette.

Pour saisir ou faire revenir les ingrédients, commencez par faire chauffer le wok, puis ajoutez un peu d'huile (ne le remplacez jamais par du beurre). Attendez qu'elle soit très chaude avant d'ajouter les aliments.

Rappelez-vous toujours que la cuisine chinoise est une cuisine saine et savoureuse. Les aliments ne doivent jamais être trop cuits, car ils perdraient leurs qualités nutritives et gustatives. Il est rarement nécessaire d'ajouter de l'eau, dans la mesure où les viandes et les légumes cuisent dans leur propre jus.

Après chaque utilisation, rincez le wok à l'eau très chaude pour supprimer les odeurs, et essuyez-le soigneusement pour éviter la formation de rouille.

Les cuisines régionales

La Chine est immense; les climats et les végétations y sont donc extrêmement variés. Chaque grande région a ses propres spécialités et ses méthodes de cuisson privilégiées, qui permettent de distinguer 4 « écoles » régionales.

L'Est

Région très riche où l'agriculture est la plus importante de la Chine — on y cultive le blé, le riz, le maïs, le haricot de soja. L'Est est la région

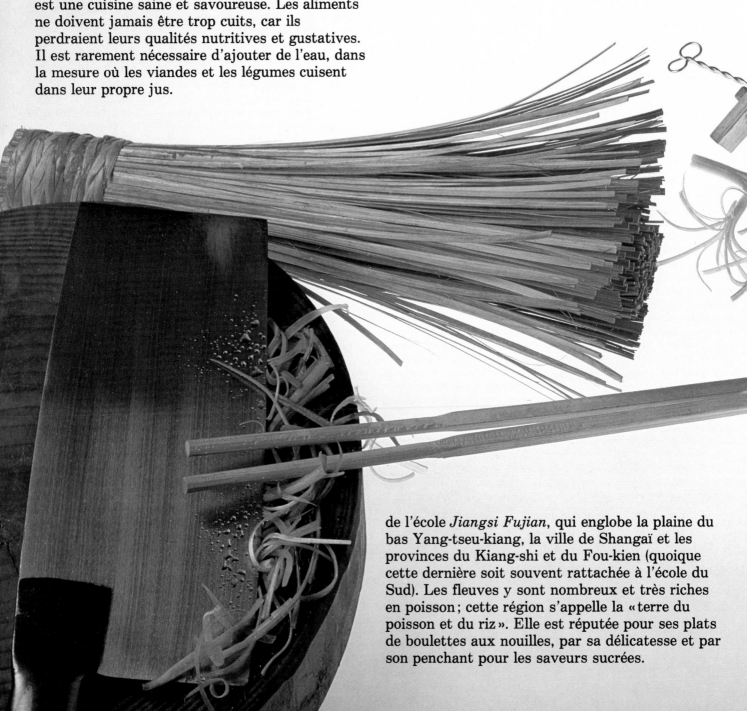

de l'école *Jiangsi Fujian*, qui englobe la plaine du bas Yang-tseu-kiang, la ville de Shangaï et les provinces du Kiang-shi et du Fou-kien (quoique cette dernière soit souvent rattachée à l'école du Sud). Les fleuves y sont nombreux et très riches en poisson; cette région s'appelle la « terre du poisson et du riz ». Elle est réputée pour ses plats de boulettes aux nouilles, par sa délicatesse et par son penchant pour les saveurs sucrées.

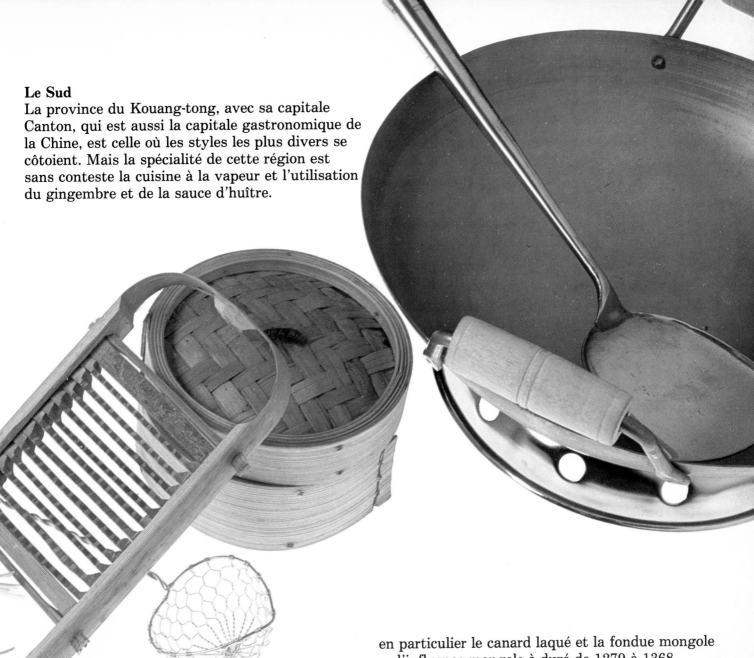

Le Sud

La province du Kouang-tong, avec sa capitale Canton, qui est aussi la capitale gastronomique de la Chine, est celle où les styles les plus divers se côtoient. Mais la spécialité de cette région est sans conteste la cuisine à la vapeur et l'utilisation du gingembre et de la sauce d'huître.

L'Ouest

La province du Sseu-tch'ouan est la région des plats épicés aux saveurs fortes ; et le célèbre poivre du Sseu-tch'ouan, fort et pourtant très parfumé, relève la plupart des mets. Les aliments sont très souvent conservés : salés, séchés, fumés ou préparés au vinaigre. La cuisine de cette région est la moins bien connue chez nous.

Le Nord

Les provinces du Ho-pei (où se trouve la capitale Pékin), du Chan-tong et du Ho-nan possèdent la plus ancienne tradition gastronomique : la plaine du fleuve Jaune, berceau de la civilisation chinoise, est aussi le berceau de l'art culinaire chinois. Toutes les cuisines régionales sont représentées dans les nombreux restaurants de la capitale, qui a également ses propres spécialités,

en particulier le canard laqué et la fondue mongole — l'influence mongole à duré de 1279 à 1368. C'est une région de culture du blé et on y déguste des nouilles, des pains à la vapeur et des crêpes, et beaucoup moins de riz que dans le reste de la Chine.

Les repas

Dans l'établissement du menu, l'harmonie doit être la règle. Les plats se complètent tout en offrant un contraste de couleurs, de consistances et de saveurs. Ils doivent être assez nombreux pour donner une impression de variété.

Pour 4 ou 6 convives, une soupe et 3 autres plats peuvent suffire, mais si vous avez davantage d'invités, essayez de leur proposer une véritable palette gustative, sans oublier d'équilibrer le repas sur le plant nutritif. Le plat de céréale est entouré de plats de viande, de poisson ou de volaille, et de légumes.

Les Chinois boivent le thé avant ou après le repas, mais jamais pendant. Ils se contentent de la soupe. Rien ne vous empêche de servir des vins français que vous choisirez en fonction de votre menu. Et bon appétit...

Soupe
aux filaments
d'œufs

Pour 2-3 personnes
Préparation et cuisson : 15 mn

- 100 g de bœuf maigre
- 1,25 litre de bouillon de volaille
- 1 branche de céleri
- 1 tige d'oignon nouveau
- 1 œuf
- 2 cuil. à café de sel
- poivre

1. Coupez la viande en tout petits morceaux. Nettoyez la branche de céleri, éliminez les feuilles et coupez la côte en petits morceaux. Pelez l'oignon nouveau et coupez-le en rondelles épaisses.
2. Cassez l'œuf dans un bol et battez-le à la fourchette.
3. Mettez le bouillon dans une casserole, portez à ébullition et ajoutez le bœuf, le céleri et le sel. Attendez la reprise de l'ébullition et ajoutez l'œuf peu à peu, en remuant énergiquement, de façon qu'il forme des filaments.
4. Poivrez, parsemez d'oignon nouveau et servez très chaud.

Soupe au porc
et aux carottes

Pour 2-3 personnes
Préparation et cuisson : 25 mn

- 100 g de porc maigre
- 1,25 litre de bouillon de volaille
- 250 g de carottes
- 1 cuil. à soupe de sauce de soja*
- 1 cuil. à café de Maïzena
- 1 cuil. à soupe d'huile de sésame*
- 1 brin de coriandre*
- 1 cuil. à café de sel

1. Émincez le porc et mettez-le dans un saladier avec la sauce de soja, l'huile et la Maïzena. Retournez la viande pour bien l'enrober et laissez-la mariner pendant 10 mn.
2. Pendant ce temps, lavez les carottes, grattez-les et émincez-les. Mettez le bouillon, le sel et les carottes dans une casserole. Portez à ébullition et laissez cuire à petits frémissements pendant 5 mn. Ajoutez le porc et laissez cuire encore 8 à 10 mn, jusqu'à ce que la viande et les carottes soient tendres.
3. Pendant ce temps, lavez le brin de coriandre, essorez-le, effeuillez-le et ciselez les feuilles.
4. Versez la soupe dans la soupière, parsemez de coriandre et servez chaud.

Soupe au porc
et aux tomates

Pour 2-3 personnes
Marinade : 20 mn
Préparation et cuisson : 20 mn

- 100 g de porc maigre
- 1,25 litre de bouillon de volaille
- 2 tomates
- 1 petit oignon
- 1 œuf
- 1 cuil. à café de sauce de soja*
- 1 cuil. à café de xérès sec
- 2 cuil. à soupe d'huile d'arachide
- 1 brin de coriandre*
- 2 cuil. à café de sel
- poivre

1. Émincez le porc et mettez-le dans un saladier avec la sauce de soja et le xérès. Retournez la viande pour bien l'enrober et laissez-la mariner pendant 20 mn.
2. Pendant ce temps, lavez les tomates, essuyez-les avec du papier absorbant et coupez-les en petits morceaux. Pelez l'oignon et hachez-le.
3. Faites chauffer l'huile dans un wok ou dans une sauteuse, ajoutez l'oignon et le porc et faites-les revenir en remuant constamment pendant 2 mn, puis ajoutez les tomates et le bouillon. Portez à ébullition, ajoutez le sel, un peu de poivre et laissez cuire à petits frémissements pendant 5 mn.
4. Pendant ce temps, cassez l'œuf dans un bol et battez-le à la fourchette. Lavez le brin de coriandre, essorez-le, effeuillez-le et ciselez les feuilles.
5. Incorporez l'œuf dans la soupe en battant à la fourchette et versez aussitôt dans la soupière. Parsemez de coriandre et servez chaud.

Soupe au porc
et aux légumes

Pour 4 personnes
Marinade ; 20 mn
Préparation et cuisson : 15 mn

- 250 g de porc maigre
- 40 g de nouilles de haricot mung*
- 50 g de légumes de Sseu-tch'ouan*
  en conserve
- 1/2 concombre
- 1,5 litre de bouillon de volaille
- 1 cuil. à café de sauce de soja*
- 1 cuil. à café de xérès sec
- 1 cuil. à soupe de Maïzena
- 1 cuil. à soupe d'huile d'arachide
- 1 cuil. à café de sel
- poivre

1. Émincez finement le porc et mettez-le dans un saladier avec la sauce de soja, le xérès et la Maïzena. Retournez la viande pour bien l'enrober et laissez-la mariner pendant 20 mn. Mettez les nouilles dans de l'eau et laissez-les tremper pendant 10 mn.

2. Quand les nouilles ont suffisamment trempé, égouttez-les et coupez-les en petits morceaux à l'aide de ciseaux. Émincez les légumes de Sseu-tch'ouan. Pelez le concombre et coupez-le en bâtonnets réguliers.

3. Quand la viande a suffisamment mariné, faites chauffer l'huile dans un wok ou dans une poêle. Ajoutez le porc et faites-le revenir sur feu vif, en remuant, pendant 20 mn.

4. Mettez le bouillon dans une casserole et portez à ébullition. Ajoutez le concombre, le sel et un peu de poivre. Attendez la reprise de l'ébullition, puis ajoutez le porc, les légumes de Sseu-tch'ouan et les nouilles. Laissez cuire à petits bouillons pendant 5 mn, puis versez dans une soupière. Servez chaud.

Soupe au porc et aux carottes; Soupe aux filaments d'œufs; Soupe au porc et aux tomates.

Soupe aux boulettes de porc

Pour 4-6 personnes
Trempage : 20 mn
Préparation : 15 mn
Cuisson : 10 mn

- 250 g de porc maigre
- 15 g de champignons séchés «oreilles de chat»*
- 1/2 concombre
- 15 g de gingembre frais*
- 1 petit œuf
- 2 cuil. à soupe de Maïzena
- 1,5 litre de bouillon de volaille
- 1 cuil. à soupe de xérès sec
- 2 cuil. à café de sel
- poivre

1. Mettez les champignons dans de l'eau tiède et laissez-les tremper pendant 20 mn.
2. Égouttez les champignons. Pelez le concombre et coupez-le en petits losanges. Cassez l'œuf et battez-le à la fourchette. Pelez le gingembre et râpez-le. Mélangez le porc, le gingembre, 1 cuillerée à café de sel, la Maïzena et l'œuf. Façonnez le mélange en 20 boulettes.
3. Mettez le bouillon dans une casserole, portez à ébullition et ajoutez les boulettes de viande, les champignons et 1 cuillerée à café de sel, puis le concombre et le xérès. Laissez cuire à petits frémissements, jusqu'à ce que les boulettes se mettent à flotter à la surface.
4. Versez la soupe dans une soupière, poivrez et servez chaud.

Soupe de poulet aux champignons

Pour 4-6 personnes
Trempage : 30 mn
Préparation : 10 mn
Cuisson : 2 h 15

- 1 poulet de 1 kg environ prêt à cuire
- 25 g de champignons chinois séchés*
- 1 oignon nouveau
- 1 cuil. à soupe de xérès sec
- 15 g de gingembre frais*
- 2 cuil. à café de sel

1. Mettez les champignons dans de l'eau tiède et laissez-les tremper pendant 30 mn.
2. Égouttez les champignons en conservant l'eau de trempage. Pressez-les entre vos doigts pour extraire toute l'eau, puis détachez les pieds et ne gardez que les chapeaux.
3. Faites bouillir de l'eau dans une marmite. Plongez-y le poulet entier et laissez cuire à petits bouillons pendant 5 mn, puis retirez le poulet et rincez-le à l'eau courante froide. Pelez l'oignon nouveau et la tranche de gingembre.
4. Mettez le poulet dans une cocotte à couvercle fermant hermétiquement. Ajoutez les têtes de champignons et juste suffisamment d'eau pour recouvrir le poulet, puis le xérès, l'oignon nouveau, le gingembre et enfin l'eau de trempage des champignons.
5. Portez à ébullition, puis réduisez la chaleur, couvrez et laissez mijoter pendant 2 heures.
6. Au bout de ce temps, retirez l'oignon et le gingembre, salez et versez le bouillon dans une soupière. Coupez le poulet en gros morceaux et ajoutez-les dans la soupière. Servez chaud.
Note :
Cette soupe constitue à elle seule un repas complet. La viande doit être assez cuite pour que chacun puisse détacher de petits morceaux de chair en utilisant des baguettes de bambou.

Velouté de chou-fleur

Pour 2-3 personnes
Préparation : 10 mn
Cuisson 15 mn

- 1 petit-chou fleur
- 100 g de blanc de poulet, sans peau
- 50 g de jambon blanc maigre
- 1 litre de bouillon de volaille
- 2 œufs
- 1 brin de coriandre*
- 1 cuil. à café de sel

1. Lavez le chou-fleur, éliminez les feuilles et le trognon et détachez les bouquets. Coupez-les en petits morceaux. Coupez le blanc de poulet également en tout petits morceaux.
2. Mettez le bouillon dans une casserole, ajoutez le chou-fleur et le poulet et laissez cuire sur feu assez doux pendant 15 à 20 mn.
3. Pendant ce temps, cassez les œufs dans un bol et battez-les à la fourchette. Coupez le jambon en tout petits morceaux. Lavez le brin de coriandre, essorez-le, effeuillez-le et ciselez les feuilles.
4. Quand la soupe est cuite, incorporez les œufs, puis le sel. Ajoutez enfin les morceaux de jambon et versez la soupe dans une soupière. Parsemez de coriandre et servez chaud.

Soupe de porc aux nouilles

Pour 4 personnes
Marinade : 30 mn
Préparation : 15 mn
Cuisson : 10 mn

- 4 champignons chinois séchés*
- 250 g de porc maigre
- 250 g de nouilles aux œufs
- 2 oignons nouveaux
- 100 g de pousses de bambou*
- 6 dl de bouillon de volaille
- 1 cuil. à soupe de sauce de soja*
- 1 cuil. à soupe de xérès sec
- 1 cuil. à café de sucre en poudre
- 2 cuil. à café de Maïzena
- 3 cuil. à soupe d'huile d'arachide
- sel

1. Mettez les champignons dans de l'eau tiède et laissez-les tremper pendant 30 mn.
2. Pendant ce temps, émincez la viande de porc et mettez-la dans un saladier avec la sauce de soja, le xérès, le sucre et la Maïzena. Mélangez, puis laissez mariner pendant environ 30 mn.
3. Quand les champignons ont suffisamment trempé, égouttez-les en conservant l'eau de trempage. Pressez-les avec les doigts pour en extraire toute l'eau, puis éliminez les pieds et coupez les chapeaux

en lamelles. Pelez les oignons nouveaux et coupez-les en tronçons de 2,5 cm environ. Émincez les pousses de bambou. Faites bouillir de l'eau dans une grande casserole, plongez-y les nouilles et laissez les cuire pendant 5 mn, puis égouttez-les.
4. Faites chauffer la moitié de l'huile dans un wok ou dans une poêle, ajoutez le porc et faites-le cuire jusqu'à ce qu'il soit bien saisi sur toutes les faces, pendant 5 mn, puis retirez-le du wok.
5. Faites chauffer le reste de l'huile dans le wok ou dans la poêle, ajoutez les oignons nouveaux, puis les champignons et les pousses de bambou. Remuez, salez et remettez le porc dans le wok. Mouillez avec l'eau de trempage des champignons.
6. Mettez le bouillon dans une casserole et portez à ébullition.
7. Mettez les nouilles au fond d'une soupière, versez le bouillon par-dessus, puis ajoutez le contenu du wok. Servez chaud.

Soupe au canard et au chou

Pour 2-3 personnes
Préparation : 15 mn
Cuisson : 50 mn

- 1 carcasse de canard + le gésier
- 500 g de chou chinois*
- 25 g de gingembre frais*
- sel
- poivre

1. Pelez le gingembre. Cassez la carcasse en 3 ou 4 morceaux et mettez-la dans une grande casserole. Ajoutez le gésier, le gingembre, couvrez d'eau et portez à ébullition. Écumez, puis réduisez la chaleur et laissez cuire pendant 30 mn.
2. Lavez les feuilles de chou, essorez-les et coupez-les en lanières. Ajoutez-les dans la soupe, salez, poivrez et poursuivez la cuisson pendant 20 mn.
3. Retirez la carcasse du canard et le gingembre. Émiettez les morceaux de chair qui se trouvent sur la carcasse et éliminez tous les os. Rectifiez l'assaisonnement. Versez la soupe dans une soupière. Servez chaud.

Soupe au canard et au chou ; Soupe de porc aux nouilles ; Velouté de chou-fleur.

Soupe au soja
et aux épinards

Pour 2 personnes
Préparation : 15 mn
Cuisson : 10 mn

- 1 fromage de soja*
- 100 g d'épinards frais
- 1 oignon nouveau
- 7,5 dl de bouillon de volaille
- 1/2 cuil. à café de glutamate de sodium*
- 1 cuil. à café de sel
- poivre

1. Lavez les épinards, essorez-les, éliminez les tiges et coupez les feuilles en lanières. Pelez l'oignon nouveau et émincez-le. Coupez le fromage de soja en cubes de 1 cm de côté.

2. Mettez le bouillon dans une casserole. Portez à ébullition et ajoutez les épinards et l'oignon. Laissez cuire à petits frémissements pendant 5 mn, puis ajoutez le fromage de soja et poursuivez la cuisson pendant 2 mn.

3. Ajoutez le sel et le glutamate de sodium et poivrez. Versez la soupe dans une soupière et servez chaud.

Note :
Si vous voulez, vous pouvez supprimer l'oignon nouveau.

Calmars aux légumes

Pour 4 personnes
Marinade : 20 mn
Préparation et cuisson : 30 mn

- 400 g de petits calmars
- 15 g de champignons séchés « oreilles de chat »*
- 250 g de chou-fleur ou de brocolis
- 2 carottes
- 2 oignons nouveaux avec leur tige
- 25 g de gingembre frais*
- 1 cuil. à soupe de xérès sec
- 1 cuil. à soupe de Maïzena
- 1 cuil. à café de sucre en poudre
- 4 cuil. à soupe d'huile d'arachide
- 1 cuil. à café d'huile de sésame*
- 1 cuil. à café de sel

1. Mettez les champignons dans de l'eau tiède et laissez-les tremper pendant 20 mn.
2. Pendant ce temps, pelez le gingembre et hachez-le. Nettoyez les calmars en éliminant les cartilages, les poches d'encre et les têtes. Coupez la chair en anneaux et mettez-la dans un saladier avec la motié du gingembre, le xérès et la Maïzena. Mélangez, puis laissez mariner pendant 20 mn.
3. Pendant ce temps, lavez le chou-fleur ou les brocolis, éliminez le trognon ou les tiges dures et détachez les bouquets. Lavez les carottes, pelez-les et coupez-les en losanges. Pelez les oignons nouveaux, éliminez les parties vert foncé et coupez le reste en tronçons de 2,5 cm environ.
4. Égouttez les champignons en éliminant les parties dures et coupez-les en petits morceaux. Faites chauffer 2 cuillerées à soupe d'huile d'arachide dans un wok ou dans une sauteuse. Ajoutez les oignons nouveaux et le reste du gingembre, puis le chou-fleur ou les brocolis, les carottes et les champignons. Mélangez, ajoutez le sel et le sucre et laissez cuire, jusqu'à ce que les légumes soient cuits mais légèrement croquants, en ajoutant un peu d'eau si nécessaire. Retirez les légumes à l'aide d'une écumoire en les égouttant bien.
5. Faites chauffer 2 autres cuillerées à soupe d'huile d'arachide dans le wok ou dans la sauteuse, ajoutez les calmars et faites-les cuire vivement, en remuant constamment, pendant environ 1 mn. Remettez les légumes dans le wok, ajoutez l'huile de sésame et mélangez bien.
6. Servez chaud.
Note :
Les calmars ne doivent surtout pas être trop cuits, car ils pourraient devenir caoutchouteux.

Omelette au crabe

Pour 2-3 personnes
Préparation et cuisson : 10 mn

- 4 œufs
- 175 g de chair de crabe
- 2 oignons nouveaux avec leur tige
- 25 g de gingembre frais*
- 1/2 cuil. à soupe de sauce de soja*
- 1 cuil. à soupe de xérès sec
- 2 cuil. à café de sucre en poudre
- 3 cuil. à soupe d'huile d'arachide
- sel

Pour servir :
- quelques feuilles de laitue vertes
- 1/2 tomate et 1 grain de raisin (facultatif)

1. Pelez le gingembre et coupez-le en tout petits bâtonnets. Pelez les oignons nouveaux. Coupez les bulbes en rondelles et hachez le vert. Cassez les œufs dans un bol et incorporez le vert des oignons et un peu de sel en battant à la fourchette. Lavez les feuilles de laitue, essorez-les et ciselez-les. Découpez éventuellement la demi-tomate de façon à denteler le bord. Lavez le grain de raisin. Retirez les cartilages de la chair du crabe.
2. Faites chauffer l'huile dans un wok ou dans une poêle, ajoutez les bulbes d'oignons nouveaux et le gingembre, puis le crabe et le xérès. Faites revenir pendant quelques secondes en remuant constamment, puis ajoutez la sauce de soja et le sucre.
3. Réduisez la chaleur, versez les œufs dans le wok et laissez cuire encore 1 mn en remuant.
4. Faites glisser l'omelette sur un plat. Entourez de laitue ciselée et décorez éventuellement avec la demi-tomate et le grain de raisin en imitant une fleur et son cœur. Servez aussitôt.

Calmars aux légumes; Omelette au crabe.

Omelette vapeur

Pour 4 personnes
Préparation : 10 mn
Cuisson : 20 mn

- 6 œufs
- 50 g de crevettes crues décortiquées
- 50 g de jambon blanc maigre
- 50 g d'épinards frais
- 2 cuil. à soupe de xérès sec
- 1 cuil. à soupe de sauce de soja*
- 1 cuil. à café d'huile de sésame*
- 1 cuil. à café de sel

1. Épluchez les épinards, lavez-les et essorez-les soigneusement. Coupez le jambon en petits morceaux. Cassez les œufs dans une terrine et battez-les à la fourchette. Ajoutez 2,5 dl d'eau chaude, le sel et le xérès et mélangez bien. Versez-les dans un plat rond résistant à la chaleur.
2. Mettez de l'eau dans une grande casserole sur une hauteur de 2 cm et portez à ébullition.
3. Pendant ce temps, disposez les épinards, le jambon et les crevettes sur les œufs. Quand l'eau bout dans la casserole, mettez-y le plat. Couvrez la casserole, réduisez la chaleur de façon que l'eau soit juste frémissante et laissez cuire les œufs pendant 20 mn.
4. Arrosez avec la sauce de soja et l'huile de sésame et servez aussitôt.

Ormeaux
à la sauce d'huître

Pour 4 personnes
Trempage : 30 mn
Préparation et cuisson : 5 mn

- 1 boîte d'ormeaux en conserve (poids net : 425 g)*
- 3 champignons chinois séchés*
- 50 g de pousses de bambou*
- 1 cuil. à soupe de sauce d'huître*
- 1 cuil. à café de xérès sec
- 1 cuil. à café de sucre en poudre
- 2 cuil. à café de Maïzena
- 2 cuil. à soupe d'huile d'arachide
- 1 cuil. à café d'huile de sésame*
- 1/2 cuil. à café de sel

1. Mettez les champignons dans de l'eau tiède et laissez-les tremper pendant 30 mn.
2. Égouttez les champignons, éliminez les pieds et émincez les chapeaux. Émincez les pousses de bambou. Égouttez les ormeaux en conservant le liquide contenu dans la boîte, et émincez-les.
3. Faites chauffer l'huile d'arachide dans un wok ou dans une sauteuse, ajoutez les ormeaux, les champignons, les pousses de bambou, le liquide de la boîte de conserve, le xérès, la sauce d'huître, le sucre et le sel. Faites cuire pendant 2 mn en remuant souvent.
4. Délayez la Maïzena dans 2 cuillerées à soupe d'eau froide et versez-la dans le wok. Remuez et poursuivez la cuisson jusqu'à ce que la sauce ait épaissi.
5. Retirez le wok du feu, ajoutez l'huile de sésame, mélangez et servez chaud.

Fromage de soja
aux crevettes

Pour 4 personnes
Préparation : 10 mn
Cuisson : 5 mn

- 3 fromages de soja*
- 50 g de crevettes crues décortiquées
- 1 cuil. à café de xérès sec
- 2 cuil. à soupe de soja*
- 1 cuil. à café de sucre en poudre
- 3 cuil. à soupe d'huile d'arachide
- 1/2 cuil. à café de sel.

Pour servir :
- 2 tiges d'oignons nouveaux

1. Coupez les fromages de soja en tranches de 5 mm d'épaisseur, puis coupez chaque tranche en 6 ou 8 morceaux. Si les crevettes sont très grosses, coupez-les en deux dans le sens de la longueur, sinon laissez-les entières. Pelez les tiges d'oignons nouveaux et coupez-les en lanières fines.
2. Faites chauffer l'huile dans un wok ou dans une poêle. Ajoutez le fromage de soja, et faites-le cuire en le retournant délicatement, jusqu'à ce que les morceaux soient dorés sur toutes leurs faces. Ajoutez le sel, le sucre, le xérès et la sauce de soja. Laissez cuire encore quelques secondes en remuant constamment.
3. Ajoutez les crevettes, remuez délicatement pour bien les enrober de sauce et poursuivez la cuisson pendant 2 mn.
4. Versez le contenu du wok ou de la poêle dans un plat, décorez aves les lanières d'oignon nouveau et servez chaud.

Fromage de soja aux crevettes; Ormeaux à la sauce d'huître; Crevettes frites.

Crevettes frites

Pour 2-3 personnes
Marinade : 20 mn
Préparation : 10 mn
Cuisson : 5 mn

- 500 g de grosses crevettes crues
- 25 g de gingembre frais*
- 1 cuil. à café de xérès sec
- 1/2 cuil. à café de Maïzena
- 1 cuil. à café de purée de piment (facultatif)*
- 5 dl d'huile pour friture
- 1 cuil. à café de sel

Pour servir :
- 2 brins de coriandre*
- 1 zeste de citron

1. Enlevez les têtes des crevettes. Pelez le gingembre et hachez-le. Mettez les crevettes dans un saladier avec le gingembre, le xérès et la Maïzena. Mélangez délicatement pour bien enrober les crevettes, puis mettez le saladier dans le réfrigérateur. Laissez mariner pendant environ 20 mn.
2. Lavez les brins de coriandre, essorez-les et détachez les feuilles. Faites chauffer l'huile dans un wok ou dans une poêle. Quand elle est très chaude, réduisez la chaleur et versez les crevettes dans le wok. Laissez les frire pendant 3 mn, puis retirez-les à l'aide d'une écumoire et égouttez-les.
3. Videz le wok ou la poêle de son huile et remettez-y les crevettes. Assaisonnez avec le sel et le piment, mélangez bien pendant 1 mn et versez dans un plat.
4. Décorez avec les feuilles de coriandre et le zeste de citron. Servez chaud.

Crevettes aux petits pois

Pour 3-4 personnes
Marinade : 20 mn
Préparation et cuisson : 20 mn

- 250 g de crevettes crues décortiquées
- 250g de petits pois frais écossés
- 2 oignons nouveaux
- 15 g de gingembre frais*
- 1 blanc d'œuf
- 2 cuil. à café de Maïzena
- 1 cuil. à soupe de xérès sec
- 3 cuil. à soupe d'huile d'arachide
- 1 cuil. à café de sel

1. Mettez les crevettes dans un bol. Ajoutez le blanc d'œuf et la Maïzena, mélangez et glissez le bol dans le réfrigérateur. Laissez mariner pendant 20 mn.
2. Pelez les oignons nouveaux en éliminant le vert et hachez-les. Pelez le gingembre et hachez-le. Faites chauffer l'huile dans un wok ou dans une poêle, ajoutez les crevettes et faites-les cuire sur feu assez doux pendant environ 2 mn. Retirez-les à l'aide d'une écumoire et égouttez-les.
3. Augmentez la chaleur et mettez les oignons nouveaux, le gingembre, les petits pois et le sel dans le wok ou dans la poêle. Faites-les cuire en remuant constamment pendant 2 mn.
4. Remettez les crevettes dans le wok ou dans la poêle, ajoutez le xérès et poursuivez la cuisson pendant 1 mn.
5. Servez chaud.
Note :
Si vous ne pouvez pas vous procurer des petits pois frais, remplacez-les par des petits pois surgelés. Laissez-les dégeler avant de les utiliser et ne les laissez pas cuire plus de 1 mn (vous les ajouterez en même temps que les crevettes et le xérès).

Carpe en sauce aigre-douce

Pour 4 personnes
Préparation : 25 mn
Cuisson : 25 mn

- 1 carpe de 1 kg
- 15 g de champignons séchés «oreilles de chat»*
- 2 oignons nouveaux
- 25 g de gingembre frais*
- 1 gousse d'ail
- 15 g de pousses de bambou*
- 50 g de châtaignes d'eau*
- 1 piment rouge*
- 3 cuil. à soupe de vinaigre de vin
- 3 cuil. à soupe de farine
- 4 cuil. à soupe d'huile d'arachide
- 2 cuil. à café de sel

Pour la sauce :
- 2 cuil. à soupe de sauce de soja*
- 2 cuil. à soupe de xérès sec
- 1,5 dl de bouillon de volaille
- 1 cuil. à café de purée de piment*
- 3 cuil. à soupe de sucre en poudre
- 2 cuil. à café de Maïzena

1. Mettez les champignons dans de l'eau tiède et laissez-les tremper pendant 20 mn.
2. Pendant ce temps, pelez les oignons nouveaux et coupez-les en rondelles. Pelez le gingembre et coupez-le en tout petits bâtonnets. Pelez l'ail et hachez-le.

Émincez les poussez de bambou et les châtaignes d'eau. Lavez le piment, ôtez le pédoncule et les graines et coupez la pulpe en lanières. Écaillez la carpe, videz-la et nettoyez-la soigneusement. Faites des entailles profondes, en biais, sur chaque face du poisson, à 5 mm d'intervalle. Essuyez la carpe avec du papier absorbant, puis frottez-la avec 1 cuillerée à café de sel, à l'extérieur et à l'intérieur. Enrobez-la de farine.
3. Égouttez les champignons et émincez-les finement en éliminant les parties dures.
4. Faites chauffer l'huile dans un grand wok ou dans une poêle ovale. Quand l'huile est très chaude, réduisez un peu la chaleur et posez le poisson dans la poêle. Faites-le cuire 8 mn de chaque côté, en le retournant délicatement, jusqu'à ce qu'il soit doré et croustillant sur les deux faces. Retirez-le en l'égouttant bien et posez-le sur un plat. Tenez-le au chaud. Laissez l'huile dans la poêle.
5. Préparez la sauce : mettez tous les ingrédients dans un grand bol et mélangez bien.
6. Mettez les oignons nouveaux, le gingembre et l'ail dans la poêle. Remuez, ajoutez les champignons, les pousses de bambou, les châtaignes d'eau et le piment rouge, mélangez bien, puis incoporez 1 cuillerée à café de sel et le vinaigre. Versez la sauce aigre-douce dans la poêle.

Faites cuire le mélange en remuant constamment jusqu'à ce qu'il ait épaissi, puis versez-le sur le poisson. Servez aussitôt.
Note :
La carpe, symbole de bonheur et de prospérité, est servie en Chine au Nouvel An et les jours de fête.

Daurade aux oignons et au gingembre

Pour 4 personnes
Préparation : 15 mn
Cuisson : 20 mn

- 1 daurade de 1 kg
- 3 oignons nouveaux
- 25 g de gingembre frais*
- 2 cuil. à soupe de farine
- 3 cuil. à soupe d'huile d'arachide
- 1 cuil. à café de sel

Pour la sauce :
- 2 cuil. à soupe de sauce de soja*
- 2 cuil. à soupe de xérès sec
- 1,5 dl de bouillon de volaille
- 1 cuil. à café de Maïzena
- poivre

Pour décorer :
- 1 tomate
- 1 brin de coriandre*
- 2 cerises confites

1. Pelez le gingembre et coupez-le en tout petits bâtonnets. Pelez les oignons et coupez-les en tronçons de 2,5 cm environ. Écaillez la daurade, videz-la et nettoyez-la soigneusement. Faites des incisions en biais sur chaque face du poisson, à l'aide d'un couteau pointu que vous faites pénétrer jusqu'à l'arête, à 5 mm d'intervalle. Essuyez la daurade, puis frottez-la avec du sel à l'extérieur et à l'intérieur et enrobez-la de farine.

2. Faites chauffer l'huile dans un grand wok ou dans une poêle ovale. Quand l'huile est très chaude, réduisez un peu la chaleur, posez la daurade dans la poêle et faites-la cuire environ 6 mn de chaque côté, en la retournant délicatement, jusqu'à ce qu'elle soit dorée et croustillante sur les deux faces.

3. Préparez la sauce : mettez tous les ingrédients dans un grand bol et mélangez bien.

4. Lavez la tomate et coupez-la en deux en dentelant les bords. Lavez le brin de coriandre, essorez-le et détachez les feuilles. Posez des feuilles de coriandre sur chaque demi-tomate, puis une cerise au centre.

5. Au bout de 12 mn de cuisson, retirez la daurade du wok. Augmentez la chaleur sous le wok ou sous la poêle. Faites-y cuire les oignons nouveaux et le gingembre pendant quelques secondes, en remuant constamment, puis ajoutez la sauce que vous venez de préparer.

6. Remettez le poisson dans le wok ou dans la poêle. Laissez-le cuire encore 3 mn, puis retirez-le et posez-le sur un plat. Versez la sauce par-dessus, décorez avec les demi-tomates et servez aussitôt.

Crevettes sautées aux brocolis; Daurade aux oignons et au gingembre.

Crevettes sautées aux brocolis

Pour 3-4 personnes
Marinade : 20 mn
Préparation : 15 mn
Cuisson : 15 mn

- 250 g de crevettes crues
- 250 g de brocolis
- 2 oignons nouveaux
- 1 blanc d'œuf
- 15 g de gingembre frais*
- 1 cuil. à café de xérès sec
- 1 cuil. à soupe de Maïzena
- 1 cuil. à café de sucre en poudre
- 3 cuil. à soupe d'huile d'arachide
- 1 cuil. à café de sel

1. Lavez les crevettes, essuyez-les et coupez-leur la tête. Faites une légère incision sur le dos de chaque crevette, à l'aide d'un couteau pointu, et retirez la veine noire. Coupez les crevettes en deux dans le sens de la longueur, sans les décortiquer, puis coupez chaque moitié en deux ou trois selon leur grosseur. Mettez-les dans un grand bol.

2. Pelez le gingembre, hachez-le menu et ajoutez-le aux crevettes, ainsi que le xérès, le blanc d'œuf et la Maïzena. Mélangez bien, puis mettez le bol dans le réfrigérateur et laissez mariner pendant environ 20 mn.

3. Lavez les brocolis, égouttez-les et coupez-les en petits morceaux en éliminant les parties dures. Pelez les oignons nouveaux et coupez-les en rondelles. Faites chauffer 1 cuillerée à soupe d'huile dans un wok ou dans une poêle, ajoutez les crevettes et faites les revenir sur feu modéré en remuant constamment, jusqu'à ce qu'elles deviennent croustillantes. Retirez-les à l'aide d'une écumoire.

4. Faites chauffer 2 autres cuillerées à soupe d'huile dans le wok ou dans la poêle, ajoutez les oignons nouveaux et les brocolis, mélangez et incorporez le sel et le sucre. Poursuivez la cuisson à feu doux, jusqu'à ce que les brocolis soient bien tendres.

5. Remettez les crevettes dans le wok ou dans la poêle, mélangez bien et servez aussitôt.

Ailes de poulet aux champignons

Pour 4 personnes
Trempage : 30 mn
Préparation et cuisson : 30 mn

- 12 ailes de poulet
- 4 champignons chinois séchés*
- 200 g de pousses de bambou*
- 2 oignons nouveaux
- 25 g de gingembre frais*
- 2 cuil. à soupe de sauce de soja*
- 2 cuil. à soupe de xérès sec
- 2 cuil. à café de Maïzena
- 1 cuil. à soupe de sucre en poudre
- 1/2 cuil. à café de poudre aux cinq parfums*
- 2 cuil. à soupe d'huile d'arachide

1. Mettez les champignons dans de l'eau tiède et laissez-les tremper pendant 30 mn.
2. Pendant ce temps, pelez les oignons nouveaux et coupez-les en rondelles. Pelez le gingembre et hachez-le. Coupez les pousses de bambou en tronçons de 2 cm d'épaisseur. Coupez les ailes de poulet en deux au niveau de l'articulation et supprimez les ailerons. Égouttez les champignons en les pressant pour extraire toute l'eau, supprimez les pieds et coupez les chapeaux en tout petits morceaux.
3. Faites chauffer l'huile dans un wok ou dans une sauteuse jusqu'à ce qu'elle soit très chaude. Ajoutez les oignons nouveaux et le gingembre, puis les ailes de poulet. Faites cuire en remuant constamment, jusqu'à ce que le poulet commence à dorer, pendant 5 mn, puis ajoutez la sauce de soja, le xérès, le sucre, la poudre aux cinq parfums et 3,5 dl d'eau.
4. Réduisez la chaleur et laissez cuire jusqu'à ce que le liquide ait réduit de moitié, pendant 10 mn environ. Ajoutez les champignons et les pousses de bambou et poursuivez la cuisson jusqu'à ce qu'il n'y ait presque plus de liquide. Retirez les pousses de bambou, égouttez-les et disposez-les sur le pourtour du plat de service.
5. Délayez la Maïzena dans 2 cuillerées à soupe d'eau froide et versez-la dans le wok ou la sauteuse. Faites épaissir la sauce en remuant constamment, puis versez le contenu du wok ou de la sauteuse dans le plat, au milieu des pousses de bambou. Servez chaud.

Ailes de poulet aux brocolis

Pour 4 personnes
Marinade : 20 mn
Préparation et cuisson : 35 mn

- 12 ailes de poulet
- 250 g de brocolis
- 1 tomate
- 4 oignons nouveaux
- 25 g de gingembre frais*
- 1 cuil. à soupe de jus de citron
- 1 cuil. à soupe de sauce de soja*
- 1 cuil. à soupe de xérès sec
- 1 cuil. à soupe de Maïzena
- 4 cuil. à soupe d'huile d'arachide
- 1 cuil. 1/2 à café de sel

1. Pelez les oignons nouveaux et coupez-les en rondelles. Pelez le gingembre et hachez-le. Coupez les ailes de poulet en deux au niveau de l'articulation et supprimez les ailerons. Mettez le poulet dans un saladier, ajoutez les oignons nouveaux, le gingembre, le jus de citron, la sauce de soja, 1/2 cuillerée à café de sel et le xérès. Mélangez, puis laissez mariner pendant environ 20 mn.
2. Lavez les brocolis et détachez les bouquets. Lavez la tomate, essuyez-la et coupez-la en huit. Faites chauffer 2 cuillerées à soupe d'huile dans un wok ou dans une sauteuse. Ajoutez les brocolis avec 1 cuillerée à café de sel, et faites-les cuire en remuant constamment, jusqu'à ce qu'ils soient cuits mais encore fermes. Retirez-les à l'aide d'une écumoire et disposez-les sur le pourtour du plat de service. Tenez-les au chaud.
3. Faites chauffer 2 autres cuillerées à soupe d'huile dans le wok ou la sauteuse, ajoutez les morceaux de poulet et faites-les cuire, jusqu'à ce qu'ils soient dorés sur toutes les faces, pendant 10 mn. Retirez-les à l'aide d'une écumoire en les égouttant bien.
4. Mettez les tomates dans le wok et faites-les cuire, jusqu'à ce qu'elles commencent à fondre. Remettez le poulet dans le wok et ajoutez la marinade qui est restée dans le saladier. Laissez cuire 2 mn, puis délayez la Maïzena dans 3 cuillerées à soupe d'eau froide et versez-la dans le wok. Faites épaissir la sauce en remuant constamment et versez le contenu du wok dans le plat, au milieu des brocolis.
5. Servez aussitôt.

Poisson à la sauce de haricots

Pour 2-3 personnes
Marinade : 20 mn
Préparation : 10 mn
Cuisson 10 mn

- 400 g de filets de poisson blanc : cabillaud, lieu ou colin
- 1 cuil. à soupe de sauce de haricots*
- 3 cuil. à soupe de sauce de soja*
- 1 cuil. à soupe de xérès sec
- 3 cuil. à soupe de bouillon de volaille
- 1 cuil. à soupe de sucre en poudre
- 1 cuil. à café de purée de piment* (facultatif)
- 1/2 cuil. à café de glutamate de sodium* (facultatif)
- 2 cuil. à soupe d'huile d'arachide

1. Coupez les filets de poisson en morceaux de 3 cm de côté, en retirant toutes les arêtes. Mettez le poisson dans un saladier, ajoutez tous les autres ingrédients, sauf l'huile, mélangez délicatement et laissez mariner pendant 20 mn environ.
2. Faites chauffer l'huile dans un wok ou dans une poêle, mettez-y le poisson en l'égouttant et faites-le cuire sur feu modéré, jusqu'à ce qu'il soit doré sur toutes les faces. Ajoutez la marinade qui est restée dans le saladier, augmentez la chaleur et poursuivez la cuisson jusqu'à ce que le liquide soit absorbé. Servez chaud

Ailes de poulet aux champignons; Ailes de poulet aux brocolis.

Poulet froid
à la cantonaise

Pour 6 personnes
Préparation et cuisson : 40 mn
Réfrigération : 30 mn

- 1 poulet de 1,2 kg, prêt à cuire

Pour la sauce :

- 2 oignons nouveaux
- 25 g de gingembre frais*
- 1 cuil. à soupe de sauce de soja*
- 1 cuil. à soupe d'huile de sésame*
- 1 cuil. à café de sel
- 1 pincée de poivre moulu

1. Mettez le poulet dans une marmite à couvercle fermant hermétiquement. Ajoutez assez d'eau froide pour couvrir le poulet et mettez le couvercle. Portez à ébullition, puis réduisez la chaleur et laissez cuire à petits frémissements pendant exactement 10 mn. Éteignez sous la marmite et laissez le poulet terminer sa cuisson dans l'eau chaude pendant au moins 30 mn, sans soulever le couvercle.

2. Retirez le poulet de la marmite, en l'égouttant bien. Coupez-le en petits morceaux sans détacher la chair (utilisez un couteau à large lame tranchante capable de sectionner les os). Rassemblez tous les morceaux sur le plat de service en reconstituant le poulet entier.

3. Pelez les oignons nouveaux et hachez-les. Pelez le gingembre et hachez-le. Mettez tous les ingrédients de la sauce dans un bol et mélangez, puis versez-la sur le poulet.

4. Laissez le poulet à température ambiante pendant 1 h avant de le servir, pour qu'il s'imprègne du parfum de la sauce tout en refroidissant, ou couvrez-le avec du papier sulfurisé, mettez-le au réfrigérateur et laissez-le réfrigérer pendant 30 mn.

Note :

Ce plat de réception facile à réaliser peut être servi en entrée ou faire partie d'un buffet froid.

Poulet rissolé

Pour 4-6 personnes
Marinade : 20 mn
Préparation et cuisson : 45 mn

- 1 poulet de 1,2 kg environ, prêt à cuire
- 2 cuil. à soupe de sauce de soja*
- 1 cuil. à soupe de xérès sec
- 1 litre d'huile pour friture

Pour la sauce :
- 2 oignons nouveaux
- 25 g de gingembre frais*
- 1 gousse d'ail
- 1 cuil. à soupe de sauce de haricots*
- 2 cuil. à soupe de vinaigre
- 1 cuil. 1/2 à soupe de sucre en poudre

1. Plongez le poulet dans une grande casserole d'eau bouillante. Laissez cuire à petits bouillons pendant 5 mn, puis retirez le poulet et égouttez-le.
2. Mélangez la sauce de soja et le xérès et badigeonnez le poulet avec ce mélange. Laissez mariner pendant environ 20 mn.
3. Pendant ce temps, pelez les oignons nouveaux, le gingembre et la gousse d'ail. Hachez-les et mettez-les dans une petite casserole. Ajoutez la sauce de haricots, le vinaigre et le sucre, et mélangez.
4. Faites chauffer l'huile dans un wok ou dans une friteuse. Plongez-y le poulet et faites-le cuire sur feu modéré pendant 30 mn, en l'arrosant régulièrement d'huile chaude, jusqu'à ce qu'il soit bien rissolé sur toutes ses faces.
5. Retirez le poulet en l'égouttant. Découpez-le en petits morceaux et dressez-le sur un plat.
6. Incorporez le reste de la marinade dans la sauce, faites réchauffer le mélange et versez-le sur le poulet.
7. Servez chaud.

Poulet au soja; Poulet aux deux poivrons.

Poulet au soja

Pour 4-6 personnes
Marinade : 3 h
Préparation et cuisson : 50 mn

- 1 poulet de 1,5 kg environ, prêt à cuire
- 5 cuil. à soupe de sauce de soja*
- 2 cuil. à café de gingembre en poudre*
- 3 cuil. à soupe de xérès sec
- 3 dl de bouillon de volaille
- 1 cuil. à soupe de sucre roux en poudre
- 3 cuil. à soupe d'huile d'arachide
- 1 cuil. à café de poivre moulu

Pour servir :
- 2 brins de coriandre*

1. Mélangez le poivre et le gingembre. Frottez l'intérieur et l'extérieur du poulet avec cette poudre. Mettez la sauce de soja et le xérès dans un bol, ajoutez le sucre en poudre et versez ce liquide sur le poulet en le répartissant régulièrement. Laissez mariner la volaille pendant au moins 3 heures, en la retournant de temps en temps.
2. Au bout de ce temps, faites chauffer l'huile dans une grande cocotte. Mettez le poulet dans la cocotte et faites-le cuire en le retournant souvent, jusqu'à ce qu'il soit légèrement doré sur toutes les faces.
3. Mélangez le bouillon de volaille avec le reste de la marinade, et versez-le dans la cocotte. Portez à ébullition, puis réduisez la chaleur, couvrez et laissez mijoter pendant 45 mn. Retournez le poulet plusieurs fois en cours de cuisson, en veillant à ne pas déchirer la peau.
4. Pendant ce temps, lavez les brins de coriandre, essorez-les et détachez les feuilles.
5. Retirez le poulet de la cocotte, coupez-le en petits morceaux et dressez-le sur un plat. Arrosez-le avec 2 cuillerées à soupe de son liquide de cuisson. Décorez avec les feuilles de coriandre.
Note :
Vous pouvez servir ce poulet au soja chaud, comme plat de résistance, ou froid, en entrée. Ne jetez pas le reste du liquide de cuisson : vous pouvez le conserver au réfrigérateur pour l'utiliser plus tard.

Poulet aux deux poivrons

Pour 3-4 personnes
Préparation et cuisson : 20 mn

- 250 g de blanc de poulet, sans peau
- 1 poivron vert
- 1 poivron rouge
- 1 piment vert*
- 2 branches de céleri
- 2 oignons nouveaux
- 25 g de gingembre frais*
- 2 cuil. à soupe de sauce de haricots noirs*
- 1 cuil. à soupe de sauce de soja*
- 1 blanc d'œuf
- 1 cuil. à soupe de Maïzena
- 5 cuil. à soupe d'huile d'arachide
- 1/2 cuil. à café de sel

1. Lavez les poivrons et le piment, essuyez-les, ôtez le pédoncule, les graines et les filaments blancs et coupez la pulpe des poivrons en anneaux et celle du piment en fines lanières. Pelez les oignons et émincez-les. Nettoyez les branches de céleri, éliminez les feuilles et les filaments, et coupez les côtes en petits tronçons. Pelez le gingembre et coupez-le en tout petits bâtonnets.
2. Coupez le blanc de poulet en lanières et mettez-le dans un saladier avec le sel, la sauce de soja, le blanc d'œuf et la Maïzena. Mélangez bien.
3. Faites chauffer l'huile dans un wok ou dans une poêle. Ajoutez le poulet et faites le revenir sur feu assez doux, en remuant constamment, pendant 5 mn. Retirez-le à l'aide d'une écumoire.
4. Augmentez la chaleur. Quand l'huile est très chaude, mettez-y le gingembre, les oignons nouveaux, le piment, les poivrons et le céleri. Mélangez, puis ajoutez la sauce de haricots et laissez cuire encore 1 mn.
5. Remettez le poulet dans le wok ou la poêle, mélangez et poursuivez la cuisson en remuant pendant 1 mn environ, jusqu'à ce que la viande soit tendre et les légumes encore fermes.
6. Servez chaud.

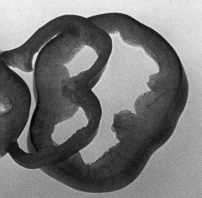

Poulet vapeur

Pour 4 personnes
Marinade : 30 mn
Préparation et cuisson : 45 mn

- 500 g de blanc de poulet, sans peau
- 4 champignons chinois séchés*
- 25 g de gingembre frais*
- 1 1/2 cuil. à soupe de sauce de soja*
- 1 cuil. à soupe de xérès sec
- 1 cuil. à café de sucre en poudre
- 1 cuil. à café de Maïzena
- 1 cuil. à soupe d'huile d'arachide
- 1 cuil. à café d'huile de sésame*
- poivre

1. Mettez les champignons dans de l'eau tiède et laissez-les tremper pendant 30 mn.

2. Pendant ce temps, coupez le poulet en petits morceaux et mettez-le dans un saladier. Ajoutez la sauce de soja, le xérès, le sucre et la Maïzena. Mélangez, puis laissez mariner pendant environ 30 mn.

3. Pelez le gingembre et coupez-le en tout petits bâtonnets. Égouttez les champignons, supprimez les pieds et coupez les chapeaux en morceaux de la même grosseur que ceux de poulet.

4. Étalez l'huile d'arachide dans un petit plat résistant à la chaleur. Posez les morceaux de poulet dans le plat, recouvrez-les avec les champignons, parsemez de gingembre, poivrez et arrosez avec l'huile de sésame.

5. Mettez ce plat dans le panier perforé d'une marmite à vapeur ou sur une casserole d'eau bouillante. Couvrez-le et laissez cuire à la vapeur pendant 30 mn.

6. Servez chaud.

Poulet aux trois couleurs

Pour 4 personnes
Marinade : 20 mn
Préparation : 20 mn
Cuisson : 10 mn

- 400 g de blanc de poulet, sans peau
- 1 petit poivron vert
- 1 petit poivron rouge
- 3 côtes de céleri
- 2 oignons nouveaux
- 15 g de gingembre frais*
- 1 blanc d'œuf
- 1 cuil. à café de Maïzena
- 1 cuil. à soupe de sauce de soja*
- 1 cuil. à café de vinaigre
- 1 cuil. à café de sucre en poudre
- 1 cuil. à café de purée de piment* (facultatif)
- 4 cuil. à soupe d'huile d'arachide
- 1/2 cuil. à café de sel

1. Coupez les blancs de poulet en lanières et mettez-les dans un saladier avec le sel, le blanc d'œuf et la Maïzena. Mélangez et laissez mariner pendant environ 20 mn.

2. Pendant ce temps, lavez les poivrons, essuyez-les, ôtez le pédoncule, les graines et les cloisons blanches et coupez la pulpe en anneaux. Lavez les côtes de céleri et émincez-les. Pelez le gingembre et coupez-le en tout petits bâtonnets. Pelez les oignons nouveaux et coupez-les en tronçons de 2 cm.

3. Faites chauffer 2 cuillerées à soupe d'huile dans un wok ou dans une poêle, ajoutez le poulet et faites-le cuire sur feu assez doux, en remuant constamment, pendant 5 mn.

4. Retirez le poulet à l'aide d'une écu-

Poulet aux trois couleurs; Poulet au jambon.

cuire à petits bouillons pendant exactement 5 mn. Éteignez sous la marmite et laissez le poulet cuire dans l'eau chaude pendant au moins 3 heures, sans soulever le couvercle.

2. Lavez le chou et coupez les feuilles en deux, ou détachez les bouquets si vous utilisez du brocoli. Faites chauffer l'huile dans un wok ou dans une poêle. Ajoutez le chou ou le brocoli et 1 cuillerée à café de sel, puis faites cuire pendant 3 ou 4 mn, en mouillant avec un peu de bouillon de volaille lorsque c'est nécessaire. Retirez le chou ou le brocoli et disposez-le sur le pourtour d'un grand plat.

3. Égouttez le poulet, puis retirez les os en veillant à ne pas détacher la peau de la chair. Ôtez la couenne du jambon. Coupez le poulet et le jambon en rectangles de même dimension. Placez-les sur le plat en les faisant chevaucher et en faisant alterner le poulet et le jambon.

4. Mettez le reste de bouillon de volaille dans une petite casserole, ajoutez 1 cuillerée à café de sel et faites-le réchauffer. Délayez la Maïzena dans 3 cuillerées à soupe d'eau froide et versez-la dans le bouillon. Faites épaissir en remuant constamment, puis versez sur le poulet et le jambon de façon à les recouvrir uniformément d'une couche brillante. Servez aussitôt.

Notes :
• Vous pouvez servir ce poulet au jambon en entrée, pour un repas de cérémonie, ou comme plat de résistance pour un repas plus simple.
• Dans la symbolique chinoise, le poulet recouvert de sauce translucide évoque le jade, tandis que le jambon rappelle la couleur des fleurs et le chou ou le brocoli celle des arbres.

moire et égouttez-le sur du papier absorbant.

5. Faites chauffer 2 autres cuillerées à soupe d'huile dans le wok ou la poêle. Mettez-y les oignons nouveaux, le gingembre, les poivrons et le céleri. Ajoutez la sauce de soja, le sucre, le vinaigre et la purée de piment. Mélangez bien, puis remettez le blanc de poulet dans le wok et mélangez à nouveau pendant quelques secondes.

6. Servez chaud.

Poulet au jambon

Pour 6 personnes
Préparation et cuisson : 3 h 30

• 1 poulet de 1,2 kg, prêt à cuire
• 250 g de jambon cuit ou fumé
• 500 g de chou vert ou de brocolis
• 2 oignons nouveaux
• 25 g de gingembre frais*
• 2,5 dl de bouillon de volaille
• 1 cuil. à soupe de Maïzena
• 3 cuil. à soupe d'huile d'arachide
• 2 cuil. à café de sel

1. Pelez le gingembre et les oignons nouveaux. Mettez le poulet dans une marmite à couvercle fermant hermétiquement. Ajoutez assez d'eau froide pour couvrir la volaille entièrement, ainsi que le gingembre et les oignons nouveaux. Couvrez, portez à ébullition et laissez

Cuisses de poulet frites

Pour 6 personnes
Marinade : 20 mn
Préparation : 10 mn
Cuisson : 10 mn

- 6 cuisses de poulet
- 1 oignon nouveau
- 2 cuil. à soupe de sauce de soja*
- 1 cuil. à soupe de xérès sec
- 2 cuil. à soupe de Maïzena
- 6 dl d'huile pour friture
- 1/2 cuil. à café de poivre moulu

1. Coupez chaque cuisse en 2 ou 3 morceaux, puis mettez tous les morceaux dans une assiette creuse avec la sauce de soja, le xérès et le poivre. Mélangez et laissez mariner pendant 20 mn, en retournant les morceaux de poulet de temps en temps.
2. Pelez l'oignon nouveau et hachez-le. Mettez la Maïzena dans une assiette et passez-y tous les morceaux de poulet de façon à bien les enrober. Faites chauffer l'huile dans un wok ou dans une friteuse. Quand elle est très chaude, réduisez la chaleur et plongez les morceaux de poulet dans l'huile. Faites-les frire pendant 5 mn, jusqu'à ce qu'ils soient bien dorés, puis retirez-les à l'aide d'une écumoire et égouttez-les sur du papier absorbant.
3. Videz l'huile en en conservant 1 cuillerée à soupe dans le wok. Ajoutez l'oignon nouveau et les morceaux de poulet. Faites-les cuire sur feu assez doux pendant encore 2 mn, sans cesser de remuer.
4. Servez chaud.

Blancs de poulet en papillotes

Pour 4 personnes
Marinade : 20 mn
Préparation : 10 mn
Cuisson : 5 mn

- 500 g de blanc de poulet, sans peau
- 3 oignons nouveaux
- 1 cuil. à soupe de sauce de soja*
- 1 cuil. à café de xérès sec
- 1 cuil. à café de sucre en poudre
- 1 cuil. à café d'huile de sésame*
- 4 cuil. à soupe d'huile d'arachide
- 1/4 de cuil. à café de sel

Pour garnir :
- 2 oignons nouveaux
- 1 poivron rouge

1. Pelez les oignons en supprimant la partie vert foncé et coupez chaque oignon en quatre tronçons. Coupez le blanc de poulet en 12 morceaux de même grosseur. Mettez les oignons nouveaux et le poulet dans un saladier, ajoutez le sel, la sauce de soja, le sucre, le xérès et l'huile de sésame et mélangez délicatement. Laissez mariner pendant 20 mn.
2. Préparez la garniture : pelez les oignons et coupez-les en longues lanières. Lavez le poivron, ôtez le pédoncule, les graines et les cloisons blanches et coupez la pulpe en tout petits morceaux.
3. Découpez 12 carrés de papier d'aluminium assez grands pour faire quatre fois le tour des morceaux de poulet. Enduisez-les d'huile d'arachide sur une face, en utilisant un pinceau. Posez un morceau de poulet au milieu de chaque carré. Fermez hermétiquement les papillotes.
4. Faites chauffer le reste de l'huile dans un wok ou dans une poêle. Mettez-y les papillotes et faites-les cuire sur feu assez doux pendant 2 mn de chaque côté. Éteignez sous le wok, retirez les papillotes et laissez-les égoutter quelques minutes dans une passoire.
5. Rallumez sous le wok. Quand l'huile est très chaude, remettez-y les papillotes et faites-les cuire encore 1 mn.
6. Servez chaud, dans le papier d'aluminium, avec les lanières d'oignon et les morceaux de poivron en garniture.
Note :
Vous pouvez remplacer le poulet par toute autre viande de votre choix, ou par des crevettes.

Blancs de poulet en papillotes ; Cuisses de poulet frites ; Beignets de poulet.

Beignets de poulet

Pour 2 personnes
Préparation et cuisson : 20 mn

- 100 g de blanc de poulet, sans peau
- 5 blancs d'œufs
- 1,2 dl de bouillon de volaille
- 2 cuil. à café de Maïzena
- 2 cuil. à café de xérès sec
- huile pour friture
- 1 cuil. à café de sel

Pour servir :
- 2 cuil. à soupe de petits pois surgelés
- 1 tranche de jambon cru

1. Faites bouillir de l'eau salée dans une grande casserole. Plongez-y les petits pois et laissez-les cuire pendant le temps indiqué sur l'emballage. Égouttez-les et tenez-les au chaud. Ôtez la couenne du jambon et coupez-le en fines lanières.

2. Hachez le blanc de poulet. Mettez les blancs d'œufs dans un saladier, ajoutez 3 cuillerées à soupe de bouillon, le sel, le xérès et 1 cuillerée à café de Maïzena et mélangez. Ajoutez le poulet et mélangez à nouveau.

3. Faites chauffer l'huile dans un wok ou dans une friteuse. Plongez environ un quart de la préparation précédente dans l'huile très chaude. Laissez frire pendant 10 secondes environ, jusqu'à ce que le beignet remonte à la surface, puis retournez-le délicatement avec une écumoire. Laissez-le dorer, puis retirez-le à l'aide de l'écumoire en l'égouttant bien. Posez-le sur un plat et tenez-le au chaud pendant que vous faites cuire les 3 autres beignets.

4. Faites chauffer le reste du bouillon de volaille dans une petite casserole. Délayez 1 cuillerée à café de Maïzena dans 1 cuillerée à soupe d'eau froide, puis versez-la dans le bouillon chaud. Faites épaissir sur feu doux en remuant constamment.

5. Versez cette sauce sur les beignets. Décorez avec les petits pois et le jambon et servez aussitôt.

Canard
aux champignons

Pour 6 personnes
Trempage : 30 mn
Préparation : 10 mn
Cuisson : 3 h

- 1 canard de 2 kg, prêt à cuire
- 4 champignons chinois séchés*
- 100 g de pousses de bambou*
- 3 oignons nouveaux
- 1,2 dl de sauce de soja*
- 3 cuil. à soupe de sucre en poudre
- 25 g de saindoux

1. Mettez les champignons dans de l'eau tiède et laissez-les tremper pendant 30 mn.
2. Égouttez les champignons en les pressant pour extraire toute l'eau. Éliminez les pieds et laissez les chapeaux entiers. Posez le canard au fond d'une grande marmite ou d'un faitout. Ajoutez assez d'eau froide pour qu'il en soit entièrement couvert et portez à ébullition. Retirez le canard et rincez-le à l'eau courante froide.
3. Écumez la surface de l'eau de cuisson et remettez-y le canard. Si nécessaire, ajoutez un peu d'eau pour qu'il soit à nouveau entièrement couvert. Portez à ébullition, puis ajoutez la sauce de soja, le sucre et les champignons. Couvrez la marmite et laissez mijoter pendant 2 h 30, en retournant le canard au bout d'1 h 15.
4. Émincez les pousses de bambou et ajoutez-les dans la marmite. Poursuivez la cuisson pendant 30 mn, puis retirez le canard et posez-le sur un plat. Égouttez les pousses de bambou et les champignons et disposez-les autour du canard. Tenez au chaud.
5. Pelez les oignons nouveaux et hachez-les. Faites chauffer le saindoux dans une petite poêle, ajoutez les oignons nouveaux et faites-les cuire pendant 1 ou 2 mn, puis versez-les sur le canard.
6. Servez chaud.

Poulet sauté au céleri

Pour 3-4 personnes
Trempage : 30 mn
Préparation et cuisson : 30 mn

- 250 g de blanc de poulet, sans peau
- 3 champignons chinois séchés*
- 1 petit pied de céleri
- 100 g de pousses de bambou*
- 1 poivron rouge
- 25 g de gingembre frais*
- 2 oignons nouveaux
- 1 blanc d'œuf
- 1 cuil. à soupe de Maïzena
- 3 cuil. à soupe de sauce de soja*
- 1 cuil. à café de xérès sec
- 5 cuil. à soupe d'huile d'arachide
- 1/2 cuil. à café de sel

Pour servir :
- 2 brins de coriandre* ou de persil

1. Mettez les champignons dans de l'eau tiède et laissez-les tremper pendant 30 mn.
2. Nettoyez le céleri, ôtez la partie dure du bas et les feuilles, et émincez les côtes. Émincez les pousses de bambou. Lavez le poivron, ôtez le pédoncule, les graines et les cloisons blanches et coupez la pulpe en petits dés. Pelez le gingembre et les oignons nouveaux et hachez-les grossièrement. Égouttez les champignons en les pressant pour extraire toute l'eau. Supprimez les pieds et émincez les chapeaux.
3. Coupez le blanc de poulet en dés et saupoudrez-le de sel. Battez le blanc d'œuf à la fourchette. Trempez-y les dés de poulet, puis passez-les dans la Maïzena de façon à bien les enrober.
4. Faites chauffer l'huile dans un wok ou dans une poêle. Ajoutez le poulet et faites-le revenir sur feu modéré pendant 3 mn. Retirez-le à l'aide d'une écumoire.
5. Augmentez la chaleur et mettez le hachis d'oignon et de gingembre dans le wok ou la poêle. Ajoutez les champignons, le poivron, le céleri et les pousses de bambou et faites-les cuire pendant 1 mn en remuant constamment.
6. Remettez le poulet dans le wok, mouillez avec la sauce de soja et le xérès et poursuivez la cuisson pendant 1 mn environ, en remuant constamment, jusqu'à ce que la sauce ait épaissi.
7. Lavez les brins de coriandre ou de persil, essorez-les, effeuillez-les et ciselez les feuilles. Versez le contenu du wok dans un plat, décorez avec la coriandre ou le persil et servez chaud.

Poulet blond

Pour 4 personnes
Marinade : 20 mn
Préparation et cuisson : 15 mn

- 350 g de blanc de poulet, sans peau
- 1 petite laitue
- 1 œuf
- 1 oignon nouveau
- 15 g de gingembre frais*
- 1 cuil. à soupe de xérès sec
- 2 cuil. à café de Maïzena
- 3 cuil. à soupe d'huile d'arachide
- 2 cuil. à café de sel

Pour la sauce :
- 1 cuil. à soupe de concentré de tomate
- 1 cuil. à café de sucre en poudre
- 1 cuil. à café d'huile de sésame*

1. Coupez le poulet en rectangles minces et mettez-le dans un saladier. Pelez l'oignon nouveau, coupez-le en petits tronçons et mettez-le aussi dans le saladier. Pelez le gingembre, hachez-le et ajoutez-le dans le saladier, ainsi que le xérès et le sel. Mélangez bien et laissez mariner pendant 20 mn.
2. Lavez les feuilles de laitue, essorez-les et disposez-les sur un plat. Cassez l'œuf dans un bol, battez-le à la fourchette et versez-le sur le poulet. Saupoudrez de Maïzena et mélangez bien pour enrober le poulet.
3. Faites chauffer l'huile dans un wok ou dans une poêle. Ajoutez le poulet aux oignons et faites-le cuire pendant 4 mn environ, jusqu'à ce qu'il soit légèrement doré sur toutes les faces. Retirez-le à l'aide d'une écumoire et posez-le sur le lit de laitue.
4. Délayez le concentré de tomate dans 1 cuillerée à soupe d'eau, mélangez-le avec le sucre et l'huile de sésame et mettez-le dans le wok où a cuit le poulet. Faites-le réchauffer. Versez cette sauce sur le poulet ou présentez-la à part, dans une coupelle. Servez chaud.

Poulet blond; Poulet sauté au céleri.

Canard laqué, servi avec les traditionnelles Crêpes mandarin (voir page 157), une sauce hoisin ou une sauce barbecue et des crudités.

Canard laqué

Pour 6 personnes
Préparation : 10 mn
Cuisson : 1 h

- 1 canard de 2 kg, prêt à cuire
- 1 cuil. à soupe de sucre en poudre
- 1 cuil. à café de sel

Pour la sauce :
- 3 cuil. à soupe de sauce de haricots*
- 2 cuil. à soupe de sucre en poudre
- 1 cuil. à soupe d'huile de sésame*

Pour servir :
- 24 crêpes mandarin (voir page 157)
- 10 fleurs d'oignons (voir notes)
- 4 poireaux
- 1 concombre
- 1 piment rouge*

1. La veille, lavez le canard et suspendez-le la tête en bas dans un endroit frais et bien aéré. Laissez-le sécher toute la nuit.
2. Le lendemain, faites dissoudre le sucre et le sel dans 3 dl d'eau tiède et badigeonnez-en le canard, puis laissez-le reposer pendant plusieurs heures, jusqu'à ce qu'il soit tout à fait sec.
3. Allumez le four, thermostat 6 (200 °C) et attendez qu'il soit chaud. Mettez le canard dans un plat à four ; posez le plat sur la lèchefrite placée à mi-hauteur du four. Laissez cuire pendant 1 h.
4. Pendant ce temps, épluchez les poireaux, lavez-les soigneusement, égouttez-les et coupez-les en morceaux de 7 cm de long. Pelez le concombre et coupez-le en quatre dans le sens de la longueur, puis coupez en morceaux de 7 cm de long. Lavez le poivron, ôtez le pédoncule, les graines et les filaments blancs, et coupez la pulpe en lanières. Posez les concombres, les poireaux et le poivron sur un grand plat. Préparez la sauce : mettez tous les ingrédients dans une casserole et faites-les chauffer sur feu doux pendant 2 ou 3 mn en remuant constamment, puis versez la sauce dans une coupe. Disposez les crêpes sur un plat rond.
5. Éteignez le four, sortez le canard et découpez-le en tranches régulières. Placez

156

Canard à l'orange

Pour 6 personnes
Préparation et cuisson : 1 h

- 1 canard de 2 kg, prêt à cuire
- 15 g de gingembre frais*
- 4 cuil. à soupe de jus d'orange non sucré
- 6 dl de bouillon de volaille
- 4 cuil. à soupe de sauce de soja*
- 4 cuil. à soupe de xérès sec
- 1 cuil. à soupe de vinaigre
- 2 cuil. à soupe de sucre en poudre
- 1/2 cuil. à café de poudre aux cinq parfums*
- 1 litre d'huile pour friture
- 4 cuil. à café de sel

1. Faites bouillir de l'eau dans une grande marmite. Plongez-y le canard et laissez-le cuire pendant 5 mn, puis retirez-le et égouttez-le.
2. Mettez le canard dans une cocotte. Pelez la racine de gingembre et mettez-la aussi dans la cocotte. Ajoutez tous les autres ingrédients, sauf l'huile, et portez à ébullition, puis réduisez la chaleur, couvrez et laissez mijoter pendant 45 mn. Retournez le canard au moins deux fois en cours de cuisson.
3. Sortez le canard de la cocotte et laissez le liquide de cuisson sur feu très doux, pour qu'il réduise lentement.
4. Faites chauffer l'huile dans un wok ou dans une friteuse. Plongez-y le canard et laissez-le rissoler sur feu assez doux, jusqu'à ce qu'il soit bien doré sur toutes les faces, puis retirez-le en l'égouttant.
5. Remettez le canard dans la cocotte où la sauce continue à réduire et retournez-le pour bien l'enrober, puis sortez-le de la cocotte, coupez-le en petits morceaux et rassemblez tous les morceaux sur un plat de façon à reconstituer le canard entier. Versez la sauce par-dessus. Servez chaud.

Crêpes mandarin

Pour 24 crêpes
Préparation : 20 mn
Cuisson : 5 mn

- 500 g de farine + 20 g
- huile d'arachide

1. Tamisez 500 g de farine au-dessus d'un saladier. Mélangez 3 dl d'eau bouillante avec 1 cuillerée à café d'huile et versez-la peu à peu dans le saladier, tout en remuant la farine à l'aide d'une cuillère de bois ou de baguettes de bambou. Travaillez cette pâte jusqu'à ce qu'elle soit homogène, puis partagez-la en 3 parts égales.
2. Façonnez la pâte en 3 «boudins» allongés, puis coupez chaque boudin en huit. Aplatissez chaque morceau avec la paume de la main.
3. Badigeonnez une portion de pâte avec un peu d'huile, puis placez une autre portion par-dessus. Continuez jusqu'à épuisement des ingrédients : vous obtenez 12 «sandwiches».
4. Farinez le plan de travail et aplatissez les sandwiches au rouleau à pâtisserie, en formant des cercles de 15 cm de diamètre.
5. Faites chauffer sur feu doux une poêle à revêtement antiadhésif. Quand elle est bien chaude, faites-y cuire un sandwich de pâte, retournez-le dès que des bulles commencent à se former à la surface et faites cuire l'autre face jusqu'à ce qu'elle commence à brunir. Retirez le sandwich de la poêle et décollez délicatement les deux crêpes. Procédez de même pour les autres sandwiches.
6. Pliez chaque crêpe en quatre.
Note :
Si vous laissez refroidir les crêpes, vous pourrez les réchauffer au four doux ou dans une marmite à vapeur, pendant 5 à 10 mn.

les tranches de canard sur un plat et décorez avec les fleurs d'oignons.
Notes :
- Pour déguster le canard laqué : prendre une crêpe, y étaler un peu de sauce, placer dessus un morceau de concombre, un morceau de poireau et quelques lanières de poivron, puis une ou deux tranches de canard. Enrouler la crêpe autour de la viande et des légumes.
- Les fleurs d'oignons sont en fait des oignons nouveaux découpés en lanières qui restent attachés à la base : plongez-les pendant quelques minutes dans de l'eau glacée, elles s'ouvriront comme des fleurs. C'est la décoration traditionnelle de cette spécialité chinoise.
- Vous pouvez utiliser de la sauce barbecue ou de la sauce hoisin toute prête, si vous préférez ne pas la préparer vous-même.

Sauté blond

Pour 3-4 personnes
Préparation et cuisson : 30 mn

- 100 g de blanc de poulet, sans peau
- 100 g de filet de porc maigre
- 100 g de pousses de bambou*
- 2 oignons nouveaux
- 2 gousses d'ail
- 1 blanc d'œuf
- 1 cuil. à soupe de xérès sec
- 1 cuil. à soupe de sauce de haricots*
- 1 cuil. à soupe de Maïzena
- 3 cuil. à soupe d'huile d'arachide
- 1 cuil. à café de sel

1. Coupez le poulet et le porc en dés et mettez-les dans 2 bols différents. Battez le blanc d'œuf avec la Maïzena et le sel. Versez la moitié de cette préparation sur le poulet, l'autre sur le porc et mélangez bien le contenu de chaque bol. Coupez les pousses de bambou en dés. Pelez les oignons nouveaux en supprimant la partie verte et hachez-les. Pelez les gousses d'ail et hachez-les.
2. Faites chauffer 1 cuillerée à soupe d'huile dans un wok ou dans une poêle, ajoutez le poulet et faites-le revenir en remuant constamment pendant 2 mn. Retirez-le à l'aide d'une écumoire en l'égouttant bien.
3. Faites chauffer 1 autre cuillerée à soupe d'huile dans le wok ou la poêle et faites-y revenir le porc en remuant constamment pendant 3 mn. Retirez-les à l'aide d'une écumoire en l'égouttant bien.
4. Augmentez un peu la chaleur et mettez 1 autre cuillerée à soupe d'huile dans le wok. Ajoutez le hachis d'oignon et d'ail et les pousses de bambou, puis le poulet et le porc. Mouillez avec le xérès, la sauce de haricots et un peu d'eau si nécessaire. Poursuivez la cuisson jusqu'à ce que presque tout le liquide soit absorbé et que les viandes et les pousses de bambou soient bien enrobées de sauce.
5. Servez chaud.

Œufs en sauce au porc

Pour 4-6 personnes
Préparation et cuisson : 30 mn
Repos : 50 mn

- 250 g de porc maigre
- 6 œufs

Pour la sauce :
- 4 cuil. à soupe de sauce de soja*
- 2 cuil. à soupe de sucre en poudre
- 1 cuil. à café de poudre aux cinq parfums*
- 1 cuil. à café de sel

1. Faites bouillir de l'eau dans 2 casseroles. Plongez les œufs dans la première et le porc dans la seconde. Retirez les œufs au bout de 5 mn, passez les sous l'eau courante froide pour les rafraîchir et écalez-les. Retirez le porc au bout de 5 mn, égouttez-le et épongez-le avec du papier absorbant.
2. Préparez la sauce : mettez tous les ingrédients dans une grande casserole, ajoutez 1,2 litre d'eau et portez à ébullition en remuant, puis réduisez la chaleur et laissez cuire à petits frémissements pendant 1 heure environ.
3. Ajoutez le porc et les œufs dans la casserole et poursuivez la cuisson pendant 15 mn, puis retirez du feu. Laissez les œufs et le porc refroidir dans la sauce pendant au moins 50 mn.
4. Retirez les œufs et le porc. Coupez chaque œuf en deux ou en quatre et émincez le porc. Disposez les œufs sur le pourtour d'un plat et mettez le porc au milieu. Servez froid.
Notes :
- Vous pouvez conserver la sauce au réfrigérateur pour l'utiliser plus tard.
- S'il vous reste de la sauce des Tripes braisées (page 165) ou du Poulet au soja (page 149), ajoutez-la à celle des œufs et du porc : ils seront encore plus savoureux.

Porc aux germes de soja

Pour 3-4 personnes
Marinade : 20 mn
Préparation : 15 mn
Cuisson : 5 mn

- 400 g de porc maigre
- 250 g de germes de soja frais*
- 2 oignons nouveaux
- 1 poireau
- 15 g de gingembre frais*
- 2 cuil. à soupe de sauce de soja*
- 1 cuil. à café de xérès sec
- 2 cuil. à café de Maïzena
- 3 cuil. à soupe d'huile d'arachide
- 1 cuil. à café de sel

1. Coupez le porc en lanières et mettez-le dans un saladier. Ajoutez la sauce de soja, le xérès et la Maïzena. Mélangez et laissez mariner pendant 20 mn.
2. Pendant ce temps, mettez les germes de soja dans de l'eau froide, laissez reposer 1 mn, éliminez les haricots non germés qui tombent au fond. Égouttez les germes. Pelez les oignons et coupez-les en rondelles. Pelez le gingembre et coupez-le en tout petits bâtonnets. Épluchez le poireau en éliminant la partie vert foncé, lavez-le soigneusement et coupez-le en lanières de même longueur que les germes de soja.
3. Faites chauffer 1 cuillerée à soupe d'huile dans un wok ou dans une poêle. Ajoutez l'oignon et le gingembre, puis le porc. Faites cuire en remuant constamment pendant 3 mn, puis retirez la viande à l'aide d'une écumoire en l'égouttant bien.
4. Faites chauffer 2 autres cuillerées à soupe d'huile dans le wok, ajoutez le sel, les germes de soja et le poireau. Faites cuire en remuant pendant 1 mn, puis remettez le porc dans le wok, mélangez et poursuivez la cuisson pendant 1 mn.
5. Servez chaud.

Émincé de porc au chou-fleur ; Porc aux germes de soja.

Émincé de porc au chou-fleur

Pour 3-4 personnes
Marinade : 30 mn
Préparation et cuisson : 35 mn

- 250 g de porc maigre
- 4 champignons chinois séchés*
- 1 petit chou-fleur
- 2 oignons nouveaux
- 15 g de gingembre frais*
- 2 cuil. à soupe de sauce de soja*
- 1 cuil. à soupe de xérès sec
- 1 cuil. à soupe de Maïzena
- 3 cuil. à soupe d'huile d'arachide
- sel

1. Mettez les champignons dans de l'eau tiède et laissez-les tremper pendant 30 mn.
2. Pendant ce temps, émincez le porc et mettez-le dans un saladier. Ajoutez la sauce de soja, le xérès et 1 cuillerée à café de Maïzena. Mélangez et laissez mariner pendant 30 mn.
3. Pendant ce temps, lavez le chou-fleur, ôtez le trognon et les feuilles et détachez les bouquets. Faites bouillir de l'eau salé dans une grande casserole, plongez-y les bouquets de chou-fleur et laissez-les blanchir pendant 1 mn, puis égouttez-les. Pelez les oignons nouveaux et coupez-les en tronçons de 2,5 cm environ. Pelez le gingembre et coupez-le en tout petits bâtonnets.
4. Égouttez les champignons en les pressant pour extraire toute l'eau. Éliminez les pieds et coupez les chapeaux en deux ou en quatre, selon leur grosseur. Faites chauffer l'huile dans un wok ou dans une sauteuse. Ajoutez les oignons nouveaux et le gingembre, puis le porc. Faites cuire en remuant constamment, jusqu'à ce que la viande blondisse, pendant 3 mn, puis ajoutez les champignons et 1 cuillerée à café de sel. Poursuivez la cuisson pendant 1 mn, sans cesser de remuer, puis ajoutez le chou-fleur et mélangez.
5. Délayez le reste de Maïzena dans 2 cuillerées à soupe d'eau froide et versez-le dans le wok ou la sauteuse. Faites épaissir en remuant constamment.
6. Retirez les bouquets de chou-fleur et disposez-les sur le pourtour d'un plat. Versez le porc au milieu et servez chaud.

Jarret de porc laqué

Pour 8 personnes
Trempage : 30 mn
Préparation : 10 mn
Cuisson : 2 h 45

- 1 jarret de porc de 2 kg
- 4 champignons chinois séchés*
- 1 gousse d'ail
- 6 cuil. à soupe de sauce de soja*
- 3 cuil. à soupe de xérès sec
- 3 cuil. à soupe de sucre roux en poudre
- 1 cuil. à café de poudre eux cinq parfums*

Pour servir :
- 1 carotte
- 1 oignon nouveau

1. Mettez les champignons dans de l'eau tiède et laissez-les tremper pendant 30 mn.

2. Mettez le porc dans une grande marmite, couvrez-le d'eau froide et portez à ébullition. Laissez cuire à petits bouillons pendant 5 mn, puis retirez le porc, égouttez-le, rincez-le à l'eau courante froide et égouttez-le à nouveau.

3. Pendant ce temps, égouttez les champignons en les pressant pour extraire toute l'eau, supprimez les pieds et laissez les chapeaux entiers. Pelez l'ail et écrasez-le au presse-ail. Mettez le jarret de porc dans une cocotte. Ajoutez les champignons, l'ail, la sauce de soja, le xérès, le sucre et la poudre aux cinq parfums. Couvrez hermétiquement et portez à ébullition, puis réduisez la chaleur et laissez mijoter pendant 2 h 30 en retournant plusieurs fois la viande en cours de cuisson. Il doit rester très peu de liquide au fond de la cocotte et on doit pouvoir détacher facilement la viande de l'os à l'aide de baguettes de bambou ou d'une fourchette. Si nécessaire, augmentez la chaleur en fin de cuisson pour faire réduire la sauce.

4. Lavez la carotte, pelez-la et coupez-la en fines rondelles. Pelez l'oignon et coupez-le en petites lanières.

5. Mettez le jarret de porc dans un plat, entourez-le de rondelles de carotte et de lanières d'oignon et servez chaud ou froid.

Travers de porc en sauce de haricots

Pour 4 personnes
Marinade : 20 mn
Préparation : 15 mn
Cuisson : 30 mn

- 500 g de travers de porc
- 1 cuil. à soupe d'huile d'arachide

Pour la marinade :
- 1 gousse d'ail
- 15 g de gingembre frais*
- 2 cuil. à soupe de sauce de haricots*
- 1 cuil. à soupe de sauce de soja*
- 1 cuil. à café de xérès sec
- 1 cuil. à café de Maïzena
- 1 cuil. à café de sucre en poudre

Pour servir :
- 1 petit poivron vert ou rouge
- 1 cuil. à café d'huile de sésame*

1. Coupez la viande en petits morceaux, en conservant les os. Pelez l'ail et écrasez-le au presse-ail. Pelez le gingembre et hachez-le. Mettez le porc dans un saladier, ajoutez tous les ingrédients de la marinade et mélangez. Laissez mariner pendant 20 mn.

2. Étalez l'huile d'arachide dans un plat résistant à la chaleur, puis mettez-y le porc et sa marinade. Mettez le plat dans le panier perforé d'une marmite à vapeur ou sur une casserole d'eau bouillante. Posez un couvercle dessus et laissez cuire à la vapeur pendant 30 mn.

3. Lavez le poivron, ôtez le pédoncule, les graines et les cloisons blanches et coupez la pulpe en petites lanières. Répartissez les lanières de poivron sur le porc, arrosez d'huile de sésame et servez chaud.

Jarret de porc laqué ; Émincé de porc aux pousses de bambou.

Boulettes de porc mijotées

Pour 3-4 personnes
Trempage : 30 mn
Préparation : 20 mn
Cuisson : 30 mn

- 250 g de porc maigre haché
- 3 champignons chinois séchés*
- 250 g de chou chinois*
- 50 g de nouilles de haricots mung*
- 2 oignons nouveaux
- 15 g de gingembre frais*
- 1 blanc d'œuf
- 5 dl de bouillon de volaille
- 2 cuil. à soupe de sauce de soja*
- 1 cuil. à soupe de xérès sec
- 1 cuil. à soupe de Maïzena
- 1 cuil. à soupe de sucre en poudre
- 3 cuil. à soupe d'huile d'arachide
- 1 cuil. à café de sel

1. Mettez les champignons dans le l'eau tiède et laissez-les tremper pendant 30 mn. Mettez les nouilles dans de l'eau froide et laissez-les tremper pendant 10 mn.
2. Pendant ce temps, lavez les feuilles de chou, essorez-les et émincez-les. Pelez le gingembre et hachez-le. Pelez les oignons en supprimant la partie verte et hachez-les.
3. Mélangez la viande avec le blanc d'œuf, la sauce de soja, le xérès, le sucre et la Maïzena. Divisez la préparation en 8 parts égales et façonnez 8 boulettes.
4. Au bout de 10 mn, égouttez les nouilles. Au bout de 30 mn, égouttez les champignons en les pressant pour extraire toute l'eau et supprimez les parties dures.
5. Faites chauffer l'huile dans une sauteuse. Ajoutez les boulettes et laissez-les dorer pendant 2 mn, puis retirez-les à l'aide d'une écumoire. Mettez le gingembre et les oignons nouveaux dans la sauteuse, puis le chou chinois, les champignons et le sel. Mélangez. Remettez le porc dans la sauteuse et ajoutez juste assez de bouillon pour le recouvrir. Portez à ébullition, puis réduisez la chaleur et laissez mijoter pendant 25 mn.
6. Ajoutez les nouilles, mélangez et poursuivez la cuisson pendant 3 mn.
7. Servez chaud.

Émincé de porc aux pousses de bambou

Pour 3-4 personnes
Marinade : 20 mn
Préparation : 15 mn
Cuisson : 5 mn

- 250 g de filet de porc maigre
- 300 g de pousses de bambou*
- 1 gousse d'ail
- 2 cuil. à soupe de sauce de soja*
- 2 cuil. à café de vinaigre
- 1 cuil. à café de xérès sec
- 3 cuil. à soupe d'huile d'arachide

Pour servir :
- 1 oignon nouveau
- 1 tomate

1. Émincez le porc et mettez-le dans un saladier avec le xérès et 1/2 cuillerée à soupe de sauce de soja. Mélangez, puis laissez mariner pendant 20 mn.
2. Pendant ce temps, pelez l'oignon et coupez-le en lanières. Lavez la tomate, essuyez-la et coupez-la en deux. Évidez-la et coupez la partie ferme de la pulpe en lanières. Émincez les pousses de bambou. Pelez l'ail et hachez-le grossièrement.
3. Faites chauffer l'huile dans un wok ou dans une poêle. Ajoutez l'ail et laissez-le blondir, puis retirez-le à l'aide d'une écumoire et éliminez-le.
4. Mettez le porc dans le wok et faites-le saisir en remuant constammant pendant 3 mn, puis ajoutez les pousses de bambou, le reste de la sauce de soja, et le vinaigre. Laissez cuire encore 30 secondes sans cesser de remuer.
5. Servez chaud, avec l'oignon et la tomate en garniture.

Porc
aux nouilles dorées

Pour 3-4 personnes
Marinade : 30 mn
Préparation : 10 mn
Cuisson : 10 mn

- 250 g de porc maigre haché
- 100 g de nouilles de haricots mung*
- 1 petit piment rouge*
- 2 oignons nouveaux
- 1,5 dl de bouillon de volaille
- 2 cuil. à soupe de sauce de soja*
- 1 cuil. à soupe de sucre en poudre
- 1 cuil. à café de Maïzena
- 1/2 cuil. à café de purée de piment*
- 3 cuil. à soupe d'huile d'arachide

Pour servir :
- 1 oignon nouveau

1. Mettez les nouilles dans de l'eau froide et laissez-les tremper pendant 30 mn.
2. Pendant ce temps, mettez le porc dans un saladier, ajoutez la sauce de soja, le sucre, la Maïzena et la purée de piment. Mélangez, puis laissez mariner pendant 20 mn.
3. Pendant ce temps, lavez le piment, ôtez le pédoncule et les graines et hachez la pulpe. Pelez 2 oignons et hachez-les.
4. Lorsque le porc a suffisamment mariné, faites chauffer l'huile dans un wok ou dans une sauteuse, ajoutez le piment et les oignons nouveaux et laissez-les cuire quelques secondes en remuant constamment. Ajoutez le porc et faites-le saisir sans cesser de remuer, pendant 1 mn.
5. Égouttez les nouilles et ajoutez-les dans le wok ou la sauteuse. Mélangez bien, ajoutez le bouillon et laissez cuire, jusqu'à ce que tout le liquide soit absorbé et que les nouilles commencent à dorer.

162

Porc aux œufs brouillés

Pour 3-4 personnes
Trempage : 20 mn
Préparation : 15 mn
Cuisson : 5 mn

- 250 g de filet de porc maigre
- 4 œufs
- 25 g de lis séchés*
- 15 g de champignons séchés «oreilles de chat»*
- 4 oignons nouveaux
- 1 cuil. à soupe de sauce de soja*
- 1 cuil. à café de xérès sec
- 1 cuil. à café d'huile de sésame*
- 3 cuil. à soupe d'huile d'arachide
- sel

1. Mettez les lis et les champignons dans deux grands bols. Couvrez-les d'eau tiède et laissez-les tremper pendant 20 mn.
2. Pendant ce temps, coupez le porc en tout petits morceaux. Pelez les oignons et coupez-les en lanières. Cassez les œufs dans un bol, ajoutez un peu de sel et battez-les rapidement à la fourchette.
3. Au bout de 20 mn, égouttez les lis et les champignons en supprimant les parties dures. Coupez-les en petits morceaux.
4. Faites chauffer 1 cuillerée à soupe d'huile dans un wok ou dans une poêle, ajoutez les œufs et faites-les cuire en les remuant. Retirez-les dès qu'ils commencent à prendre : ils doivent rester bien moelleux.
5. Faites chauffer 2 autres cuillerées à soupe d'huile dans le wok ou la poêle, ajoutez les oignons nouveaux et le porc et faites-les revenir pendant 30 secondes en remuant. Dès que le porc change de couleur, ajoutez les lis, les champignons, 1 cuillerée à café de sel, la sauce de soja et le xérès. Laissez cuire pendant 2 mn en remuant constamment, puis remettez les œufs brouillés dans le wok et arrosez d'huile de sésame. Mélangez bien et servez aussitôt.
Note :
Ce porc aux œufs brouillés est une des garnitures traditionnelles des Crêpes mandarin (recette page 157).

6. Pendant ce temps, pelez le troisième oignon et coupez-le en lanières.
7. Servez chaud, avec les lanières d'oignon en garniture.

Porc en sauce barbecue

Pour 6 personnes
Marinade : 2 h
Préparation : 5 mn
Cuisson : 5 mn

- 700 g de filet de porc maigre
- 2 oignons nouveaux
- 15 g de gingembre frais*
- 1 gousse d'ail
- 2 cuil. à soupe de sauce de soja*
- 2 cuil. à soupe de xérès sec
- 3 cuil. à soupe de sucre en poudre
- 1/2 cuil. à café de poudre aux cinq parfums*
- 3 cuil. à soupe d'huile d'arachide
- 1 cuil. à café de sel

1. Coupez le porc en lanières épaisses et mettez-le dans un saladier avec la sauce de soja, le xérès, le sucre, le sel et la poudre aux cinq parfums. Mélangez, puis laissez mariner pendant au moins 2 h, en retournant la viande de temps en temps.
2. Au bout de ce temps, pelez les oignons, l'ail et le gingembre et hachez-les. Faites chauffer l'huile dans un wok ou dans une sauteuse. Ajoutez le hachis et faites-le cuire quelques secondes en remuant constamment.
3. Égouttez le porc en laissant la marinade dans le saladier, ajoutez-le dans le wok ou la sauteuse et faites-le cuire en remuant constamment, jusqu'à ce qu'il soit doré sur toutes les faces. Retirez le porc et le hachis de légumes. Videz l'excédent d'huile qui est resté dans le wok et remplacez-le par la marinade. Laissez réchauffer, puis remettez le porc et le hachis dans le wok et laissez-les cuire sur feu doux, jusqu'à ce que le liquide soit absorbé.
4. Retirez du feu et laissez refroidir, puis mettez le porc dans un plat et découpez-le en tranches très fines. Servez froid.

Porc aux œufs brouillés ; Porc aux nouilles dorées.

Porc
aux aubergines

Pour 3 personnes
Marinade : 20 mn
Préparation : 10 mn
Cuisson : 5 mn

- 200 g de porc maigre
- 1 grosse aubergine ou 2 petites
- 2 oignons nouveaux
- 1 gousse d'ail
- 15 g de gingembre frais*
- 1 cuil. à soupe de sauce de soja*
- 1 cuil. à café de xérès sec
- 1 1/2 cuil. à café de Maïzena
- 1 cuil. à soupe de purée de piment*
- 3 ou 4 cuil. à soupe de bouillon de volaille
- 6 dl d'huile pour friture

Pour servir :
- 1 oignon nouveau

1. Coupez le porc en fines lanières et mettez-le dans un saladier. Pelez 2 oignons, le gingembre et l'ail et hachez-les. Ajoutez-les au porc, ainsi que la sauce de soja, le xérès et la Maïzena. Mélangez, puis laissez mariner pendant 20 mn.

2. 5 mn avant la fin de la marinade, lavez l'aubergine, essuyez-la, ôtez le pédoncule et coupez-la en gros losanges sans la peler. Faites chauffer l'huile dans un wok ou dans une friteuse. Quand elle est très chaude, réduisez la chaleur, ajoutez les morceaux d'aubergine et laissez-les cuire 1 mn. Retirez-les à l'aide d'une écumoire et égouttez-les sur du papier absorbant.

3. Videz l'huile en en laissant 1 cuillerée à soupe dans le wok. Ajoutez le porc et faites-le cuire en remuant constamment pendant 1 mn. Remettez les morceaux d'aubergine dans le wok, ajoutez la purée de piment et laissez cuire environ 1 mn, puis mouillez avec le bouillon de volaille.

4. Laissez cuire à petits frémissements, jusqu'à ce qu'il n'y ait presque plus de liquide dans le wok.

5. Pendant ce temps, pelez le troisième oignon et coupez-le en petits tronçons.

6. Versez le contenu du wok dans un plat, parsemez d'oignon cru et servez aussitôt.

Tripes braisées

Pour 4-6 personnes
Préparation et cuisson : 2 h 30

- 1 kg de tripes blanchies
- 2 oignons nouveaux
- 25 g de gingembre frais*
- 2 cuil. à soupe de xérès sec
- 4 cuil. à soupe de sauce de soja*
- 1 litre de bouillon de volaille
- 1 cuil. à café de poudre aux cinq parfums*
- 1 cuil. à café de sucre en poudre
- 2 cuil. à soupe d'huile d'arachide
- sel

Pour servir :
- 2 brins de coriandre*
- 1 cuil. à café d'huile de sésame*

1. Lavez soigneusement les tripes, frottez-les avec du sel, rincez-les, puis plongez-les dans une grande casserole d'eau bouillante. Réduisez la chaleur, couvrez et laissez cuire à petits frémissements pendant 20 mn.
2. Égouttez les tripes. Pelez les oignons nouveaux et le gingembre. Faites chauffer l'huile dans une cocotte à fond épais, mettez-y les tripes et laissez-les blondir pendant 2 mn, à feu modéré, en remuant sans arrêt. Ajoutez les autres ingrédients et portez à ébullition, puis réduisez la chaleur, couvrez hermétiquement et laissez mijoter sur feu doux pendant 2 h.
3. Lavez les brins de coriandre, essorez-les, effeuillez-les et ciselez les feuilles. Retirez les tripes de la cocotte, coupez-les en petits rectangles et mettez-les dans un plat. Arrosez-les avec l'huile de sésame.
4. Parsemez de coriandre au moment de servir.

Notes :
• Vous pouvez servir ces tripes froides, en entrée, ou chaudes, comme plat de résistance.
• Conservez le jus de cuisson au réfrigérateur, vous l'utiliserez pour d'autres préparations, telles que les Œufs en sauce au porc (recette page 158).

Foie de porc aux épinards

Pour 4 personnes
Préparation et cuisson : 30 mn

- 400 g de foie de porc
- 500 g d'épinards frais
- 25 g de gingembre frais*
- 1 cuil. à soupe de sauce de soja*
- 1 cuil. à soupe de xérès sec
- 2 cuil. à soupe de Maïzena
- 4 cuil. à soupe d'huile d'arachide
- 1 cuil. à café de sel

Pour servir :
- 1 oignon nouveau

1. Équeutez les épinards, lavez-les à grande eau et essorez-les soigneusement. Coupez le foie en petits triangles. Plongez les morceaux de foie dans une grande casserole d'eau bouillante, laissez-les frémir quelques secondes et égouttez-les. Séchez-les dans du papier absorbant, puis passez tous les morceaux dans la Maïzena de façon à bien les enrober.
2. Faites chauffer 2 cuillerées à soupe d'huile dans un wok ou dans un sauteuse. Ajoutez les épinards, saupoudrez-les de sel et faites-les cuire 2 mn à feu vif, en remuant constamment. Retirez-les du wok, mettez-les sur un plat et tenez-les au chaud.
3. Pelez le gingembre. Pelez l'oignon et coupez-le en lanières. Faites chauffer 2 autres cuillerées à soupe d'huile dans le wok ou la sauteuse. Lorsqu'elle est très chaude, ajoutez le gingembre, les morceaux de foie, la sauce de soja et le xérès. Mélangez pendant 1 mn et versez sur les épinards. Parsemez de lanières d'oignon et servez aussitôt.

Porc aux aubergines ; Foie de porc aux épinards.

Rognons aux champignons

Pour 3-4 personnes
Préparation : 25 mn
Cuisson : 5 mn

- 250 g de rognons de porc
- 15 g de champignons séchés «oreilles de chat»*
- 50 g de châtaignes d'eau*
- 50 g de pousses de bambou*
- 100 g de légume vert : scarole, chou ou épinard
- 1 oignon nouveau
- 1 gousse d'ail
- 15 g de gingembre frais*
- 1 cuil. à soupe de sauce de soja*
- 1 cuil. à soupe de vinaigre
- 2 cuil. à café de Maïzena
- 6 cuil. à soupe d'huile d'arachide
- 1 1/2 cuil. à café de sel

1. Mettez les champignons dans de l'eau tiède et laissez-les tremper pendant 20 mn.

2. Pendant ce temps, nettoyez le légume vert, plongez-le dans une casserole d'eau bouillante, laissez-le frémir 10 secondes et égouttez-le. Émincez les châtaignes d'eau et les pousses de bambou. Pelez l'oignon et le gingembre et hachez-les. Pelez l'ail et écrasez-le au presse-ail. Coupez les rognons en deux dans le sens de la longueur. Supprimez la graisse et la partie blanche du centre. Faites des entailles en forme de croix sur la surface des rognons, puis coupez-les en morceaux, en suivant les lobes. Saupoudrez-les aves 1/2 cuillerée à café de sel et 1 cuillerée à café de Maïzena.

3. Égouttez les champignons en les pressant pour extraire toute l'eau et supprimez les parties dures. Faites chauffer l'huile dans une grande poêle. Quand elle est très chaude, mettez-y les rognons et faites-les cuire en remuant constamment, jusqu'à ce qu'il soient uniformément dorés. Retirez-les à l'aide d'une écumoire en les égouttant bien.

4. Videz l'huile en en laissant 2 cuillerées à soupe dans la poêle. Ajoutez l'ail, le gingembre et l'oignon. Faites-les cuire quelques secondes en remuant constamment, puis ajoutez les champignons, les châtaignes d'eau, les pousses de bambou et le légume vert. Mélangez pendant une trentaine de secondes.

5. Mélangez le vinaigre et 1 cuillerée à café de sel. Délayez 1 cuillerée à café de Maïzena avec la sauce de soja.

6. Versez vinaigre et soja dans le wok, ajoutez les rognons et mélangez pendant 1 mn à feu modéré, jusqu'à obtention d'une sauce onctueuse.

7. Mettez viande et légumes dans un plat et servez sans attendre.

Rognons aux champignons (en haut); Bœuf au poivron vert (en bas).

Bœuf au poivron vert

Pour 3-4 personnes
Marinade : 20 mn
Préparation et cuisson : 10 mn

- 250 g de bœuf maigre : filet, rumsteak...
- 1 gros poivron vert
- 1 grosse tomate
- 2 oignons nouveaux
- 15 g de gingembre frais*
- 1 cuil. à soupe de sauce de soja*
- 1 cuil. à soupe de xérès sec
- 1 cuil. à soupe de Maïzena
- 1/2 cuil. à café de purée de piment* (facultatif)
- 2 cuil. à café de sucre en poudre
- 3 cuil. à soupe d'huile d'arachide
- 1 cuil. à café de sel
- poivre

1. Émincez le bœuf et mettez-le dans un saladier. Ajoutez le xérès, la Maïzena, 1/2 cuillerée à café de sel, le sucre, la purée de piment si vous en utilisez et du poivre. Mélangez et laissez mariner pendant 20 mn.
2. Pendant ce temps, lavez le poivron, ôtez le pédoncule, les graines et les cloisons blanches et coupez la pulpe en tranches. Lavez la tomate, essuyez-la et coupez-la en six. Pelez les oignons et le gingembre et hachez-les.
3. Au bout de 20 mn de marinade, faites chauffer 1 cuillerée à soupe d'huile dans un wok ou dans une grande poêle. Ajoutez le poivron et la tomate avec 1/2 cuillerée à café de sel et faites-les cuire quelques secondes sur feu vif en remuant constamment. Retirez-les à l'aide d'une écumoire en les égouttant bien.
4. Faites chauffer 2 autres cuillerées à soupe d'huile dans le wok ou dans la poêle. Ajoutez le hachis d'oignons et de gingembre, puis la viande. Faites cuire 30 secondes en remuant constamment, puis mouillez avec la sauce de soja et remettez le poivron et la tomate dans le wok. Mélangez bien. Laissez cuire pendant encore 1 mn en remuant sans arrêt.
5. Mettez le bœuf au poivron vert dans un plat creux et servez très chaud.

Bœuf braisé

Pour 6 personnes
Préparation et cuisson : 1 h 45

- 1 morceau de bœuf de 800 g : gîte, tranche...
- 50 g de gingembre frais*
- 2 cuil. à soupe de xérès sec
- 5 cuil. à soupe de sauce de soja*
- 1 cuil. à soupe de sucre en poudre
- 2 cuil. à soupe d'huile d'arachide
- 1 cuil. à soupe d'huile de sésame* (facultatif)

1. Pelez le gingembre. Mettez le bœuf, le xérès et le gingembre dans une marmite. Ajoutez juste assez d'eau pour couvrir la viande et portez à ébullition. Écumez, puis réduisez la chaleur, couvrez et laissez mijoter pendant 1 h.
2. Retirez le bœuf de la marmite en laissant le liquide de cuisson dans la marmite. Coupez la viande en cubes de 2,5 cm de côté environ.
3. Faites chauffer l'huile d'arachide dans une cocotte, mettez-y les morceaux de bœuf et faites-les revenir pendant 30 secondes en remuant, puis ajoutez la sauce de soja, le sucre et le liquide de cuisson.
4. Couvrez et laissez mijoter sur feu doux pendant 40 mn environ, jusqu'à ce que le bœuf soit très tendre.
5. Arrosez éventuellement d'huile de sésame, mélangez et servez aussitôt.

167

Bœuf printanier

Pour 3-4 personnes
Marinade : 20 mn
Préparation et cuisson : 10 mn

- 250 g de bœuf : filet, rumsteak...
- 250 g de pois mange-tout
- 2 oignons nouveaux
- 15 g de gingembre frais*
- 2 cuil. à soupe de sauce d'huître*
- 1 cuil. à soupe de xérès sec
- 1 cuil. à café de Maïzena
- 1 cuil. à café de sucre en poudre
- 4 cuil. à soupe d'huile d'arachide
- 1 cuil. à café de sel

1. Émincez le bœuf et mettez-le dans un saladier avec la sauce d'huître, le xérès et la Maïzena, puis laissez mariner pendant 20 mn.
2. Pendant ce temps, équeutez les pois, lavez-les et égouttez-les. Pelez les oignons nouveaux et coupez-les en tronçons de 2,5 cm environ. Pelez le gingembre et coupez-le en bâtonnets.
3. Lorsque la marinade est terminée, faites chauffer 2 cuillerées à soupe d'huile dans un wok ou dans une grande poêle. Mettez-y les oignons nouveaux et le gingembre, faites-les cuire quelques secondes en remuant, puis ajoutez le bœuf. Faites-le revenir, sans cesser de remuer, jusqu'à ce qu'il soit doré sur toutes les faces. Versez le contenu du wok ou de la poêle dans un plat et tenez-le au chaud.
4. Faites chauffer 2 autres cuillerées à soupe d'huile dans le wok. Ajoutez les pois, avec le sel et le sucre, et faites-les cuire pendant 2 mn sans cesser de remuer.
5. Ajoutez les pois à la viande. Mélangez et servez chaud.

Bœuf aux brocolis

Pour 3-4 personnes
Marinade : 20 mn
Préparation et cuisson : 10 mn

- 250 g de bœuf : filet ou tranche
- 250 g de brocolis
- 100 g de champignons de Paris
- 2 oignons nouveaux
- 1 cuill. à soupe de sauce de soja*
- 1 cuill. à soupe de Maïzena
- 4 cuill. à soupe d'huile d'arachide
- 1 cuill. à café de sel

1. Émincez le bœuf et mettez-le dans un saladier avec 1/2 cuillerée à café de sel, le xérès et la Maïzena. Mélangez, puis laissez mariner pendant 20 mn.
2. Pendant ce temps, coupez les tiges des brocolis, détachez les bouquets, lavez-les et égouttez-les. Pelez les oignons nouveaux et coupez-les en tronçons de 2,5 cm environ. Coupez le bout terreux des champignons. Lavez les champignons, épongez-les avec du papier absorbant et coupez-les en lamelles.

3. Faites chauffer 2 cuillerées à soupe d'huile dans un wok ou dans une sauteuse. Ajoutez les brocolis, avec 1/2 cuillerée à café de sel, et faites-les cuire 5 mn en remuant constamment et en les mouillant avec un peu d'eau si nécessaire. Retirez-les à l'aide d'une écumoire en les égouttant bien.
4. Faites chauffer 2 autres cuillerées à soupe d'huile dans le wok ou la sauteuse. Mettez-y les oignons nouveaux et faites-les cuire pendant quelques secondes, puis ajoutez le bœuf et faites-le revenir en rumant constamment, jusqu'à ce qu'il soit doré sur toutes les faces. Ajoutez enfin les champignons et la sauce de soja, remuez, puis remettez les brocolis dans le wok. Mélangez pendant 1 mn.
5. Servez chaud.

Bœuf mijoté aux carottes

Pour 6 personnes
Préparation : 10 mn
Cuisson : 2 h

- 750 g de bœuf : gîte, tranche...
- 500 g de carottes
- 1 oignon nouveau
- 1 gousse d'ail
- 15 g de gingembre frais*
- 4 cuill. à soupe de sauce de soja*
- 1 cuill. à soupe de xérès sec
- 1 cuill. à soupe de sucre en poudre
- 1/2 cuill. à café de poudre aux cinq parfums*
- 2 cuill. à soupe d'huile d'arachide

1. Coupez le bœuf en cubes de 1 cm de côté. Pelez l'oignon nouveau et le gingembre et hachez-les. Pelez l'ail et écrasez-le au presse-ail.
2. Faites chauffer l'huile dans une cocotte, mettez-y l'ail, l'oignon nouveau et le gingembre et laissez-les blondir, puis ajoutez le bœuf, la sauce de soja, le xérès, le sucre, la poudre aux cinq parfums et

assez d'eau pour couvrir la viande. Portez à ébullition, puis réduisez la chaleur et laissez mijoter pendant 1 h 30.
3. Pendant ce temps, lavez les carottes, grattez-les et coupez-les en losanges.
4. Mettez les carottes dans la cocotte et poursuivez la cuisson pendant 30 mn environ, jusqu'à ce que la viande et les carottes soient bien tendres.
5. Servez chaud.

Bœuf mijoté aux carottes; Bœuf printanier; Bœuf au brocolis.

Fondue mongole

Pour 10 personnes
Préparation et cuisson : 45 mn

- 1 épaule ou 1 carré d'agneau sans os, de 1,5 kg environ
- 500 g d'épinards
- 1 kg de chou chinois*
- 100 g de nouilles de haricots mung*
- 3 fromages de soja*

Pour la sauce :
- 2 gousses d'ail
- 2 oignons nouveaux
- 25 g de gingembre frais*
- 3 cuil. à soupe de sauce hoisin*
- 3 cuil. à soupe de purée de piment*
- 2 cuil. à soupe de sauce de soja*
- 1 cuil. à soupe d'huile de sésame*

Pour servir :
- 2,5 litres de bouillon de volaille

1. Mettez les nouilles dans de l'eau froide et laissez-les tremper pendant 10 mn.

2. Pendant ce temps, équeutez les épinards. Lavez les feuilles de chou et les épinards, essorez-les et coupez-les en gros morceaux, puis disposez-les sur un grand plat. Coupez chaque fromage de soja en 8 ou 10 tranches, posez-les sur les légumes. Coupez la viande en tranches très fines et étalez-les sur un autre plat.

3. Égouttez les nouilles et posez-les sur les fromages de soja, puis préparez les ingrédients de la sauce : pelez le gingembre et l'ail et hachez-les. Pelez les oignons nouveaux et coupez-les en rondelles. Mettez le gingembre, l'ail et les oignons dans une coupe et mélangez. Mettez la sauce hoisin dans une deuxième coupe, la purée de piment dans une troisième et la sauce de soja mélangée avec l'huile de sésame dans une quatrième.

4. Posez le plat à fondue au centre de la table et remplissez-le avec le bouillon. Placez la viande, les légumes et les ingrédients de la sauce tout autour.

5. Quand tous les convives ont pris place autour de la table, portez le bouillon à ébullition, cependant que chacun prépare sa propre sauce à son goût, mélangeant les différents ingrédients.

6. Quand le liquide bout, chaque invité prend une tranche de viande à l'aide de ses baguettes et la fait cuire dans le bouillon pendant 20 à 30 secondes, puis la trempe dans la sauce. Les légumes peuvent être cuits de la même façon (prévoyez un peu plus de bouillon pour en rajouter si nécessaire).

7. Quand il n'y a plus de viande, mettez les restes de légumes dans le bouillon. Laissez-les cuire à gros bouillons pendant quelques minutes, puis servez cette soupe chaude dans des bols individuels.

Notes :
- Vous pouvez remplacer le bouillon par de l'eau.
- Si vous n'avez pas d'ustensiles chinois, un service à fondue ordinaire fera très bien l'affaire.

Fondue mongole.

Riz aux neuf parfums

Pour 6 personnes
Trempage : 30 mn
Préparation et cuisson : 25 mn

- 250 g de riz à grains longs
- 3 œufs
- 3 champignons chinois séchés*
- 4 oignons nouveaux
- 25 g de petits pois frais écossés
- 50 g de pousses de bambou*
- 100 g de crevettes décortiquées
- 50 g de jambon cuit maigre
- 500 g de poulet ou de porc cuit
- 2 cuil. à soupe de sauce de soja*
- 3 cuil. à soupe d'huile d'arachide
- sel

1. Mettez les champignons dans de l'eau tiède et laissez-les tremper pendant 30 mn.

2. Pendant ce temps, mettez le riz dans une passoire, rincez-le rapidement sous l'eau courante froide et mettez-le dans une casserole. Ajoutez assez d'eau pour qu'elle arrive à 2,5 cm au-dessus du riz, portez à ébullition, remuez avec une cuillère, puis couvrez hermétiquement, réduisez la chaleur et laissez cuire sur feu très doux pendant 15 à 20 mn, jusqu'à ce que toute l'eau soit absorbée.

3. Pendant ce temps, coupez les pousses de bambou, le jambon et le porc ou le poulet en petits dés. Pelez les oignons nouveaux et hachez-les. Cassez les œufs dans un bol, saupoudrez-les d'un peu de sel et battez-les à la fourchette.

4. Égouttez les champignons en les pressant pour extraire toute l'eau, supprimez les pieds et coupez les chapeaux en dés. Faites chauffer 1 cuillerée à soupe d'huile dans une poêle, sur feu très doux, et ajoutez les œufs. Faites-les cuire en omelette, puis retirez-les de la poêle et laissez-les refroidir.

5. Faites chauffer 2 autres cuillerées à soupe d'huile dans une sauteuse. Mettez-y les oignons nouveaux, puis les crevettes, le jambou, le poulet ou le porc, les champignons, les pousses de bambou et les petits pois. Mélangez bien et ajoutez la sauce de soja et le riz cuit. Poursuivez la cuisson pendant 1 mn, sans cesser de remuer.

6. Coupez l'omelette en lanières et mettez-la dans la sauteuse. Mélangez encore 10 secondes, puis retirez du feu.

7. Servez chaud.

Germes de soja en salade

Pour 4 personnes
Préparation et cuisson : 15 mn

- 500 g de germes de soja frais*
- 2 œufs
- 100 g de jambon cuit maigre
- 1 cuil. à soupe d'huile d'arachide
- sel

Pour la vinaigrette :
- 2 cuil. à soupe de vinaigre
- 1 cuil, à soupe d'huile de sésame*
- 2 cuil. à soupe de sauce de soja*
- poivre

Pour décorer :
- 1 poivron rouge
- 1 brin de persil

1. Lavez les germes de soja. Laissez-les reposer 1 mn dans de l'eau froide et éliminez tous les haricots non germés qui tombent au fond. Égouttez les germes de soja. Plongez-les dans une casserole d'eau bouillante salée et laissez-les cuire pendant 1 mn, puis égouttez-les, rincez-les à l'eau courante froide et égouttez-les à nouveau.

2. Cassez les œufs dans un bol, saupoudrez-les d'un peu de sel et battez-les à la fourchette. Faites chauffer l'huile dans une poêle, sur feu doux, et ajoutez les œufs. Faites-les cuire en omelette, puis retirez-les de la poêle et laissez-les refroidir.

3. Mettez tous les ingrédients de la vinaigrette dans le fond d'un saladier et mélangez. Ajoutez les germes de soja et mélan-gez à nouveau, puis versez cette salade sur un plat.

4. Coupez le jambon et l'omelette en lanières. Lavez le poivron, ôtez le pédoncule, les graines et les cloisons blanches et coupez la pulpe en lanières. Lavez le persil, essorez-le et éliminez la tige.

5. Placez les lanières de jambon en cercle ou en ovale sur les germes de soja, puis les lanières d'omelette au milieu. Posez au centre du plat les lanières de poivron enroulées autour du persil. Servez sans attendre.

Nouilles aux huit parfums

Pour 4 personnes
Marinade : 20 mn
Préparation et cuisson : 15 mn

- 350 g de nouilles aux œufs
- 2 œufs
- 200 g de porc maigre
- 100 g de crevettes décortiquées
- 100 g de pousses de bambou*
- 100 g d'épinards frais
- 2 oignons nouveaux
- 1 cuil. à soupe de sauce de soja*
- 2 cuil. à café de Maïzena
- 1 cuil. à café de sucre en poudre
- 4 cuil. à soupe d'huile d'arachide
- sel

1. Coupez la viande de porc en lanières et mettez-la dans un saladier avec la sauce de soja, le sucre et la Maïzena. Laissez-la mariner pendant environ 20 mn.
2. Pendant ce temps, plongez les nouilles dans une casserole d'eau bouillante. Laissez-les cuire à petits bouillons pendant 5 mn, puis égouttez-les, rincez-les à l'eau courante froide et laissez-les égoutter dans une passoire.
3. Cassez les œufs dans un bol, saupoudrez-les d'un peu de sel et battez-les à la fourchette. Faites chauffer un peu d'huile dans une poêle, sur feu doux. Ajoutez les œufs et faites-les cuire en omelette. Glissez l'omelette sur une assiette et coupez-la en lanières.
4. Coupez les pousses de bambou en lanières. Équeutez les épinards, lavez-les, essorez-les et coupez-les en lanières. Pelez les oignons et coupez-les en tronçons de 2,5 cm.
5. Faites chauffer 1 cuillerée à soupe d'huile dans une sauteuse. Ajoutez les morceaux de viande et faites-les revenir en remuant constamment jusqu'à ce qu'ils commencent à dorer. Retirez-les à l'aide d'une écumoire en les égouttant bien.
6. Faites chauffer le reste de l'huile dans la sauteuse. Mettez-y les oignons nouveaux, puis les pousses de bambou, les épinards et un peu de sel. Mélangez. Ajoutez les crevettes, le porc et les lanières d'omelette. Remuez pendant 30 secondes, mouillez avec un peu d'eau si nécessaire, puis ajoutez les nouilles et poursuivez la cuisson, sans cesser de remuer, jusqu'à ce qu'il n'y ait plus de liquide dans la sauteuse.
7. Servez chaud.

Salade de rognons au céleri

Pour 2 personnes
Préparation et cuisson : 15 mn, 30 mn à l'avance

- 400 g de rognons
- 1 petit pied de céleri
- 25 g de gingembre frais*
- 2 oignons nouveaux
Pour la vinaigrette :
- 1 cuil. à soupe de vinaigre
- 1 cuil. à soupe d'huile de sésame*
- 2 cuil. à soupe de sauce de soja*
- 1 cuil. à café de purée de piment*
- 1/2 cuil. à café de sucre en poudre
Pour décorer (facultatif) :
- 1 tranche d'ananas
- 2 rondelles de radis
- 2 grains de raisin

1. Ôtez la pellicule qui recouvre les rognons. Coupez-les en deux, supprimez la graisse et la partie blanchâtre du centre, puis faites des incisions en forme de croix à la suface des rognons et coupez-les en morceaux, en suivant les lobes.
2. Plongez les rognons dans une casserole d'eau bouillante. Laissez-les cuire 3 mn, puis égouttez-les, rincez-les à l'eau courante froide, égouttez-les à nouveau et mettez-les sur un plat.
3. Nettoyez le céleri. Supprimez la partie dure du bas et les feuilles. Coupez les côtes en tranches fines, en taillant en biais. Disposez les morceaux de céleri autour des rognons.
4. Mettez tous les ingrédients de la vinaigrette dans un bol. Mélangez. Pelez le gingembre et coupez-le en tout petits bâtonnets. Pelez les oignons et hachez-les. Ajoutez les oignons et la moitié du gingembre à la vinaigrette. Mélangez, puis versez sur les rognons. Laissez macérer environ 30 mn avant de servir.
5. Au moment de servir, garnissez la salade avec le reste du gingembre. Coupez éventuellement la tranche d'ananas en quatre et faites 2 «nœuds papillon» avec les morceaux d'ananas, les rondelles de radis et les grains de raisin, puis placez-les aux deux extrémités du plat.

Foies et gésiers en salade

Pour 2 personnes
Marinade : 30 mn
Préparation et cuisson : 15 mn, 30 mn à l'avance

- 2 foies de poulet
- 2 gésiers de poulet
- 25 g de champignons séchés «oreilles de chat»*
- 15 g de gingembre frais*
- 2 côtes de céleri
- 1 cuil. à café de xérès sec
- 1/2 cuil. à café de Maïzena
- 1/2 cuil. à café de sel
Pour la vinaigrette :
- 2 cuil. à soupe de vinaigre
- 1 cuil. à soupe d'huile de sésame*
- 2 cuil. à soupe de sauce de soja*
- poivre

1. Nettoyez soigneusement les abats en veillant à ne laisser aucune trace de fiel. Coupez-les en petits morceaux et mettez-les dans un bol. Ajoutez le xérès, le sel et la Maïzena. Mélangez, puis laissez mariner pendant 30 mn. Mettez les champignons dans de l'eau tiède et laissez-les tremper pendant 20 mn.
2. Quand les champignons ont suffisamment trempé, égouttez-les et supprimez les parties dures. Plongez-les dans une casserole d'eau bouillante, laissez-les cuire à gros bouillons pendant 1 mn, puis égouttez-les, rincez-les à l'eau courante froide et égouttez-les à nouveau. Nettoyez les côtes de céleri, coupez-les en tranches fines, en taillant en biais. Pelez le gingembre et coupez-le en tout petits bâtonnets.
3. Plongez les abats dans une casserole d'eau bouillante. Laissez-les cuire à petits bouillons pendant 2 mn, puis égouttez-les et posez-les sur un plat, avec les champignons et le céleri.
4. Mélangez tous les ingrédients de la vinaigrette, ajoutez la moitié du gingembre et versez sur les abats et les légumes. Répartissez le reste du gingembre à la surface de la salade. Laissez refroidir pendant 30 mn avant de servir.

Salade de rognons au céleri; Germes de soja en salade.

Pâte frite

Pour 6 personnes
Préparation et cuisson : 20 mn

- 5 jaunes d'œufs
- 175 g de sucre en poudre
- 2 cuil. à soupe de Maïzena
- 5 cuil. à soupe d'huile d'arachide

1. Mettez les jaunes d'œufs dans un saladier. Ajoutez le sucre, la Maïzena et 1,5 dl d'eau. Battez au fouet à main.
2. Faites chauffer l'huile dans une poêle, jusqu'à ce qu'elle soit très chaude. Versez-en alors la moitié dans une tasse et mettez la pâte dans la poêle. Inclinez la poêle pour empêcher la pâte de se séparer en plusieurs morceaux. Remuez pendant 2 mn à la fourchette en ajoutant peu à peu le reste de l'huile tout autour de la pâte. Faites cuire la pâte jusqu'à ce qu'elle soit bien dorée et servez aussitôt.
Note :
Ce dessert est dit «trois fois incollable», parce qu'il ne colle ni à la poêle, ni aux baguettes de bambou ni aux dents des convives.

Bouchées à la crème de marron.

Crêpes fourrées croustillantes

Pour 6 personnes
Préparation et cuisson : 15 mn

- 100 g de farine
- 1 œuf
- 6 à 8 cuil. à soupe de pâte de haricots sucrée* ou de dattes hachées
- huile pour friture

1. Cassez l'œuf dans un bol et battez-le à la fourchette. Tamisez la farine au-dessus d'un saladier. Creusez un puits au centre et versez-y l'œuf battu, puis incorporez peu à peu 1,5 dl d'eau, sans cesser de battre le mélange, jusqu'à obtention d'une pâte lisse.
2. Huilez légèrement une poêle de 18 cm de diamètre. Mettez-la sur feu doux et, quand elle est très chaude, versez-y juste assez de pâte pour couvrir le fond, en inclinant la poêle pour bien la répartir. Laissez cuire environ 30 secondes, jusqu'à ce que la crêpe ait pris mais ne soit pas sèche sur le dessus. Retirez-la délicatement. Continuez ainsi jusqu'à épuisement de la pâte.
3. Divisez la pâte de haricots ou les dattes en autant de parts que vous avez de crêpes. Posez une part de hachis au centre de la face non cuite d'une crêpe. Repliez un bord sur les dattes, puis les deux bords situés de part et d'autre et enfin le bord opposé. Humectez le dernier bord avec un peu d'eau pour le souder en appuyant avec la paume de la main. Faites de même pour les autres crêpes.
4. Faites chauffer l'huile dans une friteuse et plongez-y les crêpes fourrées. Laissez-les frire pendant 1 mn environ, jusqu'à ce qu'elles soient dorées et croustillantes. Retirez-les délicatement à l'aide d'une écumoire et égouttez-les sur du papier absorbant.
5. Coupez chaque crêpe en 6 ou 8 tranches.
6. Servez chaud.

Bouchées
à la crème de marron

Pour 24 bouchées environ
Repos : 1 h 30 + 20 mn
Préparation et cuisson : 15 mn

- 450 g de farine + 20 g
- 3 dl de lait
- 2 cuil. 1/2 à café de sucre
- 1 cuil. 1/2 à soupe de levure lyophilisée
- 250 g de crème de marrons sucrée

1. Délayez la levure dans un verre avec le sucre et 3 dl d'eau tiède, puis laissez reposer environ 10 mn dans un endroit tiède, jusqu'à ce que la levure gonfle et double de volume.

2. Pendant ce temps, faites tiédir le lait. Tamisez la farine au-dessus d'un saladier. Incorporez-y ensuite peu à peu la levure, puis le lait tiède, en mélangeant jusqu'à obtention d'une pâte assez épaisse.

3. Farinez légèrement le plan de travail. Posez-y la pâte et travaillez-la pendant au moins 5 mn. Remettez-la dans le saladier, couvrez-la d'un linge humide et laissez-la reposer pendant 1 h 30 à 2 h dans un endroit tiède, jusqu'à ce qu'elle ait doublé de volume.

4. Farinez à nouveau le plan de travail. Posez-y la pâte et travaillez-la pendant 5 mn, puis roulez-la sous la paume de la main pour former un boudin allongé d'environ 5 cm de diamètre. Coupez ce boudin en tronçons de 2,5 cm à l'aide d'un couteau pointu. Aplatissez les tronçons avec la paume de la main, puis avec un rouleau à pâtisserie, de manière à former des cercles de 10 cm de diamètre.

5. Déposez 1 cuillerée à café de crème de marrons au centre de chaque cercle, puis relevez les bords de façon à former des boules en enfermant la crème au milieu. Fermez les boules en entortillant le sommet, puis laissez-les reposer pendant au moins 20 mn.

6. Posez les bouchées dans le panier perforé d'une marmite à vapeur en les espaçant de 2,5 cm. Faites-les cuire à la vapeur pendant 15 à 20 mn. Répétez l'opération jusqu'à ce que toutes les bouchées soient cuites. Gardez-les au chaud dans un plat posé sur une casserole d'eau bouillante.

7. Servez les bouchées toutes chaudes.

Gâteau
de fruits meringué

Pour 4 personnes
Préparation : 15 mn
Cuisson : 15 mn

- 2 pommes reinettes
- 2 bananes
- 2 œufs
- 100 g de sucre en poudre
- 3 cuil. à soupe de lait
- 3 cuil. à soupe de Maïzena
- le jus d'un 1/2 citron

1. Pelez les pommes, coupez-les en quartiers, ôtez le cœur et les pépins et coupez les quartiers en tranches fines. Pelez les bananes et coupez-les en tranches fines. Étalez les tranches dans un plat à four en faisant alterner les couches de pommes et les couches de banane et en arrosant chaque couche d'un peu de jus de citron.

2. Allumez le four, thermostat 7 (220 °C). Cassez les œufs en séparant les blancs des jaunes. Mettez les jaunes dans une terrine. Ajoutez le sucre, le lait, la Maïzena et 3 cuillerées à soupe d'eau en battant à la fourchette.

3. Versez la préparation dans une poêle à revêtement antiadhésif et faites chauffer doucement en remuant constamment jusqu'à ce que le mélange soit homogène. Versez-le sur les fruits.

4. Battez les blancs d'œufs en neige très ferme, puis étalez-les sur la préparation aux fruits à l'aide d'une cuillère. Enfournez le plat.

5. Laissez cuire pendant 5 mn environ, jusqu'à ce que le dessus soit légèrement doré.

6. Servez chaud ou froid.

Japon

Kay Shimizu

Le grand poête japonais Matsuo Bashô
(1644-1694) a chanté son pays, et, à travers ses
haiku (courts poèmes), on retrouve nombre
d'allusions à la nourriture. Le Japon est sans nul
doute le seul pays au monde où la cuisine tient
une place si importante et si particulière dans la
vie de tous les jours. Le pays vit à l'heure des
saisons et dès l'apparition des primeurs, on
assiste à de véritables fêtes. Les premières
fraises, par exemple, donnent lieu à un événement
et on les vend à la pièce, dans des emballages qui
sont de véritables paquets-cadeaux. Il ne
viendrait pas à l'idée d'un Japonais de manger un
produit hors saison ; d'ailleurs, il n'en trouverait
pas.

Le Japon est aussi le seul pays où la cuisine se
doit, avant d'être bonne, d'être belle. Le
raffinement se trouve dans les laques, les plats de
terre ou de porcelaine, mais aussi dans l'art de
choisir et d'arranger les ingrédients ; il faut
marier les formes, les goûts et les couleurs. Et
toute personne qui se rend pour la première fois
dans un restaurant japonais sera agréablement
surprise par tant de beauté.

Cette cuisine tout à fait particulière ne
ressemble à aucune autre. On y trouve, bien sûr,
les mêmes ingrédients que dans les pays voisins,
mais la ressemblance s'arrête là.

Matières premières et ingrédients

Succession d'îles, de tailles fort variées, le Japon
est entouré de mers riches en poissons et en
coquillages. La cuisine accorde une grande place
à ces produits marins, mais il faut également
citer le riz, qui est la nourriture de base de tous
les pays d'Asie, ce riz qui, au Moyen Age, était
prélevé comme impôt par les *daimyo* (seigneurs
de la guerre). Le repas japonais d'ailleurs
s'articule toujours autour du riz, auquel s'ajoute
invariablement un potage *(shirumono)*, un plat
cuisiné *(nimono)* et un accompagnement *(sake non
sakana)*. Les plats ne sont pas servis les uns
après les autres, mais tous ensemble. La boisson
la plus courante est sans aucun doute le thé vert,
servi très chaud dans des chopes sans anse, bien
que la consommation de bière soit de plus en plus
fréquente. Quant au *saké* (alcool de riz), il est
reservé aux jours de fête ; il est présenté dans de
petites flasques de porcelaine et on le boit, tiède,

dans de petits gobelets de la même porcelaine. Le
saké est servi en toute petite quantité afin
d'empêcher son refroidissement.

Comme nous l'avons vu, c'est le riz qui est la
base de la nourriture nippone, le riz qui est
tellement important que le riz cuit *(gohan)*
signifie aussi repas. On distingue deux types de
riz d'usage courant : *kome* (qui porte le nom de
shin-mai lorsqu'il est de la dernière récolte), qui
est un riz à grains ronds, et le riz réservé aux
gâteaux, *mochi gome* ou riz gluant, et qui sert

et sans doute la plus facile à utiliser — est l'algue *nori*, qui se présente comme de grands rectangles noirs ou vert sombre. C'est elle qui est le plus souvent utilisée dans la préparation des *sushi*. Mais il faut aussi citer les algues *wakame* et *hijiki*, la dernière étant utilisée comme un légume.

Les poissons subissent quelquefois des transformations surprenantes ; ainsi la bonite, qui est séchée, puis râpée. Elle se vend entière ou sous forme de copeaux, et porte le nom de *katsuobushi*. Elle entre dans la composition de certains *sushi* et potages.

Autre ingrédient indispensable à la cuisine japonaise : le soja et ses dérivés. Chez nous, nous le connaissons surtout sous forme de pousses fraîches : les germes de soja. Ce petit haricot sec blanchâtre donne le *miso*, pâte de soja fermentée qui se présente comme une pâte très épaisse plus ou moins sombre. Il en existe plusieurs variétés, dont les plus connues sont le miso blanc *(shiro miso)* et le miso rouge *(aka miso)*, le second étant beaucoup plus salé que le premier. Cette pâte sert à parfumer des soupes, préparer des marinades, déglacer des sauces... Vient ensuite le pâté (ou fromage) de soja appelé *tofu* (connu dans d'autres pays d'Asie, dont la Chine) : il se présente comme un pavé blanchâtre de 7 × 10 × 4 cm (cette mesure particulière porte le nom de *chò*) et pèse environ 300 g. Le *tofu* se déguste préparé de diverses manières, et sa richesse en protéines en fait l'une des nourritures de base des végétariens. La sauce de soja, enfin, très connue chez nous (grâce à la cuisine chinoise), qui entre dans la composition de presque tous les plats japonais. Il faut noter que son goût est légèrement différent de celui de la sauce chinoise et qu'elle est moins épaisse et de couleur plus foncée.

Les ustensiles

Indispensable à toute cuisinière japonaise : l'autocuiseur à riz. Il se présente comme une petite marmite électrique qui, outre la cuisson du riz, permet sa conservation au chaud et un réchauffement à la vapeur.

Le *surabachi* est un mortier en terre, vernissé seulement à l'extérieur et dont la surface interne, rugueuse, permet un broyage parfait effectué avec un pilon de bois.

Le *wok* (bassine bombée en fonte), l'ustensile très connu de la cuisine chinoise, est aussi utilisé au Japon pour réaliser toutes sortes de sautés.

La poêle rectangulaire n'est utilisée que pour la cuisson des omelettes, qui sont roulées et se présentent comme de véritables feuilletés. Vous pouvez utiliser votre poêle habituelle.

Les moules à *sushi* sont des moules de bois ou de plastique qui permettent de réaliser plus facilement les bouchées de riz lorsqu'on n'est pas un spécialiste.

aussi à la préparation de certains plats spéciaux comme le Riz au haricots (voir page 197).

Les produits de la mer ont eux aussi une place de choix dans la cuisine japonaise. Les poissons et coquillages, bien sûr, qui ressemblent à ceux que nous consommons chez nous, mais surtout les algues donnent une teinte particulière aux plats. Ces algues, vous les trouverez dans les épiceries asiatiques ; elles se présentent sous diverses formes et servent toutes à des préparations bien particulières. La plus connue —

Soupe aux crevettes et aux légumes

Pour 6 personnes
Préparation et cuisson : 1 h

- 100 g de nouilles de haricots de soja*
- 6 champignons shiitake secs*
- 1 litre de Bouillon japonais (page ci-contre)
- 100 g de crevettes cuites décortiquées
- 6 pois mangetout
- 6 oignons nouveaux
- 2 carottes
- 100 g de chou chinois*
- 6 feuilles de menthe fraîche*
- 1 pincée de glutamate de sodium*

Pour la garniture :
- 25 g de gingembre frais*
- 2 oignons nouveaux
- 50 g de radis blanc

Soupe aux crevettes et aux légumes (en haut);
Soupe à la pâte de soja (en bas).

1. Faites bouillir de l'eau dans une casserole et faites-y cuire les nouilles à petits frémissements pendant 30 mn. Mettez les champignons dans une casserole, couvrez d'eau, portez à ébullition et laissez frémir pendant 20 mn. Équeutez et effilez les pois mangetout, plongez-les 5 mn dans de l'eau bouillante, puis égouttez-les.
2. Pelez les oignons nouveaux et coupez-les en tronçons de 4 cm de long. Pelez les carottes, lavez-les et coupez-les en rondelles. Lavez le chou et coupez-le en tranches de 2 cm d'épaisseur. Lavez les feuilles de menthe et essorez-les.
3. Préparez la garniture : pelez le gingembre et râpez-le. Pelez les oignons et hachez-les menu. Lavez le radis blanc et hachez-le finement au couteau.
4. Égouttez les nouilles et les champignons, en réservant l'eau de cuisson de ces derniers. Rangez nouilles, champignons, crevettes et autres légumes dans un grand plat. Mettez la garniture dans des coupelles individuelles.
5. Versez le jus de cuisson des champignons dans le bouillon et portez à ébullition. Laissez frémir 5 mn, ajoutez le glutamate de sodium et retirez du feu.
6. Versez le bouillon dans des bols et servez aussitôt avec le plateau de légumes, crevettes et nouilles, et les garnitures à part. Chacun se servira en légumes, crevettes et nouilles, les mettra dans le bouillon et assaisonnera de gingembre, oignon et radis blanc.

Soupe à la pâte de soja

Pour 4 personnes
Préparation et cuisson : 10 mn

- 200 g de pâte de soja fermentée, blanche*
- 1,2 litre de Bouillon japonais (page ci-contre)
- 1 fromage de soja*
- le vert de 2 oignons nouveaux

1. Coupez le fromage de soja en cubes de 1 cm de côté. Lavez le vert d'oignon et coupez-le en fines rondelles. Délayez la pâte de soja dans un peu de bouillon.
2. Versez le bouillon et la pâte de soja délayée dans une casserole, portez à ébullition, ajoutez les cubes de fromage de soja et laissez frémir pendant 1 mn. Éteignez le feu, couvrez la casserole et laissez reposer pendant 1 mn.
3. Versez la soupe dans des bols, parsemez de vert d'oignon et servez aussitôt.
Note :
Cette soupe est réalisée avec de la pâte de soja fermentée — *miso* — blanche, mais vous pouvez également la préparer avec de la pâte rouge ; la soupe sera alors un peu plus salée.

Bouillon japonais

Pour 6 personnes
Préparation et cuisson : 10 mn

- 1 morceau d'algue kombu*
  de 10 mm de côté
- 15 g de copeaux de bonite séchée
- 1 cuil. à café de sauce de soja légère*

1. Essuyez l'algue à l'aide d'un linge humide, puis mettez-la dans une casserole. Ajoutez-y 1,2 litre d'eau et portez à ébullition. Retirez du feu et ôtez l'algue à l'aide d'une écumoire.
2. Passez le bouillon à la passoire et remettez-le dans la casserole.
3. Mettez les copeaux de bonite dans la casserole et posez-la sur feu doux. Portez à ébullition, puis retirez du feu. Laissez reposer pendant 2 à 3 mn, jusqu'à ce que les copeaux de bonite retombent au fond de la casserole.

4. Passez le bouillon à la passoire et ajoutez la sauce de soja. Le bouillon est prêt à l'utilisation.
Note :
Ce bouillon — *ichiban dashi* — est appelé bouillon «premier» par opposition au bouillon «second» — *niban dashi* —, réalisé avec les algues et les copeaux de bonite du bouillon premier. Pour le bouillon second, algue et bonite sont recuits pendant 2 mn à petits frémissements, dans de l'eau, puis on les laisse reposer pendant 5 mn avant de passer le bouillon. Le bouillon premier est utilisé surtout pour les potages, les assaisonnements et les sauces. Le bouillon second entre surtout dans la préparation des plats cuisinés. La première étape de la préparation du bouillon premier donne un bouillon qui porte le nom de *kombu dashi* (du nom de l'algue) ; ce bouillon sert surtout à la préparation des fondues japonaises.

Friture mélangée

Pour 6 personnes
Préparation et cuisson : 1 h

- 6 gambas
- 1 blanc de seiche
- 1 patate douce de taille moyenne
- 1 petite aubergine
- 1 poivron vert
- 4 champignons
- 1 oignon
- 12 haricots verts fins
- huile pour friture

Pour la pâte :
- 50 g de farine
- 50 g de Maïzena
- 1 1/2 cuil. à café de levure chimique
- 1 œuf
- 1/2 cuil. à café de sel

Pour la sauce :
- 1/2 litre de Bouillon japonais (page 179)
- 2 cuil. à soupe de sauce de soja légère*
- 2 cuil. à soupe de mirin*

Pour servir :
- 50 g de racine de gingembre frais*
- 50 g de radis blanc

1. Préparez la sauce, versez 1/4 de litre d'eau glacée dans une terrine, cassez-y l'œuf et battez au fouet en y incorporant farine, Maïzena, sel et levure, en les tamisant. Réservez au réfrigérateur.

2. Préparez les gambas : ôtez la tête et la carapace mais laissez-leur la queue. Fendez-les sur le dessus et ôtez le boyau noir. Coupez le blanc de seiche en 12 carrés et, à l'aide d'un couteau bien aiguisé, dessinez des croisillons sur toute la surface des carrés. Équeutez les haricots. Pelez l'oignon et coupez-le en fines rondelles. Lavez l'aubergine, essuyez-la et coupez-la en rondelles de 1 cm d'épaisseur. Lavez le poivron, essuyez-le, coupez-

le en fines rondelles et ôtez les graines. Pelez la patate douce, lavez-la et coupez-la en tranches de 1/2 cm d'épaisseur. Ôtez le pied des champignons, lavez le chapeau et essorez-le.

3. Faites chauffer l'huile dans une friteuse. Retirez la pâte du réfrigérateur et battez-la au fouet une dernière fois. Lorsque l'huile est bien chaude — elle ne doit pas fumer — plongez les ingrédients dans la pâte, puis dans l'huile, 5 ou 6 à la fois, en commençant par les gambas, puis les carrés de seiche et enfin les légumes. Laissez cuire pendant 4 à 5 mn, en retournant plusieurs fois la friture dans l'huile.

4. Retirez la friture de la friteuse à l'aide d'une écumoire et égouttez-la sur du papier absorbant.

5. Dès que toute la friture est cuite, versez le bouillon, la sauce de soja et le mirin dans une casserole et portez à ébullition. Pelez le gingembre et le radis, et hachez-les séparément. Mettez-les dans des coupelles individuelles. Répartissez la sauce entre 6 coupelles.

6. Mettez la friture dans un plat de service et portez à table. Chacun assaisonnera sa sauce de radis et de gingembre, puis y plongera la friture toute chaude avant de la déguster.

Notes :
- Cette friture est légère et croustillante à cause de la qualité de la pâte. Pour la cuisson, choisissez plutôt de l'huile d'arachide, car elle supporte très bien les hautes températures.
- On peut aussi faire frire des lamelles de poisson, des coquillages, ou d'autres légumes, selon ce dont on dispose et selon la saison.
- Les ingrédients doivent toujours être coupés en lamelles pour cuire le plus rapidement possible.

Coquilles Saint-Jacques aux oignons

Pour 4 personnes
Préparation et cuisson : 20 mn

- 12 noix de coquilles Saint-Jacques fraîches
- 25 oignons nouveaux
- 3 lanières d'algue marine wakame*

Pour la sauce :
- 3 cuil. à soupe de pâte de soja* fermentée, blanche
- 3 cuil. à soupe de Bouillon japonais (page 179)
- 1 cuil. à soupe de su*

1. Lavez les oignons. Faites bouillir de l'eau dans une casserole, plongez-y les oignons et laissez-les frémir pendant 2 mn. Passez-les ensuite sous l'eau courante et égouttez-les.

2. Faites bouillir de l'eau dans une seconde casserole, plongez-y les noix de coquille Saint-Jacques et laissez-les frémir pendant 5 mn. Égouttez-les dans une passoire.

3. Mettez l'algue dans un bol, couvrez-la d'eau tiède et laissez-la reposer pendant 10 mn.

4. Pendant ce temps, coupez les oignons en tronçons de 5 cm de long. Coupez les noix de coquilles Saint-Jacques en deux dans l'épaisseur. Délayez la pâte de soja dans le bouillon et le su et versez cette préparation dans une casserole. Portez à ébullition et laissez frémir pendant 3 mn, en remuant sans arrêt.

5. Égouttez l'algue et coupez-la en fines lamelles. Mettez ces lamelles dans une terrine avec les oignons et les noix de coquilles Saint-Jacques. Versez dessus la sauce chaude, mélangez et laissez refroidir, en remuant de temps en temps.

6. Servez à la température ambiante.

Poisson cru.

Poisson cru

Pour 4 personnes
Préparation : 30 mn

- 750 g de poissons mélangés : daurade, thon, saumon, loup...
- 200 g de blanc de seiche
- 4 crevettes cuites
- 4 cuil. à café d'œufs de saumon
- 1/2 concombre
- le vert de 2 oignons nouveaux (facultatif)
- 1 carotte (facultatif)
- 1 radis blanc

Pour servir :
- wasabi*
- sauce de soja légère*

1. Pelez (éventuellement) la carotte et le radis et râpez-les. Coupez (éventuellement) le vert d'oignon en très fines lanières. Lavez le concombre, essuyez-le et coupez-le en fines rondelles, dans le biais.
2. Découpez les poissons en lanières de 3 cm × 1 cm. Coupez la seiche en fins bâtonnets.
3. Répartissez les poissons, les crevettes et les légumes sur 4 plateaux en bois. Faites 4 fleurs avec les bâtonnets de seiche et mettez les œufs de saumon au centre. Déposez une fleur sur chaque plateau.
4. Déposez une noisette de wasabi sur chaque plateau et servez aussitôt avec une coupelle de soja. Chacun délayera le wasabi dans le soja et plongera les morceaux de poisson dans la sauce avant de les déguster.

Notes :
- Il est important que les poissons soient très frais. Choisissez-les donc avec soin et demandez à votre poissonier de vous les débiter en filets (pour la daurade et le loup). Les chefs japonais préparent eux-mêmes les filets et, surtout, enlèvent les arêtes à l'aide d'une pince. Vous pouvez réaliser cette opération vous-même en utilisant une pince à épiler que vous réserverez à cet usage.
- La découpe des morceaux de poisson, des coquillages ou des mollusques comme le calmar — qui est souvent servi dans ce plat — ou la seiche est très particulière et il serait trop long de vous expliquer ici tous les détails. Mais sachez qu'il vous faut obtenir des bouchées pas trop grosses, ou de fines lanières qui soient faciles à attraper avec des baguettes et faciles à manger. Les coquillages crus peuvent également entrer dans la composition de cette préparation ; on peut choisir des huîtres, des clams ou des vernis.
- Les Japonais découpent toujours les légumes à la main. Ainsi le radis sera d'abord découpé en longue feuille transparente ; cette feuille sera ensuite roulée puis découpée en fils de 1 mm de large. Mais il vous sera plus facile de le râper sur une râpe à gros trous.

Salade de crabe au concombre

Pour 4 personnes
Préparation : 5 mn
Repos : 20 mn + 2 h

- 200 g de chair de crabe cuite
- 1 concombre
- 1/4 de cuil. à café de sel

Pour la sauce :
- 5 cuil. à soupe de su*
- 1 cuil. à soupe de sucre
- 1/2 cuil. à café de sel

Pour la garniture :
- 1 cuil. à soupe de graines de sésame*

1. Lavez le concombre, essuyez-le, ôtez-en les extrémités et coupez-le en fines rondelles, en biais. Mettez-les dans une terrine, ajoutez le sel, mélangez et laissez reposer pendant 20 mn.
2. Pendant ce temps, préparez le crabe : émiettez-le finement en retirant les cartilages qui pourraient y être restés. Préparez la sauce : mettez le sucre, le sel et le su dans un bol et mélangez bien jusqu'à ce que le sucre et le sel soient fondus.
3. Au bout de 20 mn de repos, retirez le concombre de la terrine, passez-le sous l'eau froide et essorez-le dans du papier absorbant.
4. Mettez les lamelles de concombre dans la terrine rincée et essuyée. Ajoutez-y le crabe et versez la sauce. Mélangez, puis mettez au réfrigérateur et laissez reposer pendant 2 h.
5. Au bout de ce temps, répartissez la salade et sa sauce dans 4 assiettes, parsemez de graines de sésame et servez bien frais.

Saumon mariné grillé

Pour 4 personnes
Préparation et cuisson : 20 mn
Repos : 12 h + 12 h

- 4 tranches de saumon frais de 150 g chacune
- 1 1/2 cuil. à café de sel

Pour la marinade :
- 1/2 litre de kasu*
- 200 g de sucre

Pour servir :
- 1 cœur de laitue
- 1 petit radis blanc

1. Poudrez les tranches de saumon de sel sur les deux faces, enfermez-les dans du film plastique et mettez-les au réfrigérateur. Laissez macérer pendant 12 h.

2. Au bout de ce temps, retirez le saumon du réfrigérateur et passez-le sous l'eau courante. Essuyez-le dans du papier absorbant. Mettez-le dans une terrine. Mélangez le sucre et le kasu, en l'écrasant à la fourchette, et versez ce mélange sur la marinade. Couvrez et laissez mariner 12 h au réfrigérateur.

3. Au bout de ce temps, faites chauffer un gril en fonte. Lavez la salade et coupez-la en fines lanières. Pelez le radis blanc, lavez-le, coupez-le en petits dés, mettez-le dans une casserole avec 3 cuillerées à soupe d'eau et portez à ébullition. Laissez cuire pendant 10 mn environ, jusqu'à ce que le radis soit tendre, puis réduisez-le en purée en l'écrasant à la fourchette.

4. Lorsque le gril est chaud, retirez le saumon de la marinade, épongez-le et posez-le sur le gril. Laissez-le cuire pendant 8 mn, en retournant les tranches à mi-cuisson.

5. Lorsque le saumon est cuit, posez-le sur un plat de service avec la salade et le radis en purée et servez chaud.

Daurade grillée au sel

Pour 4 personnes
Préparation et cuisson : 30 mn
Repos : 30 mn

- 1 daurade rose de 1 kg
- sel

Pour servir :
- 1 cœur de laitue
- 1 citron
- sauce de soja légère*

1. Écaillez le poisson, videz-le, passez-le sous l'eau courante et essorez-le. Salez-le à l'intérieur et à l'extérieur. Laissez-le reposer pendant 30 mn.

2. Au bout de ce temps, faites chauffer un gril en fonte. Faites 3 entailles profondes sur les deux faces du poisson.

3. Lorsque le gril est bien chaud, posez-y le poisson et laissez-le griller 12 mn de chaque côté.

4. Pendant ce temps, lavez la laitue, essorez-la et coupez-la en fines lanières. Coupez le citron en quartiers.

5. Lorsque la daurade est cuite, posez-la sur un plat de service avec la laitue et le citron. Servez-la aussitôt avec de la sauce de soja légère.

Note :
Vous pouvez préparer de la même façon une daurade grise ou 2 maquereaux de 500 g chacun.

Saumon braisé

Pour 6 personnes
Préparation : 15 mn
Cuisson : 15 mn

- 1 morceau de saumon frais de 1 kg
- 1 oignon
- 1 cuil. à soupe de saké*
- 4 cuil. à soupe de soja légère*
- 2 1/2 cuil. à soupe de sucre
- 25 g de gingembre frais*
- 1 cuil. à soupe d'huile

1. Pelez l'oignon et émincez-le. Otez la peau et les arêtes du saumon et coupez-le en 12 morceaux. Mettez le saké, la sauce de soja, le sucre et 2 cuillerées à soupe d'eau dans un bol. Pelez le gingembre et râpez-le au-dessus du bol. Mélangez.

2. Faites chauffer l'huile dans une poêle, ajoutez-y le poisson et les oignons et laissez cuire pendant 5 mn, en remuant délicatement avec une spatule pour ne pas briser le poisson

3. Au bout de ce temps, versez le contenu du bol dans la poêle, couvrez et laissez mijoter pendant 10 mn.

4. Lorsque le poisson est cuit, mettez-le dans un plat creux avec sa sauce et servez-le tout chaud.

Note :
Accompagnez ce plat de riz blanc et assaisonnez-le de shichimi toragashi*.

Daurade grillée au sel; Saumon mariné grillé.

Marmite de poissons et de légumes

Pour 4 personnes
Préparation : 30 mn
Cuisson : 15 mn

- 250 g de filets de poisson : daurade, lieu, cabillaud...
- 4 champignons shiitake frais*
- 1 fromage de soja*
- 4 grandes feuilles de chou chinois*
- 1 carré d'algue kombu* de 15 cm de côté

Pour la sauce :
- 1,2 dl de sauce de soja légère*
- 1,7 dl de jus de citron

Pour servir :
- graines de sésame grillées*
- gingembre frais râpé*
- shichimi toragashi*
- oignons nouveaux hachés

1. Coupez les filets de poisson en carrés de 4 cm de côté. Lavez les oignons et coupez-les en tranches de 2,5 cm de côté, en biais. Otez le pied des champignons, lavez les chapeaux et essorez-les. Lavez les feuilles de chou et coupez-les en lanières de 5 cm de côté. Essuyez l'algue avec un linge humide. Coupez le fromage de soja en cubes de 1 cm de côté.
2. Préparez la sauce : versez la sauce de soja et le jus de citron dans un bol et ajoutez les assaisonnements de votre choix (voir ci-dessus «pour servir»).
3. Versez 2 litres d'eau dans une marmite, ajoutez l'algue et portez à ébullition. Plongez-y alors les morceaux de poisson. Dès que l'ébullition reprend, plongez-y les oignons, les champignons, le fromage de soja et le chou. Laissez reprendre l'ébullition, puis comptez 10 mn de cuisson.
4. Mettez le poisson et les légumes dans une soupière, arrosez-les du jus de cuisson et servez aussitôt, dans 4 coupelles, avec la sauce à part. Chaque convive trempera poisson et légumes dans la sauce avant de les déguster.

Soupe de poulet aux œufs

Pour 4 personnes
Préparation : 30 mn
Cuisson : 15 mn

- 1 blanc de poulet, sans peau
- 1/2 litre de Bouillon japonais (page 179)
- 3 œufs
- 4 champignons shiitake frais*
- 4 gambas crues
- 2 carottes
- 1 1/2 cuil. à soupe de mirin*
- 2 1/2 cuil. à soupe de sauce de soja légère*
- 2 cuil. à soupe de saké*

1. Coupez le poulet en fines lamelles, arrosez-les de 1/2 cuillerée à soupe de sauce de soja et 1 cuillerée à soupe de saké. Otez la tête et la carapace des gambas, fendez-les en deux et ôtez-en le boyau noir ; arrosez-les de la seconde cuillerée de saké.

2. Pelez les carottes et coupez-les en très fines rondelles. Otez le pied des champignons, lavez les chapeaux, essorez-les et coupez-les en fines lamelles. Cassez les œufs dans un bol et battez-les.

3. Versez le bouillon dans une terrine, ajoutez le mirin et le reste de la sauce de soja. Versez-y les œufs en les passant à travers une passoire.

4. Versez le bouillon dans 4 bols supportant la chaleur et répartissez-y le poulet, les gambas et les légumes. Posez les bols dans une marmite et versez-y de l'eau bouillante, jusqu'à ce qu'elle arrive au niveau du milieu des bols. Couvrez la marmite et portez à ébullition. Laissez cuire pendant 15 mn à petits frémissements, jusqu'à ce que les œufs soient pris.

5. Retirez les bols de la marmite et servez sans attendre.

Fondue de poulet aux légumes

Pour 6 personnes
Préparation et cuisson : 1 h

- 1 poulet de 1,2 kg
- 8 champignons shiitake*
- 1 poivron vert
- 1 petit concombre
- 3 carottes
- 1 fromage de soja*
- 1 petit chou chinois*
- 1 litre de Bouillon japonais (page 179)
- 1 carré d'algue kombu* de 10 cm de côté
- 6 oignons nouveaux

Fondue de poulet aux légumes.

Pour la sauce gomatare :

- 1 cuil. à soupe de pâte de soja fermentée, blanche*
- 4 cuil. à soupe de graines de sésame*
- 3 cuil. à soupe de mirin*
- 1 cuil. à soupe de sucre
- 2 cuil. à soupe de sauce de soja légère*
- 1,2 dl de Bouillon japonais (page 179)
- 1/2 cuil. à café d'huile

1. Otez la peau du poulet et coupez-le en morceaux de 2,5 cm de long en retirant les os. Coupez le pied terreux des champignons, lavez les chapeaux et essorez-les. Lavez le poivron, essuyez-le, coupez-le en deux dans le sens de la longueur, ôtez les graines et les filaments blancs et découpez la pulpe en lanières. Lavez le concombre, coupez-le en tronçons de 4 cm de long, puis éliminez le centre et conservez la peau avec 1 cm de pulpe; découpez cette peau en lanières, sans les détacher.

Pelez les carottes et découpez-les en fines rondelles. Coupez le fromage de soja en cubes de 1 cm de côté. Otez les feuilles extérieures du chou chinois, puis coupez-le en rondelles de 2 cm d'épaisseur. Coupez les oignons en deux.

2. Préparez la sauce : mettez les graines de sésame dans une poêle à revêtement antiadhésif et faites-les dorer sur feu doux. Retirez-les du feu et laissez-les refroidir dans une assiette. Mettez la pâte de soja dans une terrine, ajoutez-y la sauce de soja, le mirin et le bouillon, en battant avec un fouet pour délayer la pâte de soja. Ajoutez l'huile, le sucre et les graines de sésame et mélangez. Répartissez la sauce dans 6 coupelles.

3. Rangez le poulet et les légumes d'une façon décorative sur un grand plat.

4. Coupez l'algue en lanières. Versez le bouillon dans une casserole, portez à ébullition, ajoutez l'algue et laissez frémir pendant 2 mn. Versez dans des bols et servez aussitôt.

5. Chaque convive trempera poulet et légumes quelques minutes dans le bouillon avant de les déguster.

Riz au poulet et aux œufs

Pour 4 personnes
Préparation : 15 mn
Cuisson 10 mn

- 100 g de blanc de poulet, sans peau
- 100 g de champignons de Paris
- 100 g de riz blanc cuit, chaud
- 5 œufs
- 2,5 dl de Bouillon japonais (page 179)
- 3 cuil. à soupe de sauce de soja légère*
- 2 cuil. à soupe de saké*
- 2 oignons nouveaux

1. Coupez le blanc de poulet en fines lanières. Nettoyez les champignons en ôtant la partie terreuse du pied, lavez les champignons, égouttez-les et coupez-les en fines lamelles. Lavez les oignons et coupez-les en fines rondelles.

2. Versez le bouillon dans une casserole, portez à ébullition, ajoutez le soja, le saké, le poulet, les oignons et les œufs. Laissez reprendre l'ébullition et comptez 8 mn.

3. Répartissez le riz chaud dans 4 bols.

4. Lorsque le bouillon a cuit 8 mn, cassez-y les œufs en battant avec un fouet à main. Dès qu'ils commencent à prendre, retirez la casserole du feu et répartissez le bouillon, le poulet, les champignons et les oignons sur le riz, dans les bols. Servez sans attendre.

Brochettes de poulet

Pour 4 personnes
Préparation : 10 mn
Marinade : 30 mn
Cuisson : 4 mn

- 1 kg de poulet, sans os ni peau
- 2 poivrons verts
- 10 oignons nouveaux

Pour la marinade :
- 1,75 dl de sauce de soja légère*
- 1,75 dl de saké*
- 50 g de sucre

1. Préparez la marinade : mettez dans un bol la sauce de soja, le saké et le sucre, et mélangez.

2. Préparez les brochettes : coupez le poulet en cubes de 4 cm de côté. Lavez les poivrons, essuyez-les, coupez-les en deux, ôtez les graines et les cloisons blanches, et coupez la pulpe en morceaux de 4 cm de côté. Coupez les oignons et tronçons de 4 cm de long.

3. Enfilez, en alternance, sur 8 petites brochettes de bambou, poulet, oignon, poulet, poivron... Posez les brochettes sur une assiette, arrosez-les de la marinade et laissez-les reposer pendant 30 mn, en les retournant de temps en temps.

4. Au bout de ce temps, préparez des braises ou faites chauffer un gril en fonte. Faites-y griller les brochettes 2 mn de chaque côté en les arrosant de marinade.

5. Servez les brochettes bien chaudes.

Note :

Les brochettes préparées au Japon sont en fait d'origine coréenne. Elles sont très répandues et appréciées dans le pays.

Brochettes de porc

Pour 4 personnes
Préparation : 10 mn
Marinade : 1 h
Cuisson : 6 mn

- 1 kg de porc : échine ou palette, désossé
- 25 g de racine de gingembre frais*
- 1 oignon
- 5 cuil. à soupe de sauce de soja légère*
- 4 cuil. à soupe de sucre
- 4 cuil. à soupe de saké*
- 1/4 de cuil. à café de glutamate de sodium* (facultatif)

1. Mettez la sauce de soja, le sucre, le saké et, éventuellement, le glutamate de sodium dans une terrine. Mélangez.

2. Pelez le gingembre et râpez-le au-dessus de la terrine. Pelez l'oignon et hachez-le menu. Coupez le porc en lanières de 4 cm × 2 cm.

3. Mettez porc et oignon dans la terrine, mélangez et laissez mariner pendant 1 h en remuant de temps en temps.

4. Au bout de ce temps, préparez des braises ou faites chauffer un grill en fonte. Répartissez le porc entre 8 petites brochettes en bambou.

5. Faites griller les brochettes 3 mn de chaque côté en les arrosant de temps en temps de marinade.

6. Servez les brochettes toutes chaudes.

Note :

Vous pouvez utiliser la même marinade pour des lanières de bœuf ou des crevettes. Des tronçons d'oignons nouveaux peuvent alterner avec les morceaux de porc.

Porc pané en friture

Pour 6 personnes
Préparation : 10 mn
Cuisson : 15 mn

- 6 tranches de filet de porc de 120 g chacune, sans os
- 2 œufs
- 4 cuil. à soupe de farine
- 4 cuil. à soupe de panko* ou de chapelure blanche
- huile pour friture
- sel, poivre

Pour servir :
- 200 g de chou blanc
- sauce tonkatsu*

1. Salez et poivrez les tranches de porc, puis passez-les dans la farine et secouez-les pour en éliminer l'excédent. Cassez les œufs, battez-les à la fourchette et passez-y les côtes de porc. Passez-les ensuite dans la chapelure en appuyant bien pour la faire adhérer.

2. Faites chauffer l'huile dans une friteuse. Dès qu'elle est bien chaude, plongez-y les tranches de porc et laissez-les cuire pendant 15 mn, en les retournant souvent.

3. Pendant ce temps, lavez le chou et émincez-le finement.

4. Retirez le porc de la friture et égouttez-le sur du papier absorbant. Découpez chaque tranche en 6 morceaux et mettez-les, en reformant la tranche, sur un plat de service.

5. Entourez les tranches de porc de chou et servez sans attendre avec de la sauce tonkatsu.

Bœuf
au soja fermenté

Pour 4 personnes
Préparation : 15 mn
Cuisson : 15 mn

- 750 g de bœuf : faux-filet ou rumsteck
- 4 cuil. à soupe de pâte de soja fermentée, rouge*
- 2 cuil. à soupe de sauce de soja légère*
- 1 1/2 cuil. à soupe de sucre
- 25 g de racine de gingembre frais*
- 1 oignon nouveau
- 2 cuil. à soupe d'huile

Pour servir :
- 2 cuil. à soupe de graines de sésame*

1. Pelez le gingembre et râpez-le au-dessus d'une terrine. Pelez l'oignon, hachez-le et ajoutez-le dans la terrine avec la pâte de soja, la sauce de soja et le sucre. Mélangez bien.
2. Coupez la viande en très fines lanières et ajoutez-les dans la terrine. Mélangez et laissez mariner pendant 10 mn.
3. Pendant ce temps, mettez les graines de sésame dans une poêle à revêtement antiadhésif et faites-les dorer sur feu doux.
4. Au bout de 10 mn de marinade, faites chauffer l'huile dans une poêle et faites-y revenir la viande et sa marinade à feu vif, pendant 2 mn, en remuant sans arrêt avec une spatule.
5. Mettez la viande et la sauce dans un plat de service et servez bien chaud.
6. Accompagnez ce plat de riz blanc.

Brochettes de porc.

Sukiyaki

Pour 4 personnes
Préparation et cuisson : 1 h

- 750 g de filet de bœuf
- 4 champignons shiitake secs*
  ou 4 champignons de Paris
- 100 g de nouilles de haricots mung*
- 1 oignon
- 4 oignons nouveaux
- 1 fromage de soja*
- 2 carottes
- 8 petits bouquets de chou-fleur
- 8 haricots verts
- 150 g de pousses de bambou*
- 8 feuilles d'épinard ou de chou chinois*
- 1 cuil. à soupe d'huile

Pour la sauce :
- 1,2 dl de sauce de soja légère*
- 1,2 dl de Bouillon japonais (page 179)
- 1,2 dl de mirin*
- 4 cuil. à soupe de sucre

Pour servir :
- 4 œufs
- sauce de soja légère*

1. Faites bouillir de l'eau dans une casserole, plongez-y les nouilles et, dès que l'ébullition reprend, retirez la casserole du feu et laissez reposer pendant 30 mn. Mettez les champignons secs dans une terrine et couvrez-les d'eau tiède. Laissez reposer pendant 20 mn.
2. Pendant ce temps, coupez la viande en fines lamelles. Pelez l'oignon et coupez-le en rondelles. Pelez les oignons nouveaux et coupez-les en deux en séparant le blanc du vert. Coupez le fromage de soja en cubes de 1 cm. Pelez les carottes, lavez-les et coupez-les en tranches, dans le sens de la longueur. Lavez les bouquets de chou-fleur. Lavez les pousses de bambou et coupez-les en tranches. Otez la tige des épinards, lavez-les et hachez-les grossièrement (ou hachez le chou chinois si vous en

utilisez). Si vous choisissez des champignons de Paris, ôtez la partie terreuse du pied, lavez les champignons et essorez-les.
3. Rangez viande et légumes dans un grand plat. Égouttez nouilles et champignons et ajoutez-les dans le plat. Préparez la sauce en mélangeant dans une terrine la sauce de soja, le bouillon, le mirin et le sucre. Cassez les œufs dans 4 bols.
4. Faites chauffer une sauteuse ou une poêle en fonte sur un réchaud, sur la table. Ajoutez l'huile et, dès qu'elle est chaude, la viande. Remuez pendant 2 mn, puis mettez-la sur un côté de l'ustensile avec un peu de sauce. Mettez à cuire la moitié des autres ingrédients, ajoutez un peu de sauce et mélangez pendant 5 mn. Ajoutez-les à la viande, puis faites cuire les autres légumes avec le reste de sauce. Les convives battent l'œuf dans leur bol avec de la sauce de soja, puis plongent viande et légumes bouillants dans l'œuf avant de les déguster. Ce sont la viande et les légumes chauds qui feront cuire l'œuf.

Sukiyaki.

Grillade de bœuf aux légumes

Pour 4 personnes
Préparation et cuisson : 1 h

- 2 tranches de filet de bœuf
  de 100 g chacune
  ou 1 blanc de poulet, sans peau
- 4 crevettes crues
- 2 oignons moyens
- 2 carottes
- 4 oignons nouveaux
- 4 pois mangetout
- 4 petits champignons de Paris
- 1 petit poivron vert
- 1 petit poivron rouge
- 200 g d'épinards
- 200 g de pousses de soja*
- 1 cuil. à soupe d'huile d'arachide

Pour la sauce ponzu :
- 1,2 dl de sauce de soja légère*
- 1,2 dl de jus de citron
- 4 cuil. à soupe de mirin*

Pour la sauce moutarde :
- 2 cuil. à soupe de moutarde en poudre
- 3 cuil. à soupe de sauce de soja légère*
- 2 cuil. à soupe de su*
- 1 cuil. à soupe d'huile de sésame*

1. Coupez la viande ou le poulet en cubes de 1 cm de côté. Pelez les oignons nouveaux, coupez-les en deux en séparant le blanc du vert. Pelez les oignons et coupez-les en rondelles. Pelez les carottes, lavez-les, coupez-les en tranches dans le sens de la longueur. Équeutez et effilez les pois mangetout. Otez la partie terreuse du pied des champignons, lavez les champignons et essorez-les, coupez-les en grands carrés. Lavez les poivrons, coupez le rouge en rondelles et le vert en lanières en ôtant graines et cloisons blanches. Lavez les pousses de soja et égouttez-les.
2. Rangez viandes et légumes dans un

grand plat. Préparez la sauce ponzu en mélangeant la sauce de soja, le jus de citron et le mirin. Préparez la sauce moutarde : délayez la moutarde en poudre avec 2 cuillerées à soupe d'eau chaude, ajoutez-y la sauce de soja, le su et l'huile de sésame. Répartissez chaque sauce dans 4 coupelles.

3. Faites chauffer une plaque en fonte, lisse, sur la table, au-dessus d'un réchaud. Huilez-la. Mettez-y d'abord les cubes de viande et les crevettes et laissez-les cuire pendant 3 mn, en les retournant avec une spatule en bois. Ajoutez quelques légumes, en les retournant. Ajoutez les autres légumes ; ils doivent cuire entre 3 et 5 mn et rester légèrement croquants.

4. Les convives se serviront au fur et à mesure de la cuisson. Ils dégusteront viandes et légumes en les plongeant dans les deux sauces préparées.

Note :

Teppan : le fer ; *yaki* : griller. Ce type de cuisson très particulier se fait le plus souvent dans des restaurants spécialisés, où il existe de grandes tables chauffantes.

Grillade de bœuf aux légumes.

Algues au fromage de soja

Pour 4 personnes
Préparation : 5 mn
Trempage : 30 mn
Cuisson : 15 mn

- 50 g d'algues hijiki*
- 2 fromages de soja aburage*
- 1,5 dl de Bouillon japonais (page 179)
- 1 cuil. à soupe de mirin*
- 2 cuil. à soupe de sucre
- 2 cuil. à soupe de sauce de soja légère*
- 1 cuil. à soupe d'huile d'arachide

1. Mettez l'algue dans une terrine, couvrez d'eau et laissez reposer pendant 30 mn

2. Plongez les fromages de soja dans de l'eau bouillante, égouttez-les, puis coupez-les en lamelles de 5 mm d'épaisseur, dans le sens de la longueur.

3. Lorsque l'algue a reposé 30 mn environ, égouttez-la et éliminez-en l'eau de trempage.

4. Faites chauffer l'huile dans une poêle, ajoutez-y l'algue et remuez pendant 2 mn, sur feu doux. Ajoutez les lamelles d'abu-

rage et le bouillon et laissez frémir pendant 5 mn à découvert.

5. Ajoutez le mirin, la sauce de soja et le sucre dans la poêle, remuez et laissez cuire pendant encore 5 mn environ, à feu modéré, jusqu'à ce que tout le liquide se soit évaporé.

6. Répartissez la préparation dans 4 assiettes et servez aussitôt.

Champignons en sauce sucrée

Pour 4 personnes
Préparation : 5 mn
Trempage : 1 h
Cuisson : 20 mn

- 15 champignons shiitake secs*
- 2 cuil. à soupe de mirin*
- 2 cuil. à soupe de sauce de soja légère*
- 1 cuil. à soupe de sucre

Pour servir :
- 1 carotte
- le vert de 1 oignon nouveau

1. Mettez les champignons dans une terrine, couvrez-les d'eau froide et laissez-les tremper pendant 1 h.
2. Au bout de ce temps, égouttez les champignons et ôtez-en la partie terreuse du pied. Réservez l'eau de trempage en la passant à travers une mousseline pour éliminer le sable.
3. Mettez l'eau de trempage dans une casserole, ajoutez les champignons et portez à ébullition. Laissez frémir pendant 5 mn.
4. Au bout de ce temps, ajoutez le mirin, la sauce de soja et le sucre. Laissez cuire pendant encore 5 mn.
5. Pendant ce temps, pelez la carotte, lavez-la et coupez-la en fines rondelles. Lavez le vert d'oignon et coupez-le en fines lanières.
6. Au bout de 10 mn de cuisson des champignons, retirez la casserole du feu et laissez reposer pendant une dizaine de minutes à couvert.
7. Mettez les champignons dans un plat de service, arrosez-les de sauce et décorez de carottes et de vert d'oignon. Servez aussitôt.

Champignons en sauce sucrée ; Fromage de soja aux carottes.

Pommes de terre au miso blanc

Pour 4 personnes
Préparation et cuisson : 45 mn

- 1 kg de petites pommes de terre nouvelles
- 2,5 dl de Bouillon japonais (page 179)
- 6 cuil. à soupe de pâte de soja fermentée, blanche*
- 8 haricots verts fins
- sel

1. Pelez les pommes de terre, lavez-les, égouttez-les. Mettez-les dans une casserole, couvrez-les d'eau froide, portez à ébullition et laissez frémir pendant 10 mn.
2. Équeutez les haricots, lavez-les et coupez-les en deux, en oblique. Faites bouillir de l'eau, salez-la, plongez-y les haricots et laissez-les frémir pendant 5 mn. Ils doivent rester croquants. Égouttez-les.
3. Délayez la pâte de soja dans le bouillon et versez le mélange dans une casserole. Posez la casserole sur feu doux et portez à ébullition.

4. Au bout de 10 mn, égouttez les pommes de terre et ajoutez-les dans la casserole du bouillon. Laissez cuire pendant encore 15 mn, à feu doux et à couvert, puis retirez le couvercle et laissez cuire jusqu'à ce que les pommes de terre soient enrobées d'une sauce épaisse.
5. Mettez les pommes de terre dans un plat creux, décorez de haricots et servez chaud.
Note :
Ces pommes de terre sont excellentes avec des grillades de poulet ou de porc.

Pleurotes sautées

Pour 4 personnes
Préparation : 10 mn
Cuisson : 10 mn

- 500 g de pleurotes fraîches
- 1 gousse d'ail
- 25 g de beurre
- 3 cuil. à soupe de bouillon de volaille
- 1 cuil. à soupe de saké*
- 1 pincée de glutamate de sodium*
- sel
- poivre

1. Otez la partie terreuse et abîmée du pied des champignons. Lavez les champignons très rapidement sous l'eau courante, essuyez-les dans un linge. S'ils sont gros, émincez-les ; s'ils sont petits, laissez-les entiers.

2. Pelez la gousse d'ail et écrasez-la d'un coup sec du plat de la main.

3. Faites fondre le beurre dans une poêle et faites-y dorer l'ail. Retirez-le ensuite de la poêle et mettez-y les champignons, le saké, le bouillon de volaille, sel, poivre et glutamate de sodium. Mélangez et faites cuire à feu modéré, jusqu'à ce qu'il ne reste plus que quelques cuillerées de liquide dans la poêle.

4. Mettez les champignons dans un plat de service et dégustez-les tout de suite.

Notes :

• Ces pleurotes sautées sont excellents pour accompagner les viandes sautées ou grillées.

• Les pleurotes utilisées ici sont les pleurotes en forme d'huîtres *(Pleurotus ostreatus)*, champignons qui sont aujourd'hui cultivés et se trouvent assez facilement sur nos marchés. En japonais, ils portent le nom de *shimeiji*.

Fromage de soja aux carottes

Pour 4 personnes
Préparation : 5 mn
Cuisson : 5 mn

- 4 fromages de soja aburage*
- 1 fromage de soja*
- 3 carottes
- 2,5 dl de Bouillon japonais (page 179)
- 5 cuil. à soupe de graines de sésame*
- 2 cuil. à soupe de pâte de soja fermentée, blanche*
- 3 cuil. à soupe de sucre
- 1 cuil. à soupe de sel

Pour servir :
- 1 rondelle de carotte
- quelques bâtonnets de concombre

1. Plongez les fromages de soja aburage dans l'eau bouillante, égouttez-les, puis coupez-les en lamelles de 5 mm d'épaisseur dans le sens de la longueur. Pelez les carottes, lavez-les et coupez-les en bâtonnets (n'oubliez pas de réserver 1 rondelle pour la décoration).

2. Mettez le fromage de soja dans une passoire afin de bien l'égoutter.

3. Versez le bouillon dans une casserole, ajoutez les lamelles de fromage de soja aburage et les carottes. Portez à ébullition et laissez cuire à feu vif pendant 5 mn. Retirez du feu et laissez refroidir.

4. Otez les lamelles de fromage de soja et les carottes de la casserole et mettez-les dans un plat de service. Écrasez le fromage de soja égoutté à la fourchette, très finement, ajoutez-y le sucre, le sel et les graines de sésame. Mélangez bien.

5. Ajoutez la préparation précédente au contenu du plat de service, mélangez délicatement. Décorez de carotte et de concombre. Servez à la température ambiante.

Omelette roulée aux épinards

Pour 4 personnes
Préparation : 10 mn
Cuisson : 5 mn

- 350 g d'épinards frais
- 2 œufs
- 1 cuil. à café de sauce de soja légère*
- 1 cuil. à café de sucre
- 1 cuil. à café d'huile d'arachide
- 1 pincée de sel

1. Lavez les épinards et ôtez-en les tiges. Mettez les épinards sans trop les égoutter dans une casserole. Salez. Couvrez-les, laissez cuire pendant 3 mn. Égouttez-les, puis pressez-les entre vos mains pour en éliminer toute l'eau. Partagez-les en 2 rouleaux.
2. Cassez les œufs dans une terrine et battez-les en omelette en y incorporant le sucre et la sauce de soja.
3. Huilez, à l'aide d'un pinceau, une poêle de 20 cm de diamètre. Versez-y la moitié des œufs battus en remuant la poêle pour que la préparation en recouvre entièrement le fond. Laissez cuire à feu doux, jusqu'à ce que la surface de l'omelette soit prise.
4. Faites glisser l'omelette sur une petite natte en bambou ou un linge humide. Mettez un rouleau d'épinards au centre et roulez l'omelette en vous aidant de la natte ou du linge. Laissez reposer pendant 10 mn.
5. Faites cuire la seconde omelette et roulez-la de la même façon. Laissez reposer pendant 10 mn.
6. Au bout de 10 mn, ôtez la natte ou le linge et découpez les omelettes en tranches de 2 cm d'épaisseur.
7. Rangez les tranches d'omelette sur un plat de service et dégustez froid.
Note :
Vous pouvez tremper les tranches d'omelette dans de la sauce de soja.

Pickles de chou chinois

Pour 4 personnes
Préparation : 10 mn
Marinade : 12 h

- 1 gros chou chinois*
- 3 cuil. à soupe de gros sel de mer
- 4 cuil. à soupe de raisins secs épépinés
- 3 piments oiseaux*

1. Otez les feuilles extérieures du chou, lavez-le, essorez-le et coupez-le en quatre dans le sens de la longueur.
2. Mettez les quarts de chou dans une terrine, ajoutez le sel, les raisins et les piments, en les émiettant entre vos doigts. Versez 2,5 dl d'eau et mélangez jusqu'à ce que le sel soit fondu.
3. Couvrez la terrine et posez-y un poids afin que le chou soit bien écrasé. Laissez mariner pendant 12 h.
4. Au bout de ce temps, retirez le chou de la marinade et éliminez cette dernière. Passez le chou sous l'eau courante, puis égouttez-le en le pressant bien.
5. Découpez le chou en fines lanières et servez aussitôt.
Notes :
- Ce chou pourra se conserver pendant 4 jours au réfrigérateur. Vous le servirez avec des plats de viande ou de poisson accompagnés de riz blanc.
- Les raisins pourront être remplacés par des pruneaux dénoyautés et coupés en quatre.
- Au moment de servir, vous pourrez relever le parfum du chou de sauce de soja légère, de glutamate de sodium, de gingembre et de sucre.

Aubergines au sel

Pour 4 personnes
Préparation : 10 mn
Repos : 1 h + 6 h

- 3 petites aubergines longues
- 1 cuil. à soupe de sel
Pour servir :
- 1 cuil. à soupe de moutarde en poudre
- 3 cuil. à soupe de sauce de soja légère*
- 3 cuil. à soupe de mirin*
- 3 cuil. à soupe de sucre

1. Lavez les aubergines, essuyez-les et coupez-les en rondelles de 2,5 mm d'épaisseur. Coupez chaque tranche en quatre. Mettez-les dans une terrine, couvrez-les d'eau, ajoutez le sel et laissez mariner pendant 1 h.
2. Pendant ce temps, préparez la sauce : délayez la moutarde en poudre avec la sauce de soja et le mirin, ajoutez le sucre et mélangez.
3. Au bout de 1 h, égouttez les aubergines et essuyez-les dans du papier absorbant. Mettez-les dans un plat de service, nappez-les de sauce, couvrez et laissez mariner pendant 6 h au réfrigérateur, en retournant les aubergines dans leur marinade plusieurs fois.
4. Servez les aubergines bien froides.

Omelette roulée aux épinards; Aubergines au sel (au centre).

Raviolis au porc et au chou chinois

Pour 4 personnes
Préparation : 20 mn
Cuisson : 10 mn

- 3 grandes feuilles de chou chinois*
- 250 g de porc désossé : échine, palette...
- 2 oignons nouveaux
- 1 gousse d'ail
- 25 g de racine de gingembre frais*
- 2 cuil. à soupe de sauce de soja légère*
- 1 cuil. à soupe de graines de sésame*
- 2 cuil. à soupe d'huile d'arachide
- 6 feuilles rondes de gyosa*
- 1/2 cuil. à soupe de sel

Pour la sauce :
- 2 cuil. à soupe de su*
- 2 cuil. à soupe de moutarde en poudre
- 2 cuil. à soupe de sauce de soja légère*

1. Plongez les feuilles de chou dans de l'eau bouillante, laissez-les frémir pendant 3 mn, puis égouttez-les et hachez-les grossièrement. Hachez finement le porc. Pelez la gousse d'ail et hachez-la menu avec l'oignon nouveau.
2. Pelez le gingembre et râpez-le au-dessus d'une terrine. Ajoutez-y la sauce de soja, les graines de sésame, le sel, le chou, le porc, l'ail et l'oignon. Mélangez bien le tout jusqu'à l'obtention d'une farce homogène.
3. Coupez les feuilles de gyosa en deux et disposez au centre de chaque demi-feuille une noix de farce. Humidifiez les bords de la pâte et pliez chaque ravioli en deux en pressant les bords l'un contre l'autre, et en les plissant.
4. Faites chauffer l'huile dans une poêle et posez-y les raviolis les uns contre les autres, le bord plissé vers le haut. Couvrez et laissez cuire pendant 5 mn.
5. Couvrez ensuite les raviolis d'eau chaude et laissez cuire, toujours à couvert, jusqu'à ce que l'eau se soit totalement évaporée.
6. Pendant ce temps, préparez la sauce : délayez la moutarde en poudre avec la sauce de soja et le su et répartissez la sauce dans 4 coupelles.
7. Lorsque les raviolis sont cuits, mettez-les dans un plat de service et dégustez-les tout chauds en les trempant dans la sauce.

Riz à la japonaise

Pour 6 personnes
Préparation et cuisson : 15 mn
Repos : 30 mn + 10 mn

- 750 g de riz rond, ni traité ni précuit, japonais ou italien

1. Lavez le riz dans plusieurs eaux, en le frottant entre les mains, afin d'éliminer le maximum d'amidon. La dernière eau de lavage doit être limpide.
2. Mettez le riz dans une passoire et laissez-le reposer pendant 30 mn.
3. Au bout de ce temps, mesurez le riz et l'eau : il vous faudra une mesure et demie d'eau pour une mesure de riz.
4. Mettez le riz et l'eau dans une casserole, couvrez et portez à ébullition. Mélangez le riz, puis couvrez à nouveau et laissez cuire 15 mn à feu doux. Retirez du feu et laissez reposer pendant encore 10 mn. Pendant toutes ces opérations, il ne faut pas enlever le couvercle, sauf lorsqu'il s'agit de mélanger.
5. Mettez le riz dans des bols individuels et servez chaud.

Bouchées de riz ; Riz sushi.

Notes :
- Au Japon, le riz accompagne — ou est à la base de — presque tous les plats. Sa place est tellement prépondérante que le mot *gohan*, qui désigne le riz cuit, désigne aussi le repas.
- Il est très important de savoir choisir le riz qui convient et de le faire cuire parfaitement. La recette que nous vous donnons ici est facile à réaliser. Aujourd'hui pourtant, les Japonaises préparent de plus en plus souvent leur riz dans des appareils électriques étudiés spécialement à cet effet.

1. Découpez les filets de poisson en lanières et ôtez-en les arêtes à l'aide d'une pince. Décortiquez les crevettes, gardez-leur la queue, et fendez-les en deux, sur la face ventrale, afin de pouvoir les ouvrir à plat. Découpez l'omelette en très fines lanières.

2. Humidifiez vos mains avec un peu d'eau froide, puis prenez dans la main gauche une grosse noix de Riz sushi, pétrissez-le, afin d'avoir un petit rouleau de 5 cm de long environ. Avec l'index de la main droite, déposez une mince pellicule de wasabi sur le rouleau de riz, déposez dessus une lanière de poisson, ou d'omelette, ou une crevette. Continuez jusqu'à épuisement des ingrédients.

3. Rangez les bouchées dans un grand plat et servez-les aussitôt.

Notes :

• Dégustez les bouchées en les trempant dans une coupelle de sauce de soja légère.

• Ces bouchées portent le nom de Nigiri sushi, c'est-à-dire sushi faits à la main ; mais il existe de nombreuses façons de préparer les sushi. En voici quelques-unes :

1. Rouleaux d'algue (Nori maki sushi). On dépose devant soi, sur une natte de bambou, une large feuille d'algue noire. L'algue est ensuite recouverte de riz, jusqu'à 1 cm du bord. On en garnit le centre selon ses désirs, puis on roule le tout à l'aide de la natte, en serrant bien. Le rouleau obtenu est alors découpé en tronçons.

2. Cornets d'algue (Temaki sushi). On prend une feuille d'algue noire, carrée, de 10 cm de côté environ. On y ajoute le riz, wasabi et garniture, et le tout est roulé en cornet.

3. Sushi moulés (Hato sushi). On trouve, dans les magasins spécialisés, de petites boîtes démontables destinées à devenir des «moules» à sushi. On en remplit les alvéoles avec le riz, on presse, on démonte le tout, et les bouchées sont prêtes à être garnies.

• En ce qui concerne les garnitures, sachez que les cornets ou les rouleaux sont parfois garnis de poisson haché — chinchard ou thon en particulier —, assaisonné de poireaux et de gingembre frais haché, d'œufs de morue et de flocons de bonite (katsuobushi), d'oursin ou de seiche crue hachée assaisonnée de pâte d'oursin (oursins écrasés) pimentée.

Riz sushi

Pour 6 personnes
Préparation : 5 mn

• 750 g de Riz à la japonaise, chaud (page ci-contre)
• 1,5 dl de su*
• 1 cuil. à soupe de sucre
• 1 cuil. à café de sel

1. Mélangez, dans un bol, le su, le sel et le sucre.

2. Dès que le riz est prêt — c'est-à-dire cuit et gonflé —, renversez-le dans une large terrine et versez-y l'assaisonnement. Mélangez avec une spatule de bois en prenant soin de bien répartir l'assaisonnement, en un mouvement circulaire.

3. Le riz est prêt à l'utilisation.

Notes :

• Traditionnellement, les Japonaises tournent le riz avec la main droite et le refroidissent avec la main gauche, à l'aide d'un éventail.

• Ce riz sert à la fabrication des sushi, bouchées de riz à base de poisson cru, de coquillages, de concombre ou d'omelette, avec ou sans algue. Mais on peut aussi réaliser un Chirashi sushi, sorte de riz en salade. Pour cela, il vous faut, pour une personne, remplir un large bol de Riz sushi, puis le parsemer de graines de sésame et de petits morceaux d'algue noire. Ensuite, vous rangerez sur ce lit de riz des poissons crus variés, découpés en lanières : thon, daurade, maquereau, saumon. Vous ajouterez une crevette cuite décortiquée, un coquillage (noix de coquille Saint-Jacques ou vernis), du blanc de seiche cru découpé en fines lanières, des tentacules de poulpe cuits et découpés en tranches, des œufs de saumon, deux morceaux d'omelette légèrement sucrée et assaisonnée de sauce de soja légère, des bâtonnets de concombre, du gingembre rouge au sel (beni-shoga), de la courge séchée (kampyo) et, surtout, une noisette de pâte de raifort (wasabi). Il faut délayer le raifort dans une coupelle de sauce de soja, puis tremper les ingrédients dans la sauce au fur et à mesure, avant de les déguster avec un peu de riz.

Bouchées de riz

Pour 6 personnes
Préparation : 45 mn

• 750 g de Riz sushi (recette ci-contre)
• 750 g de poissons divers, en filets : daurade, chinchard, thon, saumon...
• 6 crevettes cuites
• omelette nature (page 192)
• wasabi*
• gingembre gari*

Riz aux haricots; Pâtes froides en sauce;
Potage aux pâtes et à l'œuf.

Pâtes froides
en sauce

Pour 4 personnes
Préparation et cuisson : 15 mn
Réfrigération : 1 h

- 500 g de pâtes somen*
- 1/2 litre de Bouillon japonais (page 179)
- 1,2 dl de sauce de soja légère*
- 4 cuil. à soupe de saké*
- 1 cuil. à soupe de sucre

Pour servir :
- 2 oignons nouveaux
- 2 tomates
- cubes de glace

1. Faites bouillir de l'eau dans une marmite, plongez-y les pâtes et laissez-les cuire jusqu'à ce qu'elles soient encore légèrement fermes sous la dent. Égouttez-les, passez-les sous l'eau courante, mettez-les dans une terrine et gardez-les au réfrigérateur. Laissez refroidir pendant 1 h au moins.
2. Mettez le saké, le sucre et la sauce de soja dans une petite poêle, portez à ébullition et laissez frémir pendant 2 mn. Retirez du feu et laissez refroidir. Versez la sauce dans 4 coupelles et mettez-les au réfrigérateur.

3. Au moment de servir, lavez les tomates et coupez-les en quartiers. Lavez l'oignon et coupez-le en rondelles. Répartissez les pâtes entre 4 assiettes, ajoutez des cubes de glace, des quartiers de tomates et des rondelles d'oignon. Servez aussitôt avec les coupelles de sauce à part, chacun prendra des pâtes et les trempera dans la sauce avant de les déguster.
Note :
Vous pouvez assaisonner la sauce de gingembre frais râpé. Les pâtes japonaises somen sont des pâtes très blanches. A défaut de pâtes somen, vous pourrez les remplacer par des tagliatelle ou des spaghetti frais.

Note :

Le mélange graines de sésame-sel est appelé *gomasio*. Ce riz aux haricots est un plat de fête préparé lors des anniversaires et, souvent, des mariages.

Potage aux pâtes et à l'œuf

Pour 4 personnes
Préparation et cuisson : 25 mn

- 500 g de pâtes udon*
- 1 litre de Bouillon japonais (page 179)
- 4 œufs
- 1 cuil. à soupe de sauce de soja légère*
- 1 carré d'algue nori* de 13 cm de côté
- 2 oignons nouveaux
- 1 cuil. à soupe de sucre
- 1 cuil. à soupe de sel

1. Faites bouillir de l'eau dans une marmite, salez-la, plongez-y les pâtes et laissez-les cuire pendant 8 à 10 mn, jusqu'à ce qu'elles soient encore très fermes. Égouttez-les et passez-les sous l'eau froide.
2. Éliminez l'eau de cuisson des pâtes et versez le bouillon. Portez à ébullition. Ajoutez-y les pâtes et laissez-les cuire jusqu'à ce qu'elles soient juste tendres.
3. Coupez les oignons en fines rondelles. Coupez l'algue en fines lanières.
4. Lorsque les pâtes sont cuites, ajoutez algue et oignons dans la marmite, mélangez et retirez du feu.
5. Répartissez la préparation entre 4 bols à soupe chauds. Cassez 1 œuf dans chaque bol. Couvrez et laissez reposer pendant 2 à 3 mn, jusqu'à ce que les œufs soient pris.
6. Servez sans attendre.

Note :

Les pâtes de blé japonaises sont un peu différentes des nôtres, mais vous pouvez les remplacer par des tagliatelle fines, que vous choisirez de préférence fraîches.

Riz aux haricots

Pour 8-10 personnes
Préparation et cuisson : 1 h 30

- 250 g de haricots azuki*
- 750 g de riz gluant*
- 2 cuil. à café de graines de sésame noir*
- 3 cuil. à café de sel

1. Rincez les haricots, puis mettez-les dans une marmite et couvrez-les d'eau froide. Portez à ébullition et laissez cuire à petits frémissements pendant 15 mn. Égouttez-les et réservez l'eau de cuisson.

Remettez-les dans la marmite, couvrez-les à nouveau d'eau froide, portez à ébullition et laissez mijoter à feu doux 1 h environ, jusqu'à ce qu'ils soient tendres.
2. Lavez le riz, égouttez-le et laissez-le reposer dans la passoire.
3. Lorsque les haricots sont cuits, égouttez-les et laissez-les reposer pendant 10 mn.
4. Mettez dans une casserole le riz, puis les haricots et versez-y la première eau de cuisson réservée et 1 cuillerée à café de sel. Couvrez. Portez à ébullition, remuez, puis couvrez et laissez cuire pendant 5 mn à feu modéré. Baissez ensuite la chaleur et laissez cuire 10 mn, toujours à couvert.
5. Au bout de ce temps, retirez la casserole du feu et laissez gonfler riz et haricots pendant 10 mn.
6. Mettez les graines de sésame et le reste du sel dans une casserole. Ajoutez 1 cuillerée à soupe d'eau et laissez cuire à feu doux, jusqu'à ce qu'il n'y ait plus de liquide dans la casserole. Laissez griller le sésame pendant encore 1 mn. Passez le sésame dans une passoire pour éliminer l'excédent de sel.
7. Mettez le riz aux haricots dans un plat de service, poudrez-le de sésame salé et servez.

Soupe sucrée de haricots aux boulettes

Pour 4 personnes
Préparation et cuisson : 2 h 30

- 250 g de haricots azuki*
- 250 g de sucre
- 250 g de farine de riz gluant*
- 1/2 cuil. à café de sel

1. Lavez les haricots sous l'eau courante, puis mettez-les dans une casserole avec 1,5 litre d'eau. Portez à ébullition et laissez frémir pendant 2 h, jusqu'à ce que les haricots soient très tendres.

2. Au bout de ce temps, rajoutez 1/2 litre d'eau dans la casserole. Dès que l'ébullition reprend, ajoutez le sucre, mélangez et laissez frémir pendant encore 15 mn.

3. Pendant ce temps, préparez les boulettes : mettez la farine dans une terrine et ajoutez de l'eau en travaillant la pâte, jusqu'à ce qu'elle devienne lisse, homogène et se détache des doigts.

4. Prenez une «noisette» de la préparation, roulez-la entre vos doigts, afin de former une petite boule. Continuez ainsi avec le reste de la pâte.

5. Plongez les boulettes toutes ensemble dans la casserole et laissez cuire jusqu'à ce qu'elles remontent à la surface.

6. Répartissez la préparation entre 4 bols et servez chaud.

Glace au thé vert

Pour 4 personnes
Préparation : 10 mn
Réfrigération : 2 h

- 1/2 litre de glace à la vanille
- 1 cuil. à soupe de poudre de thé vert
- 2 cuil. à soupe de pâte de haricots sucrée*

1. Portez à ébullition 1 dl d'eau dans une petite casserole, puis retirez la casserole du feu. Ajoutez-y le thé vert et battez au fouet à main jusqu'à ce que la préparation mousse. Laissez refroidir.

2. Mettez la glace à la vanille, la pâte de haricots et le thé dans le bol d'un mixer et faites marcher l'appareil jusqu'à obtention d'une pâte lisse.

3. Versez la préparation dans un bac à glaçons et mettez-le au freezer. Laissez glacer pendant 2 h.

4. Lorsque la glace est prise, servez-la dans des coupes en la moulant dans une cuillère à soupe ou dans une cuillère à glace.

Gâteau éponge

Pour 6 personnes
Préparation : 20 mn
Cuisson : 30 mn

- 75 g de farine
- 150 g de sucre
- 75 g de miel liquide
- 5 œufs
- 3/4 de cuil. à café de levure chimique
- 2 cuil. à soupe de sucre glace

Pour le moule :
- 2 noix de beurre
- 2 cuil. à soupe de farine

1. Allumez le four, (thermostat 5 (170 °C). Beurrez un moule carré de 23 cm de côté, poudrez-le de farine et secouez-le pour en éliminer l'excédent.

2. Cassez les œufs dans une terrine, fouettez-les au batteur électrique en y incorporant peu à peu le sucre et le miel, puis la farine et la levure, en les tamisant. Fouettez pendant 10 mn, jusqu'à ce que la préparation blanchisse et triple de volume.

3. Versez la pâte dans le moule et glissez celui-ci au four. Laissez cuire pendant 30 mn.

4. Au bout de ce temps, retirez le moule du four et laissez reposer le gâteau dans son moule pendant 10 mn. Ensuite, démoulez-le et laissez refroidir sur une grille.

5. Au moment de servir, poudrez le gâteau de sucre glace en le tamisant, puis découpez-le en portions rectangulaires.

Gelée à la pêche

Pour 4-6 personnes
Préparation : 30 mn
Réfrigération : 2 h

- 250 g de pêches jaunes, mûres à point
- 4 feuilles d'agar-agar*
- 2 blancs d'œufs
- 150 g de sucre
- 2 cuil. à soupe de jus de citron
- 1 pincée de sel

1. Lavez les feuilles d'agar-agar sous l'eau courante, puis mettez-les dans une casserole, couvrez de 2 dl d'eau et laissez reposer pendant 20 mn.

2. Pelez les pêches et mettez-les dans le bol d'un mixer avec le sucre et le jus de citron. Faites tourner l'appareil jusqu'à ce que vous obteniez une purée lisse. Mettez les blancs d'œufs dans un saladier et ajoutez-y le sel.

3. Au bout de 30 mn, mettez la casserole contenant les feuilles d'agar-agar sur feu doux et portez à ébullition. Laissez frémir quelques secondes, puis retirez la casserole du feu et laissez tiédir. Passez ensuite au-dessus de la pulpe de pêches, au tamis. Mélangez bien.

4. Battez les blancs d'œufs en neige ferme et incorporez-les délicatement à la préparation précédente, en soulevant le mélange avec une spatule.

5. Passez un moule carré sous l'eau courante et versez-y la préparation : elle doit avoir au moins 2 cm d'épaisseur. Lissez-en la surface avec une spatule. Glissez le moule au réfrigérateur et laissez prendre la gelée pendant 2 h.

6. Au bout de ce temps, retirez le moule du réfrigérateur, découpez la gelée en losanges et servez.

Note :
L'agar-agar a un goût d'algue très prononcé qui peut déplaire ; dans ce cas, vous pouvez le remplacer par 6 feuilles de gélatine, que vous ferez ramollir dans de l'eau froide, puis fondre dans 2 dl d'eau à feu vif.

Glace au thé vert ; Gelée à la pêche.

Philippines

Kay Shimizu

La cuisine des îles Philippines allie avec bonheur les saveurs, les ingrédients et les techniques empruntés à différents pays du monde. Les Philippins aiment recevoir leurs amis et leur offrir des repas de cérémonie à la première occasion. C'est une très ancienne tradition, qui remonte probablement au XIVᵉ siècle, époque où des Malais s'étaient installés dans les îles. Depuis cette date, l'art culinaire philippin a subi des influences aussi variées que celles des Espagnols, des Américains et de leurs voisins chinois et japonais. Cela lui a donné un caractère tout à fait original.

Certes, dans ce pays tropical on consomme beaucoup de fruits tels que les mangues, les bananes, les noix de coco et les ananas. Certes, la Chine est proche et sa cuisine prestigieuse a souvent été importée telle quelle. Mais les viandes préparées à l'*adobo* ont un goût très particulier, dû à la pointe d'acidité qu'introduit le vinaigre. Et certains plats à l'escabèche (page suivante) ont indiscutablement une saveur qui rappelle leur origine espagnole.

Les Philippins boivent relativement peu de thé, mais ils apprécient le café bien corsé, le chocolat chaud et les boissons fermentées à base de lait de coco ou de sirop de canne à sucre. Dans le milieu de la matinée ou de l'après-midi, ils s'accordent volontiers une pause-café agrémentée d'une pâtisserie ou d'un gâteau au riz gluant.

Les menus quotidiens font une large place au riz, aux poissons et aux légumes frits ou mélangés à de la viande. Le nuoc mam (qui porte ici le nom de *patis*) remplace le sel et le poivre dans la plupart des préparations. Il est toujours en bonne place sur la table, à côté d'une pâte de poisson bien relevée.

Vous trouverez dans ce chapitre une sélection de recettes qui devrait donner un bon aperçu de cette cuisine inhabituelle.

Poisson
à l'escabèche

Pour 4-6 personnes
Préparation et cuisson : 45 mn

- 1 kg de poisson blanc entier ou en gros morceaux : lieu, moruette, cabillaud...
- 1 poivron vert
- 1 oignon
- 3 gousses d'ail
- 1 cuil. à café de gingembre en poudre*
- 1 cuil. à soupe de Maïzena
- 3 cuil. à soupe de vinaigre de cidre
- 1 1/2 cuil. à soupe de sucre roux en poudre
- 3 cuil. à soupe d'huile d'arachide
- farine à poissons
- sel

1. Grattez les poissons, passez-les sous l'eau courante, puis épongez-les avec du papier absorbant. Poudrez-les de farine sur toutes leurs faces et salez-les légèrement. Lavez le poivron, ôtez le pédoncule, les graines et les cloisons blanches et coupez-le en lanières de 5 mm de large. Pelez l'oignon et coupez-le en fines rondelles en défaisant les anneaux. Pelez l'ail et écrasez-le au presse-ail.
2. Mettez une grande poêle sur le feu et faites-la chauffer doucement. Ajoutez 2 cuillerées à soupe d'huile, puis le poisson. Faites-le frire jusqu'à ce qu'il soit doré et croustillant sur toutes les faces. Retirez-le délicatement.
3. Mettez 1 autre cuillerée à soupe d'huile dans la poêle, ainsi que l'ail et le gingembre. Faites-les revenir jusqu'à ce qu'ils soient dorés, puis ajoutez l'oignon et le poivron. Poursuivez la cuisson pendant 1 mn en remuant constamment, puis retirez les légumes de la poêle.
4. Délayez la Maïzena dans 3 cuillerées à soupe d'eau tiède et versez-la dans la poêle. Ajoutez 2,5 dl d'eau tiède, le vinaigre, le sucre et 1/2 cuillerée à café de sel. Portez à ébullition, puis réduisez la chaleur et faites cuire à petits frémissements en remuant constamment, jusqu'à ce que la sauce ait épaissi. Remettez le poisson dans la poêle. Portez à nouveau à ébullition, couvrez et laissez cuire environ 10 mn. Ajoutez les légumes et poursuivez la cuisson pendant 1 mn.
5. Retirez le poisson et posez-le délicatement sur un plat. Disposez les légumes tout autour. Rectifiez l'assaisonnement de la sauce et versez-la sur le poisson et les légumes. Servez très chaud.

Nouilles en jardinière
aux trois viandes

Pour 4-6 personnes
Préparation et cuisson : 1 h

- 250 g de nouilles aux œufs
- 250 g de blanc de poulet, sans peau
- 250 g de porc maigre, sans os
- 250 g de crevettes crues décortiquées
- 100 g de chou
- 1 oignon
- 1 gousse d'ail
- 2 dl de bouillon de volaille
- 2 cuil. à soupe de sauce nuoc mam*
- 4 cuil. à soupe d'huile d'arachide
- 1 pincée de piment en poudre*
- 1/2 cuil. à café de sel
- poivre

Pour servir :
- 2 œufs durs
- 2 oignons nouveaux
- 1 citron

1. Faites bouillir de l'eau dans une grande casserole. Plongez-y les nouilles et laissez-les cuire 2 mn (elles ne doivent pas être trop cuites). Égouttez-les, rincez-les à l'eau courante froide et égouttez-les à nouveau. Mettez-les dans un saladier avec 1 cuillerée à soupe d'huile et mélangez bien.
2. Émincez le poulet et le porc. Coupez les crevettes en petits dés. Lavez le chou, égouttez-le et coupez-le en petites lanières. Pelez l'oignon et émincez-le finement. Pelez l'ail et écrasez-le au presse-ail. Pelez les oignons nouveaux et coupez-les en tout petits tronçons. Écalez les œufs et coupez-les en quartiers. Coupez le citron en quartiers.
3. Mettez un wok, ou une poêle, sur le feu et faites-le chauffer doucement. Versez-y 1 cuillerée à soupe d'huile, ajoutez les nouilles et faites-les dorer sur toutes les faces, puis retirez-les.

4. Essuyez soigneusement le wok avec du papier absorbant. Mettez-y une cuillerée à soupe d'huile et l'ail. Faites revenir l'ail, puis ajoutez le porc et faites-le cuire pendant 5 mn en remuant souvent. Ajoutez le poulet et les crevettes, faites-les cuire sur feu vif pendant 2 mn en remuant constamment, puis retirez tous les ingrédients.
5. Essuyez soigneusement le wok avec du papier absorbant et faites-le chauffer sur feu vif. Quand il est très chaud, mettez-y 1 cuillerée à soupe d'huile, l'oignon et le chou. Faites cuire en remuant constamment pendant 4 mn environ, jusqu'à ce que l'oignon soit translucide, mais le chou encore bien croquant.
6. Ajoutez le bouillon de volaille, le nuoc mam, le piment, le sel et un peu de poivre. Mélangez, puis remettez les viandes dans le wok. Faites-les cuire pendant encore 2 mn environ en remuant constamment, jusqu'à ce que la sauce ait bien réduit.
7. Ajoutez les nouilles. Mélangez et poursuivez la cuisson, jusqu'à ce que tous les ingrédients soient bien chauds.
8. Versez le contenu du wok dans un plat. Parsemez d'oignon nouveau et décorez avec les quartiers d'œuf et de citron. Servez aussitôt.
Note :
Cette recette se prête à de multiples variations. Vous pouvez utiliser n'importe quelle viande. Ce plat rappelle le Chow mein chinois, dont il est sans doute la version locale.

Nouilles en jardinière aux trois viandes.

Ragoût de viande à l'adobo.

Ragoût de viande à l'adobo

Pour 6-8 personnes
Préparation et cuisson : 1 h 30
Marinade : 30 mn

- 500 g de blanc de poulet
- 1 kg de porc maigre désossé : filet, palette...
- 2 oignons
- 1 gousse d'ail
- 2 feuilles de laurier*
- 1 cuil. à soupe de sauce de soja*
- 1, 25 dl de vinaigre de cidre
- 1 cuil. à soupe de saindoux
- sel
- poivre

1. Coupez le poulet et le porc en gros morceaux et mettez-les dans une cocotte. Pelez l'ail et écrasez-le au presse-ail. Pelez les oignons et coupez-les en quatre. Ajoutez l'ail et les oignons dans la cocotte, ainsi que les feuilles de laurier, la sauce de soja et le vinaigre. Salez et poivrez. Laissez mariner pendant 30 mn.
2. Versez 3,5 dl d'eau dans la cocotte. Portez à ébullition, puis réduisez la chaleur et laissez mijoter pendant 45 mn à 1 h, jusqu'à ce que le poulet et le porc soient bien tendres et qu'il ne reste qu'environ 2 dl de liquide dans la cocotte, Versez le liquide de cuisson dans un bol et versez tous les autres ingrédients dans un plat creux.
3. Mettez le saindoux dans la cocotte et faites-le fondre. Ajoutez les morceaux de poulet et de porc et faites-les revenir sur feu vif, jusqu'à ce qu'ils soient dorés sur toutes les faces. Arrosez avec le liquide de cuisson et laissez cuire à petits frémissements pendant environ 5 mn.
4. Servez très chaud, avec du riz nature.
Notes :
• Ce mode de préparation convient à la plupart des viandes et vous pouvez très bien utiliser du porc seul si vous préférez.
• Le ragoût sera encore meilleur si vous le préparez la veille et si vous le faites réchauffer au dernier moment.

Rouleaux à la viande et aux légumes

Pour 18-20 rouleaux
Préparation et cuisson : 1 h

Pour la garniture :
- 250 g de porc maigre cuit, sans os
- 50 g de jambon blanc découenné
- 100 g de crevettes cuites décortiquées
- 100 g de pois chiches cuits
- 1 carotte
- 250 g de haricots verts
- 150 g de pommes de terre
- 150 g de chou
- 1 oignon
- 2 gousses d'ail
- 3 cuil. à soupe d'huile d'arachide
- 1 cuil. à café de sel

Pour les rouleaux :
- 2 œufs
- 50 g de Maïzena
- 18 à 20 petites feuilles de laitue
- huile pour friture

Pour la sauce brune :
- 1 gousse d'ail
- 2,5 dl de bouillon de volaille
- 2 cuil. à soupe de sauce de soja*
- 6 cuil. à soupe de sucre roux en poudre
- 2 cuil. à soupe de Maïzena
- 1 cuil. à café de sel

Pour servir :
- 6 brins de persil

1. Préparez la garniture : pelez les pommes de terre et faites-les blanchir 5 mn dans une casserole d'eau bouillante. Égouttez-les, rincez-les à l'eau froide, égouttez-les à nouveau et coupez-les en petits dés. Hachez grossièrement le jambon et les crevettes. Coupez le porc en petits dés. Grattez la carotte, équeutez les haricots verts et lavez-les, et coupez ces légumes en menus morceaux. Râpez le chou sur une grille à gros trous. Pelez l'oignon et émincez-le. Pelez l'ail et écrasez-le au presse-ail.
2. Faites chauffer un wok, ou une grande poêle, sur feu doux. Mettez-y l'huile, puis l'oignon et l'ail. Faites-les revenir sur feu doux pendant quelques minutes, puis ajoutez le porc, les pois chiches, le jambon et les crevettes. Laissez-les cuire pendant 2 mn.
3. Ajoutez les dés de pommes de terre, les carottes et les haricots verts. Laissez cuire encore 5 mn, puis ajoutez le chou et le sel. Couvrez et poursuivez la cuisson jusqu'à ce que les légumes soient tendres, mais ne s'écrasent pas. Videz le liquide qui reste dans le wok et laissez refroidir la garniture.
4. Pendant ce temps, préparez les rouleaux : lavez les feuilles de laitue et essorez-les. Cassez les œufs en séparant les blancs des jaunes. Battez les blancs en neige ferme. Battez légèrement les jaunes

Rouleaux à la viande et aux légumes.

Beignets de riz

Pour 20 beignets environ
Préparation et cuisson : 30 mn

- 150 g de riz cuit à l'eau ou à la vapeur
- 2 œufs
- 50 g de farine
- 4 cuil. à soupe de noix de coco
  en poudre*
- 1/2 cuil. à café d'extrait de vanille
  liquide
- 3 cuil. à soupe de sucre en poudre
- 1 cuil. à café de levure chimique
- huile pour friture
- sucre glace
- 1 pincée de sel

avec une fourchette et incorporez-les aux blancs. Délayez la Maïzena dans 2,5 dl d'eau tiède, puis mélangez-la aux œufs.
5. Faites chauffer une poêle de 20 cm de diamètre sur feu assez doux. Étalez un peu d'huile dans le fond de la poêle, puis versez-y 2 cuillerées à soupe de la préparation précédente, en secouant la poêle pour obtenir une couche de pâte fine et régulière. Faites cuire cette crêpe jusqu'à ce qu'elle commence à se dessécher. Procédez de même jusqu'à épuisement de la pâte : vous devez obtenir 18 à 20 crêpes.
6. Posez une feuille de laitue sur chaque crêpe, puis 1 cuillerée à soupe de garniture. Repliez deux bords opposés sur la garniture, puis enroulez la crêpe dans le sens de la longueur. Faites de même avec toutes les crêpes, et posez-les au fur et à mesure sur un grand plat.
7. Préparez la sauce brune : pelez l'ail et écrasez-le au presse-ail. Mettez la sauce de soja dans une casserole, avec le sucre et le sel.
8. Délayez la Maïzena dans le bouillon de volaille et versez-la dans la casserole. Mélangez bien et faites épaissir sur feu doux en remuant constamment. Éteignez le feu, ajoutez l'ail et mélangez.
9. Pour servir : lavez le persil et essorez-le. Posez 2 rouleaux dans l'assiette de chaque convive, nappez d'un peu de sauce et décorez avec un brin de persil.

Notes :
• Vous pouvez modifier à votre gré la composition de la garniture. C'est une très bonne façon d'accommoder les restes et, si vous voulez gagner du temps, vous pourrez utiliser des crêpes toutes prêtes (vendues dans les épiceries orientales) qu'il ne vous restera qu'à garnir.
• Si vous préférez les rouleaux croustillants, faites les cuire quelques minutes à grande friture avant de les napper de sauce.

1. Cassez les œufs dans un bol et battez-les à la fourchette. Mettez le riz, les œufs, le sucre, le sel et l'extrait de vanille dans un saladier. Mélangez bien. Tamisez la farine et la levure au-dessus du saladier. Ajoutez la noix de coco et mélangez bien.
2. Mettez l'huile dans une friteuse et faites-la chauffer. Quand elle est bien chaude, faites-y tomber la pâte cuillerée par cuillerée. Faites cuire les beignets, jusqu'à ce qu'ils soient bien dorés sur toutes les faces et qu'ils remontent à la surface. Retirez-les au fur et à mesure à l'aide d'une écumoire et égouttez-les sur du papier absorbant.
3. Poudrez de sucre glace et servez chaud.
Note :
Aux Philippines, comme dans la majeure partie de l'Asie, le riz sert à préparer de nombreux plats sucrés, que l'on déguste de préférence en dehors des repas.

Corée

Jan Leeming

La Corée, pays de montagnes escarpées sillonné de profondes vallées, où le ciel est presque toujours d'un bleu limpide, a pu être appelée la « Suisse de l'Asie » Son nom, *Koryo*, signifie « haut et clair » : haut comme les montagnes, clair comme le ciel ou l'eau des torrents. Cette péninsule, aujourd'hui partagée en deux États, s'étend au sud de la Sibérie et de la Mandchourie, entre le Japon à l'est et la Chine à l'ouest.

Les ancêtres des Coréens étaient des Mongols qui appartenaient à diverses tribus. Malgré la proximité de la Chine et du Japon, malgré les multiples invasions et le partage politique de son territoire, ce peuple a su préserver ses traditions ancestrales et sa langue. Maintes coutumes chinoises ou japonaises reflètent même une influence coréenne.

Dans ces régions au climat tempéré, les quatre saisons sont nettement différenciées. L'été est chaud et humide, l'hiver froid, le printemps doux et l'automne pluvieux. Les plaines fertiles produisent des récoltes abondantes.

Les Coréens consomment beaucoup de céréales : du riz, de l'orge et du millet, seuls ou en mélange, et simplement cuits à l'eau. Pour parfumer les plats cuisinés, ils utilisent les oignons nouveaux, l'ail, le gingembre, la sauce de soja, les graines de sésame, l'huile de sésame et des légumes tels que les poivrons rouges.

Le Condiment au chou chinois (page 207), qui peut-être très pimenté, accompagne quasi invariablement les repas. Ce condiment est une spécialité coréenne qui n'a son équivalent nulle part en Asie. Aucune maîtresse de maison coréenne qui se respecte ne saurait s'en passer. A la fin de l'automne, toute la famille participe à la confection de ce condiment, que l'on stocke dans des bocaux de terre cuite ou de faïence. Un proverbe coréen affirme que « lorsque le *Kim Chee* (c'est le nom de ce condiment) est prêt pour l'hiver, la moitié de la moisson est faite ». On dit même que, durant la guerre de Corée, les soldats partaient sur les champs de bataille en emportant des boîtes de ce condiment.

Quand on goûte pour la première fois la cuisine coréenne, on remarque surtout la prédominance des saveurs douces, légèrement sucrées, qui caractérisent notamment le Bœuf en sauce aux fruits (page 213) et le Poulet frit en sauce onctueuse (page 212). La cuisine coréenne ne peut se comparer à aucune autre, mais elle rappelle parfois certaines traditions culinaires occidentales, et en particulier les associations volailles ou viandes et fruits. Cette douceur des plats rendrait les desserts superflus. Et, de ce fait, ils figurent rarement au menu : les Coréens terminent leur repas avec un plateau de fruits artistiquement présentés (voir la photographie page 212). Ils prennent trois repas par jour, qui comportent le plus souvent une soupe, du riz, du bœuf ou du poisson et du Condiment au chou, bien sûr. La mode du petit déjeuner à l'occidentale gagne du terrain, alors qu'autrefois on invitait volontiers les amis pour un copieux petit déjeuner dont les restes servaient à confectionner le déjeuner.

L'art et la manière

Dans une cuisine coréenne, le découpage des aliments joue un rôle primordial. C'est un art que doit apprendre toute future maîtresse de maison. Il peut être purement décoratif, pour la présentation des fruits, par exemple, mais il permet surtout de réduire les temps de cuisson et de préserver ainsi la saveur des aliments. D'une manière générale, on passe beaucoup plus de temps à découper et faire mariner les ingrédients qu'à les faire cuire.

Les Coréens savent aussi utiliser tous les restes. Les os de bœuf ou de volaille parfumeront un bouillon qui, à son tour, servira à préparer une soupe ou une marinade. Les restes de viande cuite améliorent les qualités nutritives et gustatives des soupes, telles que la Soupe froide aux pâtes fraîches (page 210) et la Soupe épicée au bœuf et au soja (page 208), ou alors elles entrent dans la composition du fameux Pot-au-feu coréen (page 211).

Les repas de fêtes

Le Pot-au-feu coréen est à lui tout seul le repas de fête par excellence. C'est lui que l'on sert pour le « Hansik » consacré au culte des ancêtres (en février ou en mars) et pour le jour de l'An.

Dans ces grandes occasions, les femmes revêtent le « Chima Chogori » traditionnel. C'est un ensemble aux couleurs vives, composé d'une robe longue et d'un petit boléro richement brodés.

Les boissons

Au cour du repas, on peut boire du vin, mais la boisson la plus appréciée est une sorte de thé d'orge auquel on ajoute un peu de *ginseng*. Car, si les vertus médicinales du ginseng sont bien connues en Occident, on ne sait peut-être pas que celui qui pousse en Corée est connu pour être le meilleur.

Le fin du fin, c'est de terminer un bon repas coréen avec un verre d'alcool de ginseng.

Aujourd'hui, c'est le repas du soir qui est devenu le plus important. Il se compose d'au moins 5 plats accompagnés d'un bol de soupe et d'un bol de riz par personne. Pour les repas de réception, les plats sont souvent au nombre de 15 ou plus. Les convives les dégustent dans l'ordre qui leur plaît, en utilisant des baguettes et une cuillère. Les repas se prennent indifféremment dans l'une ou l'autre pièce de la maison. La table, petite et basse, est assez légère pour être déplacée aisément. Autrefois, les hommes mangeaient avant les femmes, mais de nos jours toute la famille se rassemble autour de la table, ou parfois de plusieurs tables différentes, celle des femmes étant placée près de la cuisine, comme il se doit.

Il n'est pas rare de trouver encore des cuisinières chauffées au bois (les montagnes sont couvertes de forêts) et reliées à des tuyaux placés sous le plancher de manière à chauffer toutes les pièces. Le chauffage par le sol continue à être préféré par les Coréens, même s'ils ont le chauffage central.

Les ustensiles de cuisine

Les éléments essentiels de la batterie de cuisine traditionnelle sont la bouilloire pour le riz et la bouilloire pour la soupe, toutes deux en fonte et fermées par un lourd couvercle. Le *sot* est l'équivalent du wok chinois. La marmite à *Shin-Sol-Lo* (pot-au-feu) est indispensable pour les grandes occasions. Quant à la cocotte à *Bulgogi*, elle est d'invention plus récente, puisqu'elle ne date que de quelque soixante ans. Cette « cocotte » en métal est munie d'ouvertures pour la circulation de la chaleur et d'une rigole pour recueillir les sucs des viandes.

Beignets de courgette à la viande

Pour 4 personnes
Préparation : 20 mn
Cuisson : 5 mn

- 400 g de courgettes
- 100 g de bœuf haché
- 100 g de fromage de soja*
- 3 œufs
- 2 oignons nouveaux
- 2 gousses d'ail
- 2 cuil. à café de graines de sésame*
- 100 g de farine
- 2 cuil. à café d'huile de sésame*
- 4 cuil, à soupe d'huile d'arachide
- 1 pincée de glutamate de sodium*
- 1/2 cuil. à café de poivre moulu
- sel

Pour servir :
- 1 radis noir (facultatif)
- 1 brin de persil
- sauce de soja coréenne (page 207)

1. Lavez les courgettes, essuyez-les et coupez-les en fines rondelles. Étalez les rondelles sur un grand plat, en une seule couche, et saupoudrez-les de sel. Laissez dégorger.
2. Pendant ce temps, pelez les oignons nouveaux et hachez-les. Pelez l'ail et écrasez-le au presse-ail. Écrasez le fromage de soja à la fourchette. Mettez le fromage de soja dans un saladier avec le bœuf, les graines de sésame, les oignons nouveaux, l'ail, le glutamate de sodium, le poivre et un peu de sel. Mélangez bien. Tamisez la farine au-dessus d'une assiette creuse. Cassez les œufs dans un grand bol et battez-les à la fourchette.
3. Lavez les rondelles de courgettes et essorez-les. Prenez une rondelle de courgette, passez-en un côté dans la farine et étalez un peu de préparation à la viande sur le côté fariné. Passez les deux faces de cette «tartine» dans la farine, puis dans l'œuf battu. Faites de même avec toutes les rondelles de courgette.

4. Faites chauffer l'huile d'arachide dans une poêle. Ajoutez les rondelles en les posant sur la face garnie de viande. Laissez-les frire 2 ou 3 mn, puis retournez-les et laissez frire encore, jusqu'à ce que les deux faces soient bien dorées. Retirez-les à l'aide d'une écumoire et égouttez-les sur du papier absorbant.
5. Pelez éventuellement le radis et découpez-le en forme de fleurs. Lavez le persil et essorez-le. Disposez les beignets sur un plat, décorez avec le radis et le persil, et servez chaud ou froid. Présentez la sauce à part.

Notes :
- Vous pouvez supprimer le fromage de soja ou le remplacer par un peu plus de viande hachée.
- Ces petits beignets se servent habituellement en hors-d'œuvre.

Petits croissants à la viande

Pour 4 personnes
Préparation : 20 mn
Cuisson : 10 mn

- 30 galettes de riz (wontons*)
- 250 g de bœuf haché
- 2 oignons nouveaux
- 2 gousses d'ail
- 1/2 cuil. à café de graines de sésame*
- 2 pincées de glutamate de sodium*
- 1 cuil. à café d'huile de sésame*
- 4 cuil. à soupe d'huile d'arachide
- 1/2 cuil. à café de sel

Pour servir :
- 1 carotte (facultatif)
- 1 brin de persil
- sauce de soja coréenne (page 207)

1. Pelez les oignons nouveaux et hachez-les. Pelez l'ail et écrasez-le au presse-ail. Mettez la viande, l'oignon, l'ail, les graines et l'huile de sésame, le sel et le glutamate de sodium dans un saladier. Mélangez bien.
2. Déposez une cuillerée à café de la préparation précédente au centre de chaque wonton. Enroulez les galettes de façon à former des mini-croissants et pincez les bords pour les souder (ou entortillez-les).
3. Faites bouillir de l'eau dans une casserole et plongez-y les croissants. Laissez-les cuire à gros bouillons pendant 3 mn. Faites chauffer l'huile d'arachide dans une grande poêle. Retirez les petits croissants à l'aide d'une écumoire en les égouttant bien sur du papier absorbant et posez-les au fur et à mesure dans l'huile chaude. Faites-les frire en les retournant très souvent, jusqu'à ce qu'ils soient dorés sur toutes les faces. Retirez-les et égouttez-les.
4. Pelez éventuellement la carotte et découpez-la en forme de fleurs. Lavez le persil, essorez-le et détachez quelques touffes que vous placez au centre des fleurs.
5. Mettez les petits croissants dans un plat, décorez avec les fleurs de carotte et servez chaud ou froid, avec la sauce de soja à part.

Note :
Ces petits croissants à la pâte ultra-fine et croustillante peuvent être servis en hors-d'œuvre. Accompagnés de légumes ou d'une salade, ils deviennent un plat de résistance.

Sauce de soja
coréenne

Pour 4 personnes
Préparation : 5 mn

- 3 cuil. à soupe de sauce de soja*
- 1 oignon nouveau
- 1 gousse d'ail
- 1 cuil. à café de graines de sésame*
- 1 cuil. à café d'huile de sésame*
- 1/2 cuil. à café de sucre en poudre
- 1 cuil. à café de vinaigre
- 1 pincée de piment en poudre*
- 1 pincée de glutamate de sodium*

1. Pelez l'oignon et hachez-le menu. Pelez l'ail et écrasez-le au presse-ail. Mettez tous les ingrédients dans un bol et mélangez au fouet à main.
2. Répartissez la sauce dans 4 coupes individuelles.
Note :
Cette sauce accompagne de nombreux plats coréens. Chaque convive dispose d'une coupe où il trempe les aliments au fur et à mesure.

Petits croissants à la viande, servis avec la Sauce de soja coréenne ; Beignets de courgette à la viande.

Condiment
au chou chinois

Préparation : 20 mn
Repos : 12 h + 2 jours

- 1 chou chinois*
- 1 poire pas trop mûre
- 4 oignons nouveaux
- 4 gousses d'ail
- 2 cuil. à café de piment en poudre*
- 1 cuil. à soupe de sucre en poudre
- 1/2 cuil. à café de glutamate de sodium*
- 3 cuil. à café de sel

1. Détachez les feuilles du chou, lavez-les, essorez-les et coupez-les en tout petits morceaux. Mettez le chou dans un saladier, ajoutez le sel et laissez reposer au moins 12 h.
2. Au bout de ce temps, pelez les oignons nouveaux et hachez-les. Pelez l'ail et écrasez-le au presse-ail. Pelez la poire, coupez-la en quartiers, ôtez le cœur et les pépins et râpez la pulpe.
3. Versez le chou dans une passoire. Rincez-le à l'eau froide courante et égouttez-le en le pressant avec la main pour extraire toute l'eau.
4. Mettez le chou dans un bocal, ajoutez tous les autres ingrédients, mélangez et fermez le bocal hermétiquement.
5. Laissez macérer au moins 2 jours avant d'utiliser ce condiment.

Galettes
coréennes

Pour 4 personnes
Préparation : 20 mn
Trempage : 3 h
Cuisson : 25 mn

- 250 g de haricots mung*
- 50 g de bœuf haché
- 1 oignon
- 4 oignons nouveaux
- 1 carotte
- 1 petit poivron rouge
- 4 cuil. à soupe d'huile d'arachide
- poivre
- sel

Pour servir :
- sauce de soja coréenne (recette à l'extrême gauche)

1. Mettez les haricots dans un grand bol. Couvrez-les d'eau tiède et laissez-les tremper pendant au moins 3 h.
2. Au bout de ce temps, pelez les oignons nouveaux, éliminez les bulbes et hachez la partie verte. Pelez l'oignon et hachez-le. Lavez le poivron, ôtez le pédoncule, les graines et les cloisons blanches et émincez finement la pulpe.
3. Mettez les haricots avec leur liquide de trempage dans le bol d'un mixer électrique ou dans un mortier et réduisez-les en une purée épaisse et homogène.
4. Faites chauffer 1 cuillerée à soupe d'huile d'arachide dans une poêle d'environ 15 cm de diamètre. Versez-y un quart de la purée de haricots en secouant la poêle pour que la pâte couvre le fond uniformément. Parsemez la surface avec un quart des légumes et un quart de la viande. Salez, poivrez et laissez cuire pendant au moins 3 mn, jusqu'à ce qu'elle soit bien dorée.
5. Retirez la galette et posez-la sur un plat, que vous tenez au chaud pendant que vous faites cuire de la même façon les 3 autres galettes, en remettant chaque fois 1 cuillerée à soupe d'huile dans la poêle.
6. Servez chaud, avec la sauce à part.
Note :
Vous pouvez utiliser des pois cassés à la place des haricots mung.

Soupe au bœuf
et aux nouilles

Pour 4 personnes
Préparation et cuisson : 30 mn

- 400 g de bœuf cuit : gîte, tranche, macreuse...
- 100 g de tagliatelle fines, fraîches
- 9 dl de bouillon de bœuf
- 2 oignons nouveaux
- 2 cuil. à café de gingembre en poudre*
- 1 cuil. à café de sucre en poudre
- 1 cuil. à café de glutamate de sodium*
- 2 cuil. à café de poivre moulu
- 2 cuil. à café de sel

1. Faites bouillir de l'eau dans une casserole et plongez-y les nouilles. Laissez-les cuire à petits bouillons pendant 3 mn. Égouttez-les.

2. Coupez la viande en tranches très fines, puis chaque tranche en lanières d'environ 5 cm de long et 1 cm de large. Épluchez les oignons nouveaux et hachez-les.

3. Mettez le bouillon dans une casserole avec l'oignon nouveau, le gingembre, le sucre, le poivre, le sel et le glutamate de sodium. Portez à ébullition, puis ajoutez le bœuf et laissez cuire à petits frémissements pendant 5 mn.

4. Tenez la passoire contenant les nouilles au-dessus de la casserole. Prenez un peu de liquide chaud et versez-le sur les nouilles. Continuez ainsi jusqu'à ce que les nouilles soient chaudes, en laissant égoutter au fur et à mesure.

5. Répartissez les nouilles dans 4 assiettes creuses ou 4 bols, versez la soupe par dessus, en veillant à mettre autant de viande dans chaque assiette, et servez aussitôt.

Soupe épicée
au bœuf et au soja

Pour 4 personnes
Préparation et cuisson : 15 mn

- 300 g de bœuf cuit : tranche, macreuse...
- 100 g de germes de soja frais*
- 2 oignons nouveaux
- 2 gousses d'ail
- 9 dl de bouillon de bœuf
- 1 cuil. à café de piment en poudre*
- 1 cuil. à café de gingembre en poudre*
- 1 cuil. à café de glutamate de sodium*
- 3 cuil. à soupe d'huile d'arachide
- 1/4 de cuil. à café de sel

1. Pelez les oignons et hachez-les. Pelez l'ail et écrasez-le au presse-ail. Faites chauffer l'huile dans une poêle. Ajoutez le piment, l'ail et le gingembre et faites-les revenir sur feu doux pendant 1 mn, en remuant constamment. Retirez la poêle du feu.

2. Mettez le bouillon dans une casserole et portez à ébullition. Ajoutez le contenu de la poêle, puis les oignons nouveaux, les germes de soja, le bœuf, le sel et le glutamate de sodium. Laissez cuire à petits frémissements pendant 10 mn.

3. Servez très chaud.

Soupe
aux épinards

Pour 4 personnes
Préparation et cuisson : 10 mn

- 100 g de calmars vidés et nettoyés
- 250 g d'épinards frais
- 100 g de fromage de soja*
- 2 gousses d'ail
- 3 oignons nouveaux
- 1 cuil. à soupe de pâte de soja*
- 6 dl de bouillon de bœuf
- 1 cuil. à café de glutamate de sodium*
- sel

1. Coupez les calmars en fines lanières. Lavez les feuilles d'épinards, ôtez les tiges, essorez les feuilles et coupez-les en deux ou trois. Coupez le fromage de soja en dés. Pelez l'ail et écrasez-le au presse-ail. Pelez les oignons nouveaux et coupez-les en tout petits tronçons.

2. Mettez le bouillon dans une casserole et portez à ébullition. Ajoutez tous les autres ingrédients et laissez cuire à petits bouillons pendant 5 mn.

3. Répartissez la soupe aux épinards dans 4 bols individuels.

Note :

Vous pouvez supprimer les calmars, ou les remplacer par de la chair de crabe.

Soupe de poisson épicée

Pour 4 personnes
Préparation et cuisson : 20 mn

- 750 g de filets de poisson : cabillaud, merlan, colin...
- 1 courgette
- 1 poivron vert
- 1 oignon
- 2 oignons nouveaux
- 2 gousses d'ail
- 1 cuil. à café de gingembre en poudre*
- 2 à 6 cuil. à café de piment en poudre*
- 2 cuil. à soupe d'huile d'arachide
- 2 cuil. à café de sel

1. Épongez les filets de poisson avec du papier absorbant et coupez-les en morceaux de 2 cm. Pelez l'oignon et les oignons nouveaux et hachez-les. Pelez l'ail et écrasez-le au presse-ail. Lavez la courgette et coupez-la en fines rondelles. Lavez le poivron, ôtez le pédoncule, les graines et les cloisons blanches et coupez la pulpe en anneaux.

2. Mettez les filets de poisson dans une casserole, couvrez-les avec 6 dl d'eau, portez à ébullition, puis réduisez la chaleur et laissez cuire à petits frémissements pendant 5 mn. Retirez la casserole du feu.

3. Faites chauffer l'huile dans une poêle. Ajoutez le hachis d'oignons, l'ail, le gingembre, le sel et du piment selon votre goût. Faites revenir sur feu assez doux pendant 1 mn, en remuant constamment, puis ajoutez la courgette pendant 3 mn sans cesser de remuer.

4. Versez le contenu de la poêle dans la casserole.

5. Faites réchauffer la soupe sur feu doux. Servez très chaud.

Pot-au-feu coréen (voir page 211), servi dans son récipient de cuisson; Soupe aux épinards.

Soupe froide aux pâtes fraîches

Pour 4-6 personnes
Préparation et cuisson : 15 mn

- 500 g de tagliatelle fines, fraîches
- 250 g de bœuf cuit : tranche, macreuse...
- 8 grains de poivre noir
- 4 piments secs*
- 25 g de gingembre frais*
- 9 dl de bouillon de volaille
- 1 cuil. à café de sauce de soja*
- 1 cuil. à soupe d'huile
- 1/2 cuil. à café de glutamate de sodium*
- 1/2 cuil. à café de sel

Pour servir :
- 1 concombre
- 1 grosse poire
- 2 ou 3 œufs durs
- moutarde (facultatif)
- vinaigre (facultatif)

1. Faites bouillir de l'eau dans une grande casserole et plongez-y les tagliatelle. Laissez-les cuire à petits bouillons pendant 3 mn environ, puis égouttez-les, arrosez-les d'huile, mélangez et laissez-les refroidir.

2. Pendant ce temps, pelez la racine de gingembre. Coupez la viande en tranches très fines, puis chaque tranche en lanières d'environ 5 cm de long et 1 cm de large. Mettez le bouillon dans une casserole. Ajoutez la viande, le gingembre, le poivre, la sauce de soja, les piments, le sel et le glutamate de sodium. Portez à ébullition, puis laissez cuire à petits frémissements pendant 5 mn. Retirez la casserole du feu et laissez refroidir.

3. Pendant ce temps, écalez les œufs et coupez-les en deux dans le sens de la longueur. Lavez le concombre et coupez-le en fines rondelles. Pelez la poire, coupez-la en deux, ôtez le cœur et les pépins et coupez les deux moitiés en tranches fines.

4. Répartissez les nouilles dans 4 ou 6 assiettes creuses. Disposez par-dessus les rondelles de concombre et les tranches de poire en couches alternées. Posez une moitié d'œuf sur le tout.

5. Retirez du bouillon le gingembre, les piments et les grains de poivre. Versez le bouillon dans les assiettes en veillant à ne pas défaire la superposition des couches. Ajoutez éventuellement un peu de moutarde et un filet de vinaigre.

6. Servez froid.

Encornets aux poivrons

Pour 4 personnes
Préparation et cuisson : 25 mn

- 750 g d'encornets
- 1 poivron vert
- 1 poivron rouge
- 1 oignon
- 2 gousses d'ail
- 1 cuil. à soupe de kochujang*
- 2 cuil. à café de sucre en poudre
- 1 cuil. à café de glutamate de sodium*
- 2 cuil. à soupe d'huile d'arachide

1. Nettoyez les encornets. Éliminez les têtes, les cartilages et les poches d'encre, et coupez la chair en carrés de 2,5 cm de côté environ. Faites une incision en forme de croix sur chaque morceau. Lavez les poivrons, ôtez le pédoncule, les graines et les cloisons blanches et coupez la pulpe en anneaux. Pelez l'oignon et hachez-le. Pelez l'ail et écrasez-le au presse-ail.

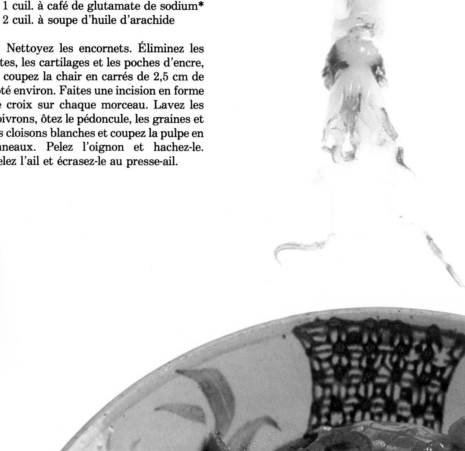

2. Faites chauffer l'huile dans une poêle. Ajoutez les poivrons et l'oignon et faites-les frire sur feu vif pendant 2 mn, en secouant constamment la poêle.

3. Retirez la poêle du feu. Ajoutez les encornets, l'ail, le sucre et le glutamate de sodium. Remettez la poêle sur le feu et faites revenir tous les ingrédients pendant 5 mn sur feu vif, en remuant et en secouant la poêle. Incorporez le kochujang et poursuivez la cuisson sur feu vif, pendant 2 mn, sans cesser de remuer.

4. Servez très chaud.

Note :

Les incisions pratiquées sur les morceaux d'encornets les empêchent de devenir caoutchouteux à la cuisson.

Encornets aux poivrons.

Pot-au-feu coréen

Pour 4-6 personnes
Préparation et cuisson : 1 h

- 200 g de foie d'agneau
- 200 g de filets de cabillaud
- 400 g de bœuf haché, cru
- 250 g de bœuf cuit : tranche, macreuse...
- 1 radis blanc
- 1 concombre
- 4 champignons de Paris
- 2 carottes
- 8 oignons nouveaux
- 4 oignons
- 2 gousses d'ail
- 75 g de pousses de bambou fraîches*
- 2 cuil. à soupe de pignons
- 2 cuil. à café de graines de sésame*
- 2 œufs
- 9 dl de bouillon de bœuf
- 4 cuil. à soupe d'huile d'arachide
- 1 cuil. à café de glutamate de sodium*
- sel
- poivre

Pour la pâte :
- 100 g de farine
- 2 œufs

1. Pelez le radis et plongez-le dans une casserole d'eau bouillante. Laissez-le cuire à petits bouillons pendant 20 mn.

2. Pendant ce temps, épongez le foie et coupez-le en très fines tranches. Coupez les filets de poisson en fines tranches. Coupez le bœuf cuit en lanières. Lavez le concombre et coupez-le en fines rondelles. Grattez les carottes et coupez-les en tranches fines dans le sens de la diagonale, Nettoyez les champignons en supprimant la partie terreuse du pied et coupez-les en fines lamelles. Pelez les oignons et hachez-les. Pelez l'ail et écrasez-le au presse-ail. Pelez les oignons nouveaux et coupez-les en lanières.

3. Égouttez le radis et coupez-le en petits morceaux. Faites chauffer 1 cuillerée à soupe d'huile d'arachide dans une poêle, ajoutez le hachis d'oignon et faites-le cuire sur feu doux, jusqu'à ce qu'il soit bien mou. Ajoutez l'ail et les graines de sésame, puis retirez la poêle du feu et mélangez son contenu avec les morceaux de radis blanc.

4. Préparez la pâte : cassez les œufs dans un bol et battez-les à la fourchette. Tamisez la farine au-dessus d'un saladier, ajoutez les œufs et mélangez jusqu'à obtention d'une pâte homogène. Incorporez peu à peu 2 cuillerées à soupe d'eau, en veillant à ne pas faire de grumeaux.

5. Trempez les tranches de foie dans la pâte de façon à bien les enrober. Faites chauffer 1 cuillerée à soupe d'huile d'arachide dans la poêle, ajoutez les tranches de foie et faites-les cuire pendant 5 mn. Retirez-les de la poêle, égouttez-les sur du papier absorbant et laissez-les refroidir.

6. Pendant ce temps, trempez-les tranches de poisson dans le reste de la pâte de façon à bien les enrober. Faites chauffer 1 autre cuillerée à soupe d'huile dans la poêle, ajoutez le poisson et faites-le cuire pendant 5 mn. Retirez-le de la poêle, égouttez-le sur du papier absorbant et laissez-le refroidir.

7. Cassez les œufs dans un bol. Battez-les à la fourchette, puis mélangez-les avec la viande hachée. Salez et poivrez. Façonnez la viande hachée en boulettes d'environ 1 cm de diamètre. Faites chauffer la dernière cuillerée à soupe d'huile dans la poêle, mettez-y les boulettes et faites-les cuire pendant 5 mn en les retournant souvent, jusqu'à ce qu'elles soient bien dorées sur toute leur surface. Retirez-les de la poêle et égouttez-les sur du papier absorbant.

8. Mettez le bouillon dans une casserole, avec 1 cuillerée à café de poivre et le glutamate de sodium. Portez à ébullition, puis réduisez la chaleur et laissez frémir doucement.

9. Pendant ce temps, disposez les ingrédients dans la marmite à fondue (à défaut de marmites à Shin-Sol-Lo individuelles). Couvrez le fond avec une couche de lanières de bœuf. Répartissez le mélange de radis par-dessus, puis recouvrez avec des couches de foie et de poisson alternées. Rangez côte à côte le concombre, les champignons, les carottes, les oignons nouveaux, les tranches de pousses de bambou et les boulettes de viande en répétant trois fois la même succession d'ingrédients sur la totalité de la circonférence (voir photo page 209). Placez les pignons au centre.

10. Versez le bouillon chaud en veillant à ne pas modifier la disposition des ingrédients. Faites chauffer doucement jusqu'à reprise de l'ébullition et servez aussitôt.

Notes :

• Cette potée est véritablement un plat royal, qui était autrefois réservé à l'entourage du souverain.

• Il faut dire que la recette coréenne originale comprend également du crabe, des grosses crevettes et toute une variété de viande. Cette version, quoique plus simple, est déjà très somptueuse. Sa préparation demande un certain temps, mais elle n'est pas difficile.

Poulet frit
en sauce onctueuse

Pour 4 personnes
Préparation et cuisson : 1 h

- 500 g de chair de poulet désossée
- 2 carottes
- 2 pommes de terre
- 1 petit poivron rouge
- 1 petit poivron vert
- 1 oignon
- huile pour friture

Pour la pâte :
- 100 g de farine
- 2 œufs

Pour la sauce :
- 2 oignons nouveaux
- 2 gousses d'ail
- 2 cuil. à café de gingembre en poudre*
- 2 cuil. à soupe de sauce de soja*
- 2 cuil. à soupe de xérès sec
- 1 cuil. à soupe d'huile de sésame*
- 1 cuil. à soupe de sucre en poudre
- 1/2 cuil. à café de glutamate
  de sodium*
- 1/2 cuil. à café de sel

1. Coupez la chair de poulet en cubes d'environ 2,5 cm de côté. Pelez les carottes et coupez-les en rondelles. Lavez les poivrons, ôtez le pédoncule, les graines et les cloisons blanches et coupez la pulpe en fines lanières. Pelez l'oignon et hachez-le.

Épluchez les pommes de terre et coupez-les en cubes d'environ 2,5 cm de côté. Couvrez-les d'eau froide pour éviter qu'elles noircissent.

2. Préparez la pâte : cassez les œufs dans un bol et battez-les à la fourchette. Tamisez la farine au-dessus d'un saladier. Ajoutez les œufs et mélangez jusqu'à obtention d'une pâte homogène, puis incorporez peu à peu 2 cuillerées à soupe d'eau, en veillant bien à ne pas faire de grumeaux.

3. Trempez les cubes de poulet dans la pâte de façon à bien les enrober. Faites chauffer l'huile dans une friteuse. Quand elle est bien chaude, plongez-y les morceaux de poulet et faites-les frire, jusqu'à ce qu'ils soient uniformément dorés. Retirez-les à l'aide d'une écumoire et égouttez-les sur du papier absorbant.

4. Faites bouillir de l'eau dans une casserole. Mettez-y les carottes et les pommes de terre et faites-les blanchir pendant 3 mn, puis égouttez-les et épongez-les soigneusement. Plongez-les dans l'huile chaude, laissez-les frire pendant 5 mn, puis retirez-les à l'aide d'une écumoire et égouttez-les sur du papier absorbant.

5. Préparez la sauce : pelez l'ail et écrasez-le au presse-ail. Épluchez les oignons nouveaux. Mettez tous les ingrédients dans une casserole, mélangez et portez à ébullition. Retirez la casserole du feu.

Bœuf en sauce aux fruits, servi avec le Condiment au chou chinois (voir page 207); des fruits décorativement découpés sont souvent servis en dessert pour compléter un repas coréen traditionnel.

6. Étalez une fine couche d'huile dans le fond d'une grande poêle. Faites-la chauffer sur feu doux, puis ajoutez le poulet, les poivrons, les carottes, les pommes de terre et l'oignon. Faites cuire sur feux doux en remuant constamment pendant 1 mn, puis augmentez la chaleur et versez la sauce dans la poêle. Poursuivez la cuisson sur feu très vif pendant 1 mn, en remuant constamment et en secouant la poêle. Servez aussitôt.

Bœuf en sauce aux fruits

Pour 4 personnes
Préparation : 15 mn
Marinade : 3 h
Cuisson : 5 mn

- 750 g de bœuf : rumsteck, faux-filet...

Pour la marinade :
- 1 petite pomme
- 1 petite poire bien ferme
- 1 oignon
- 3 oignons nouveaux
- 3 gousses d'ail
- 3 cuil. à soupe de graines de sésame*
- 4 cuil. à soupe de sauce de soja*
- 2 cuil. à soupe de xérès sec
- 2 cuil. à soupe d'huile de sésame*
- 2 cuil. à soupe de sucre en poudre
- 1 cuil. à café de glutamate de sodium*
- 1 cuil. à café de poivre

Pour servir :
- 1 carotte (facultatif)
- 1 radis blanc (facultatif)
- 1 brin de persil
- condiment au chou chinois (page 207)

1. Coupez le bœuf en tranches fines, puis chaque tranche en carrés de 5 cm de côté environ. Mettez-le dans un saladier.
2. Préparez la marinade ; pelez la pomme et la poire, ôtez le cœur et les pépins et râpez la pulpe. Pelez l'oignon et hachez-le. Pelez les oignons nouveaux et coupez-les en tout petits tronçons. Pelez l'ail et hachez-le. Mettez le tout dans un grand bol, ajoutez 8 cuillerées à soupe d'eau, tous les autres ingrédients de la marinade, et mélangez bien. Versez la marinade sur la viande et laissez macérer pendant au moins 3 h.
3. 10 mn avant la fin de la marinade, pelez éventuellement la carotte et le radis blanc et découpez-les en forme de fleurs. Laissez-les tremper dans de l'eau froide. Lavez le persil et essorez-le.
4. Quand la viande a suffisamment mariné, faites chauffer légèrement la cocotte dans laquelle vous allez la faire cuire. Mettez-y le bœuf avec sa marinade et faites-le cuire à feu vif pendant environ 5 mn, en le retournant constamment, jusqu'à ce qu'il soit bien tendre.
5. Égouttez éventuellement radis et carotte. Mettez le bœuf et sa sauce dans un plat creux. Décorez avec la carotte, le radis et le persil. Présentez le Condiment au chou chinois à part.
Note :
Le Bœuf en sauce aux fruits est probablement le plus célèbre plat coréen. Traditionnellement, sa cuisson se fait dans une cocotte spéciale, mais vous pouvez utiliser une cocotte ou une sauteuse en fonte émaillée.

Poulet au soja et au gingembre

Pour 4 personnes
Préparation : 15 mn
Cuisson : 25 mn

- 1 poulet d'environ 1,2 kg, prêt à cuire
- 1 poivron vert
- 1 poivron rouge
- 2 carottes
- 8 champignons de Paris

Pour la sauce :
- 2 dl de sauce de soja*
- 4 oignons nouveaux
- 2 gousses d'ail
- 1 cuil. à soupe de gingembre en poudre*
- 1 cuil. à soupe de sucre en poudre
- 1/2 cuil. à café de glutamate de sodium*
- 2 cuil. à café de poivre moulu

1. Supprimez le cou et les ailerons du poulet et découpez le poulet en 8 morceaux. Lavez les poivrons, ôtez le pédoncule, les graines et les cloisons blanches et coupez la pulpe en fines lanières. Pelez les carottes et coupez-les en rondelles très fines. Nettoyez les champignons en supprimant la partie terreuse du pied et coupez-les en lamelles.
2. Faites bouillir 1 litre d'eau dans une grande casserole. Ajoutez les morceaux de poulet et laissez-les cuire à petits bouillons pendant 5 mn.
3. Pendant ce temps, préparez la sauce : épluchez les oignons nouveaux. Pelez l'ail et écrasez-le au presse-ail. Mettez tous les ingrédients de la sauce dans une cocotte, ajoutez 4,5 dl d'eau, mélangez bien et portez à ébullition.
4. Égouttez les morceaux de poulet et mettez-les dans la sauce. Ajoutez les poivrons, les carottes et les champignons. Attendez la reprise de l'ébullition, puis réduisez la chaleur et laissez mijoter pendant 30 mn environ, jusqu'à ce que la chair du poulet soit bien tendre.
5. Servez chaud.

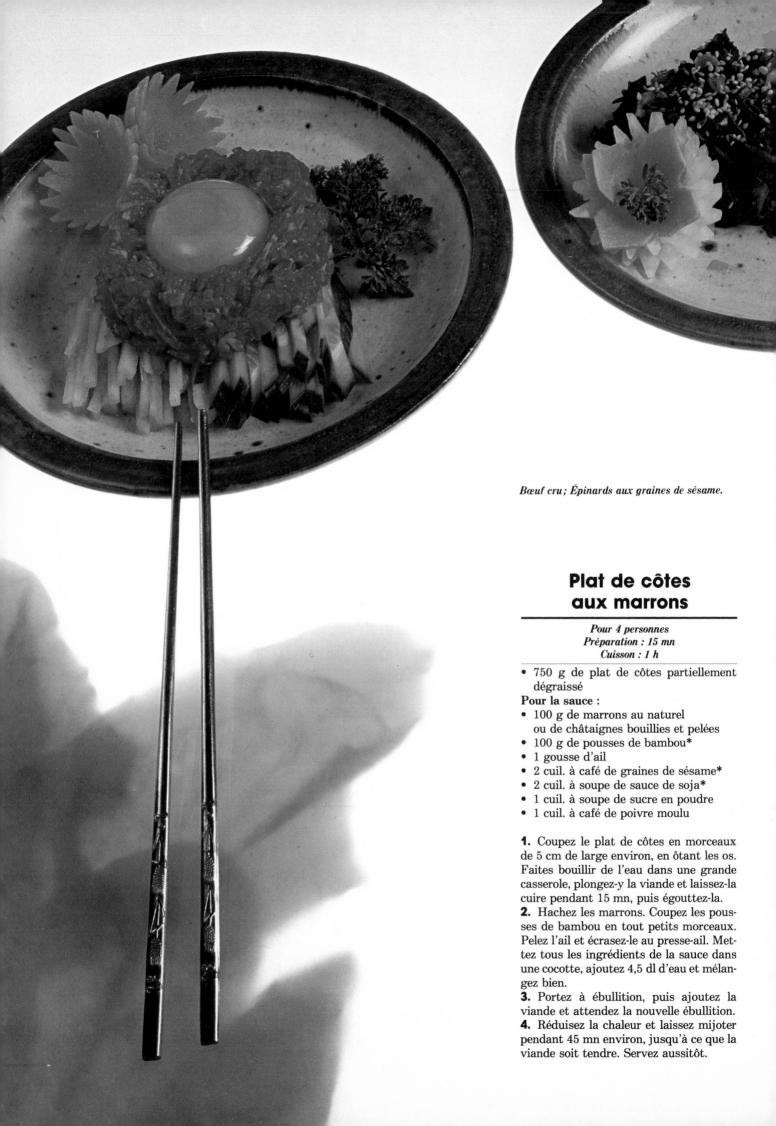

Bœuf cru ; Épinards aux graines de sésame.

Plat de côtes
aux marrons

Pour 4 personnes
Préparation : 15 mn
Cuisson : 1 h

- 750 g de plat de côtes partiellement dégraissé

Pour la sauce :
- 100 g de marrons au naturel ou de châtaignes bouillies et pelées
- 100 g de pousses de bambou*
- 1 gousse d'ail
- 2 cuil. à café de graines de sésame*
- 2 cuil. à soupe de sauce de soja*
- 1 cuil. à soupe de sucre en poudre
- 1 cuil. à café de poivre moulu

1. Coupez le plat de côtes en morceaux de 5 cm de large environ, en ôtant les os. Faites bouillir de l'eau dans une grande casserole, plongez-y la viande et laissez-la cuire pendant 15 mn, puis égouttez-la.
2. Hachez les marrons. Coupez les pousses de bambou en tout petits morceaux. Pelez l'ail et écrasez-le au presse-ail. Mettez tous les ingrédients de la sauce dans une cocotte, ajoutez 4,5 dl d'eau et mélangez bien.
3. Portez à ébullition, puis ajoutez la viande et attendez la nouvelle ébullition.
4. Réduisez la chaleur et laissez mijoter pendant 45 mn environ, jusqu'à ce que la viande soit tendre. Servez aussitôt.

Bœuf cru

Pour 4 personnes
Préparation : 15 mn

- 600 g de bœuf : filet, faux-filet, rumsteck...
- 4 jaunes d'œufs
- 3 gousses d'ail
- 2 cuil. à café de graines de sésame*
- 1 cuil. à soupe d'huile de sésame*
- 2 cuil. à café de sucre en poudre
- 1/2 cuil. à café de glutamate de sodium*
- sel

Pour la garniture :
- 2 petites poires
- 1 petit concombre
- 2 brins de persil
- 1 carotte (facultatif)

1. Lavez le concombre, coupez-le en tronçons de 5 cm de long, puis coupez les tronçons en bâtonnets. Pelez les poires, coupez-les en deux, ôtez le cœur et les pépins, puis coupez les moitiés de poires en bâtonnets. Lavez le persil, essorez-le et détachez les touffes. Pelez éventuellement la carotte et découpez des fleurs dans la pulpe.
2. Répartissez les bâtonnets de poire et de concombre dans 4 assiettes individuelles en plaçant le concombre à côté de la poire.
3. Pelez l'ail et écrasez-le au presse-ail. Coupez la viande en tranches très fines (pas plus de 3 mm d'épaisseur), puis coupez les tranches en lanières et mettez-les dans un saladier. Ajoutez l'ail, les graines et l'huile de sésame, le sucre, le glutamate de sodium et un peu de sel. Mélangez bien en malaxant avec les doigts.
4. Partagez la préparation précédente en 4 portions que vous façonnez en galettes épaisses. Posez une galette de viande sur chaque assiette, à cheval sur la poire et le concombre. Creusez le dessus de chaque galette en pressant avec le bout des doigts, puis placez un jaune d'œuf dans chaque creux.
5. Décorez avec les touffes de persil et éventuellement les fleurs de carotte, et servez aussitôt.
Notes :
- C'est la version coréenne du steak tartare. Chaque convive mélange le jaune d'œuf à la viande, à la poire et au concombre. Pour déguster ce bœuf cru, vous pouvez utiliser des baguettes ou bien une fourchette.
- La viande qui a séjourné quelque temps au congélateur est plus facile à découper finement.

Légumes épicés

Pour 4 personnes
Trempage : 30 mn
Préparation et cuisson : 45 mn

- 200 g de nouilles de haricots mung*
- 250 g de chou chinois*
- 1 carotte
- 100 g d'épinards frais
- 8 champignons chinois*
- 3 cuil. à soupe d'huile d'arachide
- sel

Pour la sauce :
- 2 cuil. à café de graines de sésame*
- 1 cuil. à soupe de sauce de soja*
- 2 cuil. à café de sucre en poudre
- 1 cuil. à soupe d'huile de sésame*
- 1/2 cuil. à café de glutamate de sodium*
- 1/2 cuil. à café de sel

1. Mettez les champignons dans de l'eau tiède et laissez-les tremper pendant 30 mn.
2. Pendant ce temps, nettoyez les épinards en supprimant les tiges. Mettez-les, sans trop les égoutter au dernier lavage, dans une casserole, salez, couvrez et laissez cuire 3 mn. Égouttez-les et hachez-les grossièrement. Lavez les feuilles de chou chinois, essorez-les et coupez-les en fines lanières. Grattez la carotte et coupez-la en julienne.
3. Égouttez les champignons en les pressant pour extraire toute l'eau et en éliminant les parties dures. Faites chauffer 2 cuillerées à soupe d'huile dans une sauteuse. Quand elle est bien chaude, ajoutez le chou chinois, salez et faites-le cuire pendant 2 mn en remuant constamment. Retirez-le de la sauteuse.
4. Mettez 1 autre cuillerée à soupe d'huile dans la sauteuse, ajoutez la carotte et faites-la cuire pendant 1 mn en remuant, puis remettez le chou, ajoutez les épinards et les champignons et poursuivez la cuisson pendant 2 mn en remuant constamment. Retirez du feu.
5. Remettez de l'eau à bouillir dans une casserole et plongez-y les nouilles. Laissez-les cuire pendant 3 mn, puis égouttez-les.
6. Préparez la sauce : mettez tous les ingrédients dans une casserole et mélangez. Portez à ébullition, puis versez la sauce sur les légumes. Ajoutez les nouilles, mélangez bien et remettez la sauteuse sur feu doux. Faites réchauffer les légumes en les remuant et servez aussitôt.

Épinards aux graines de sésame

Pour 4 personnes
Préparation et cuisson : 20 mn

- 1 kg d'épinards frais
- 1 cuil. à soupe de graines de sésame*
- 3 gousses d'ail
- 2 oignons nouveaux
- 3 cuil. à soupe de sauce de soja*
- 1 cuil. à soupe d'huile de sésame*
- 2 cuil. à café de sucre en poudre
- 2 pincées de glutamate de sodium*
- sel

Pour décorer (facultatif) :
- 1/2 carotte
- 1/2 radis blanc
- 1 brin de persil

1. Épluchez les épinards en supprimant les tiges et lavez-les soigneusement. Pelez l'ail et écrasez-le au presse-ail. Pelez les oignons nouveaux et hachez-les. Grattez éventuellement la carotte et le radis et découpez des fleurs dans ces deux légumes. Lavez le persil et essorez-le.
2. Mettez les épinards sans trop les égoutter au dernier lavage dans une marmite. Salez, couvrez et laissez cuire pendant 4 mn, puis égouttez-les.
3. Hachez grossièrement les épinards et mettez-les dans un plat. Mélangez tous les autres ingrédients et versez-les sur les épinards. Décorez éventuellement avec la carotte, le radis et le persil.
4. Servez encore chaud.
Note :
Choisissez des épinards fraîchement cueillis : ils seront plus tendres et plus savoureux.

Glossaire

Aburage (Japon)
Fromage ou pâté de soja frit.

Agar-agar (Birmanie, Chine, Japon, Malaysie)
L'agar-agar est une algue vendue sous forme de poudre ou de longues lanières transparentes. L'agar-agar a un goût d'algue très prononcé qui peut déplaire. Vous pouvez remplacer 25 g d'agar-agar par 4 cuillerées de gélatine en poudre.

Aka miso (Japon), voir **Miso**.

Azuki (Japon)
Petits haricots secs rouges. Ils se vendent secs et également en sachets ou, déjà cuits, en boîte.

Bagoong (Philippines), voir **Pâte de poissons**.

Belimbing wuluh (Malaysie)
Fruit aigre-doux très commun dans le Sud-Est asiatique, mais introuvable chez nous.

Beni shoga (Japon)
Gingembre mariné au sel et de couleur rouge.

Besan (Inde)
Très fine farine de pois chiches qui doit être tamisée avant toute utilisation.

Beurre de coco
Beurre obtenu à partir de la noix de coco. Se vend en paquets, comme notre beurre; il faut le garder au frais et le consommer assez vite pour éviter qu'il se rancisse.

Blachan (Malaysie), voir **Pâte de crevettes**.

Boo (Birmanie, Corée)
Long radis blanc. Il peut être remplacé par du navet.

Buah keras (Malaysie), voir **Noix de kemiri**.

Bumbu (Malaysie)
Terme générique pour tout ce qui donne une note parfumée et épicée aux plats. Peut se dire d'épices ou d'une sauce.

Cabé rawit (Malaysie)
Petit piment très fort, de couleur verte, rouge et parfois blanche.

Cannelle
On la connaît sous forme d'écorce séchée, de feuilles roulées en bâtonnets, et de poudre. On l'utilise, chez nous, surtout dans les desserts, mais en Asie elle entre souvent dans la préparation de plats salés.

Cardamome
Plante d'un membre de la famille du gingembre, la cardamome se présente comme une gousse allongée renfermant de petites graines plus ou moins sombres. Il en existe plusieurs variétés : la cardamome verte, petite et d'un vert tendre; la cardamome blanchie, petite et blanche, et la cardamome noire, très grosse et noire. Pour les deux premières variétés, on n'utilise que les graines de l'intérieur; quant à la troisième, elle est utilisée entière, l'enveloppe étant aussi parfumée que les graines qu'elle contient.

Carvi
Le carvi se présente sous forme de petites graines vert tendre à la saveur à la fois piquante et sucrée. On le trouve aussi sous forme de poudre.

Champignons séchés
En Chine, comme au Japon, on les utilise beaucoup. Il faut toujours les faire tremper avant de les utiliser; cela pendant au moins 20 mn dans de l'eau tiède. Les « oreilles de chat » sont consommées en Chine, mais aussi en Thaïlande et au Vietnam, alors que les *shiitake* (voir ce mot) ne le sont qu'au Japon.

Châtaignes d'eau
Utilisées en Chine et au Japon, on les trouve quelquefois fraîches chez nous. Il faut alors retirer la peau brune qui recouvre le fruit blanc, croquant et légèrement sucré. Sinon, il faut les acheter en boîte.

Chou chinois
Sorte de chou allongé de couleur vert pâle, appelé *hatusai* (ou *napa*) par les Japonais. Très utilisé dans la cuisine de tous les pays d'Asie, on le trouve aujourd'hui assez facilement chez nous.

Choy
Chrysanthèmes que l'on déguste frais, comme un légume. *Choy* est le nom chinois; au Japon, on appelle ces chrysanthèmes *shunjuku*.

Cinq parfums
Mélange d'épices créé par les Chinois. Il se compose d'anis étoilé, de poivre, de fenouil, de clou de girofle et de cannelle. Le poivre utilisé est celui de la région du Sseu-tch'ouan (voir **Poivre du Sseu-tch'ouan**).

Citron vert
Proche du citron jaune, le citron vert pousse sur un arbre de l'archipel malais. Il donne un fruit plus petit et plus rond que le citron jaune et est de couleur vert foncé. Sa saveur est un peu acide et son parfum plus prononcé que celui du citron jaune. On utilise du citron vert le jus, la pulpe et le zeste râpé ou détaillé en fines lanières.

Citronnelle
Originaire de l'Inde, la citronnelle est aussi cultivée à Java et à Sri Lanka (Ceylan). Cette plante très parfumée s'utilise surtout dans les plats salés. On l'emploie fraîche ou séchée. Fraîche, elle se présente comme un bulbe surmonté de longues tiges. Celles-ci sont découpées en tronçons et utilisées telles quelles. Ces tiges sont aussi vendues sèches, déjà découpées; il faut alors les faire tremper pendant quelques minutes dans de l'eau chaude. On trouve aussi de la citronnelle en poudre.

Clou de girofle
Le clou de girofle est le fruit d'un arbre tropical, le giroflier. Il pousse en Chine, en Inde, aux Antilles et à la Réunion. Il est le bouton floral non encore épanoui et séché. On le trouve floral non encore épanoui et séché. On le trouve entier ou en poudre.

Coriandre
C'est une plante de la famille des Ombellifères, c'est-à-dire que ses fleurs forment de petites ombelles. Haute de 40 à 60 cm, elle pousse dans les pays d'Afrique du Nord, dans le Sud-Est de l'Europe et en Inde. Son feuillage est vert clair, aux feuilles rares et très découpées. Ses fleurs donnent des graines de la taille d'un grain de poivre, toutes rondes et de couleur beige foncé. Les feuilles se retrouvent dans la cuisine indienne, finement ciselées et ajoutées à la fin de la cuisson d'un plat afin qu'elles ne perdent pas leur parfum. Les graines, ou la poudre, peuvent cuire longtemps.

Crème de coco
Se vend en boîte ou en flacon. La crème de coco est la pulpe du fruit très finement pulvérisée. Si elle est solide, il faut la faire chauffer au bain-marie, dans son emballage, afin de la rendre le plus souple possible.

Crevettes séchées
Petites crevettes décortiquées et séchées, en vente dans les magasins de produits chinois. Elles se retrouvent dans presque tous les pays d'Asie et entrent dans la composition de nombreux plats, notamment dans les plats de viandes, où elles apportent un parfum très particulier. Elles se vendent au poids ou en sachet.

Cumin
A ne pas confondre avec le carvi (voir ce mot). Le cumin se vend sous forme de petites graines allongées de couleur brune. Son parfum est beaucoup moins anisé que celui du carvi.

Curcuma (Inde, Chine)
C'est une plante de la famille des Zingibéracées, comme le gingembre, qui mesure de 60 cm à 1 m de hauteur. Ses longues feuilles sont de couleur jaune et, roulées, puis séchées, elles sont ensuite pulvérisées. La poudre dorée obtenue, le curcuma, a un très fort pouvoir colorant. Ce qui lui a valu le surnom de « safran des Indes », mais on ne peut pas substituer l'un à l'autre.

Daikon (Japon)
Gros radis blanc. Il peut être remplacé par de jeunes navets blancs.

Dal (Inde)
Nom générique d'une variété de lentilles. On distingue trois variétés très connues : *moong*, *urhad* et *chenna*. Leur intérêt principal est leur cuisson très rapide, et leurs goûts très proches les rendent interchangeables. Ils sont très utilisés dans la cuisine indienne, mélangés à du riz. Le nom *dal* comprend aussi d'autres légumes secs, comme les pois chiches, par exemple.

Daun jeruk purut (Malaysie)
Feuille d'un arbre fruitier dont les fruits sont proches du citron vert. Ces feuilles cuisent dans les plats salés, puis sont retirées à la fin de la cuisson.

Eau de rose
Elle est très utilisée dans la cuisine de l'Inde et du Pakistan. Vous l'achèterez en flacons ou sous forme d'essence; mais, attention,

dans le second cas, n'en mettez que quelques gouttes. L'eau de rose parfume surtout les desserts mais aussi certains plats comme le Riz doré à la viande (page 43).

Ebi (Malaysie)
Petites crevettes séchées crues ; (Japon) crevettes crues.

Farine atta (Inde)
Farine de blé complète, vendue aussi sous le nom de farine *chappatti* ; elle est utilisée en Inde pour les pains non levés.

Farine de riz
Aussi connu chez nous que dans les pays d'Asie, où elle est toutefois utilisée de manière différente. Elle se retrouve surtout dans la cuisine indienne, où elle entre dans la composition de nombreuses pâtes. Vous en trouverez dans les épiceries spécialisées en produits exotiques, mais vous pouvez aussi utiliser celle que l'on trouve dans toutes les épiceries.

Farine de soja
Beaucoup plus rare que la farine de riz, elle est surtout connue au Japon, où elle est la base de pâte à pâte.

Fenouil
Il se présente comme de petites graines vert sombre au parfum très anisé, mais qu'il ne faut pas confondre avec le carvi (voir ce mot). Le fenouil frais est la base d'une plante de la famille des Ombellifères, aux feuilles vert foncé et aux fleurs jaunes.

Fenugrec
Le fenugrec est une plante annuelle, de la famille des Légumineuses, qui présente une longue tige garnie de feuilles dentelées. Le fenugrec fleurit chez nous de mars à juillet et donne des fleurs jaunes, puis des fruits à l'aspect de gousses, lesquelles contiennent une dizaine de petites graines brunes. Ces graines entrent souvent dans les mélanges d'épices, comme le curry. Leur parfum est légèrement amer, tout en laissant un arrière-goût de caramel.

Fromage de soja
On l'appelle aussi pâté de soja. On le trouve surtout en Chine (*dow foo*) et au Japon (*tofu*). Il est vendu prêt à l'utilisation sous forme d'un bloc de 7 x 10 x 4 cm et cette mesure porte, au Japon, le nom de *cho*. Chaque bloc pèse environ 300 g. Ce fromage est préparé à partir de haricots de soja cuits, puis réduits en purée et enfin coagulés à l'aide d'un produit coagulant (jus de citron, vinaigre, sel).

Il est également utilisé en Indonésie et en Malaysie (*tahu* ou *taukwa*). C'est le seul végétal qui possède la même propriété que le lait et donne donc une sorte de fromage. De plus, ce fromage est très riche en protéines et en fait l'aliment favori des végétariens. Vous le trouverez quelquefois en vente dans les magasins de produits diététiques et macrobiotiques en plus des magasins chinois et japonais. Il est également vendu sous forme de poudre.

Galanga
Le galanga (appelé *laos* en Malaysie et *kha* en Thaïlande), rhizome proche du gingembre, a une chair blanche recouverte d'une peau brune. On distingue le petit galanga à chair orange et le grand galanga à chair blanche. Le galanga se vend en poudre ou en morceaux séchés, très durs, qu'il faut soit passer au mixer, soit faire tremper pendant 1 h dans de l'eau chaude avant de l'utiliser.

Germes de soja, voir **Haricot mung**.

Ghee
C'est la matière grasse de cuisson des Indiens. Il s'agit d'un beurre clarifié, supportant de hautes températures, qui se vend en boîtes, prêt à l'emploi, la préparation étant trop longue et compliquée à réaliser chez soi. Si toutefois, vous voulez le préparer vous-même, en voici la recette : mettez 1,5 kg de très bon beurre doux dans une casserole et posez-la sur feu très doux. Faites fondre le beurre en retirant, au fur et à mesure, la mousse qui se forme à la surface. Dès que le beurre est totalement fondu et qu'il ne se forme plus de mousse, retirez la casserole du feu et versez le beurre dans une passoire tapissée de plusieurs épaisseurs de mousseline, en éliminant le dépôt blanchâtre qui se trouve au fond de la casserole. Laissez reposer jusqu'à ce que le ghee soit solidifié, puis mettez-le dans un pot fermant hermétiquement et entreposez-le au réfrigérateur. Vous le conserverez pendant 3 à 4 mois. On trouve aussi un ghee préparé à base de produits végétaux.

Gingembre
Rhizome d'une plante vivace (d'environ 1 m de haut) de la famille des Zingibéracées. La racine du gingembre forme un rhizome charnu d'environ 10 cm de long. On utilise la racine fraîche ou séchée, ou

encore réduite en poudre, et les pousses, en les coupant en fines rondelles. Son parfum est irremplaçable. Du gingembre coupé en fines lamelles et mariné dans du vinaigre porte le nom de *gari* : Les Japonais le dégustent avec les *sushi*.

Glutamate de sodium
Cristaux de couleur blanche, très petits. Le glutamate de sodium est obtenu à partir d'extraits végétaux et de composants chimiques. Il est utilisé pour faire ressortir le goût des aliments, jouant le rôle de catalyseur sur les papilles gustatives. Son utilisation n'est pas vraiment indispensable.

Gomasio (Japon)
Graines de sésame salées. Pour les réaliser, il vous faut faire revenir dans une poêle antiadhésive, sans matière grasse, 1 cuillerée à soupe de graines de sésame noires, jusqu'à ce qu'elles commencent à sauter dans la poêle. Versez-les alors dans une terrine, ajoutez-y 2 cuillerées à café de sel et mélangez.

Gombo
Appelés aussi *okras*, les gombos sont des légumes de forme allongée avec un petit pédoncule à une extrémité qu'il faut enlever. Ils sont de couleur vert tendre. Il ne faut surtout pas les faire trop cuire, car ils deviennent gluants et sont alors immangeables. On trouve aussi de la poudre de gombos qui sert de liant à certains plats.

Gyosa (Japon)
Pâte très fine qui sert à la confection de raviolis japonais. On la trouve toute prête, mais elle peut être remplacée par la pâte à wonton (voir ce mot).

Hakusai (Japon), voir **Chou chinois**.

Haricot mung
Petit haricot sec de couleur vert sombre. C'est le plus souvent lui que l'on fait germer et que l'on vend sous le nom de germes de soja. Il sert aussi à la préparation de pâtes.

Haricots salés, jaunes ou **noirs**
Ces petits haricots se trouvent dans presque tous les pays d'Asie ; ils se vendent le plus souvent en boîte, prêts à l'emploi. Si vous ne les utilisez pas tous, vous pouvez les conserver au réfrigérateur, dans un pot fermant hermétiquement ; ils se garderont plusieurs mois.

Haricot de soja
Il existe deux types de haricots de soja : le haricot de

soja vert, qui sert à la confection de plats de légumes, mais qui n'est pas très bon et reste encore craquant après des heures de cuisson ; et le haricot de soja blanc, qui est utilisé dans presque toutes les préparations à base de haricots de soja.

Harusame (Japon), voir **Nouilles japonaises**.

Hijiki (Japon)
Petites algues noires vendues séchées. Les Japonais les utilisent comme légume. Il faut les faire tremper pendant 30 mn à l'eau tiède avant toute cuisson.

Hikicha (Japon), voir **Matcha**.

Horapa (Thaïlande)
Herbe proche du basilic, en particulier du basilic dit doux. Il peut d'ailleurs lui être substitué.

Kamaboko (Japon)
Sorte de saucisse préparée à partir de poisson. Elle est vendue toute prête sous forme de rouleau que l'on découpe en fines tranches.

Kampyo (Japon)
Longues lanières de courge vendues séchées qu'il faut faire blanchir, puis assaisonner de sauce de soja et de mirin (voir ce mot), puis faire refroidir et déguster, en particulier avec du Riz sushi (page 195).

Kapi (Thaïlande) voir **Pâte de crevettes**.

Kasu (Japon)
Lie de vin séchée vendue sous forme de gros blocs.

Katsuobushi (Japon)
Bonite séchée vendue entière (qu'il faut râper) ou en flocons. Cette bonite entre surtout dans la composition des bouillons.

Kecap (Indonésie, Malaysie)
Sauce de soja plus sombre et plus sucrée que la sauce de soja chinoise.

Kewra (Inde)
Essence très parfumée tirée d'une plante (*Pandanus odoratissimus*) et qui parfume les desserts indiens. Elle est si forte qu'une goutte suffit.

Kha (Thaïlande), voir **Galanga**.

Kochujang (Corée)
Pâte de piment très forte ; se vend en boîte.

Kombu (Japon)
Algue noire vendue séchée sous forme de grande plaque. Elle est surtout utilisée dans la préparation de bouillons.

Konnyaku (Japon)
Pâté réalisé avec un tubercule vendu sous forme d'un bloc que l'on découpe en tranches ou en cubes et que l'on fait cuire dans du bouillon, comme tout autre légume.

Lait de coco
Lait obtenu à partir de la pulpe de coco. A ne pas confondre avec le jus de coco qui est le liquide blanchâtre qui se trouve au centre de la noix de coco. Le lait de coco ressemble à la crème de coco, mais il est beaucoup plus dilué. En Malaysie, le lait de coco s'appelle *santen*.

Laksa (Malaysie), voir **Vermicelle de riz**.

Laos (Malaysie), voir **Galanga**.

Laurier
Cette feuille séchée n'est plus à présenter dans notre cuisine occidentale. Elle peut remplacer certaines épices rares ou absolument introuvables chez nous, comme le paku, par exemple.

Légumes chinois en conserve ou légumes du Sseu-tch'ouan
Mélange de légumes conservés en saumure et vendus en boîte ou en bocal : ils sont très salés.

Lentilles, voir **Dal**.

Lis séché (Chine)
Il porte les jolis surnoms de « boutons de lotus » ou « aiguilles dorées ». Son goût est très délicat, et il faut le faire tremper pendant 30 mn dans de l'eau chaude, puis le couper en deux ou trois selon sa taille et l'utiliser selon les recettes.

Lombok (Malaysie)
Piment dont il existe plusieurs variétés : le *lombok hijau*, vert ; le *lombok merah*, rouge, et le *lombok rawit*, le plus fort d'entre les trois, vendu chez nous sec.

Macis : il s'agit de l'enveloppe de la noix muscade (voir ce mot). Elle est de couleur rouge ou orangée et irrégulièrement découpée. Le macis se vend sec, sous forme de petites lanières ou en poudre. Son parfum est très différent de celui de la noix muscade elle-même.

Makrut (Thaïlande)
Agrume pas très joli d'aspect mais à la peau et aux feuilles très parfumées. On peut le remplacer par du zeste de citron râpé. En Asie, on utilise les feuilles de ce fruit surtout pour parfumer soupes et bouillons, et le zeste entre dans la composition de la poudre de curry.

Mangue
Fruit du manguier, de la taille d'une grosse pêche. Sa chair est jaune et délicieusement parfumée.

Matcha (Japon)
Thé vert en poudre, appelé aussi *hikicha*; il sert à la cérémonie du thé. Les noms des thés changent selon leur qua-

lité gustative : le thé le plus fin est appelé *gyokuro*, le moyen *sencha* et enfin le meilleur, *bancha*.

Menthe
Plante de la famille des Labiées, très répandue chez nous. Il en existe de nombreuses variétés dont l'aspect varie selon la variété à laquelle elles appartiennent. La menthe est très parfumée; vous la conserverez plusieurs jours dans un bocal où vous ferez tremper les tiges après en avoir coupé quelques centimètres.

Mirin (Japon)
Saké (voir ce mot) sucré utilisé exclusivement pour la cuisine.

Miso (Japon)
Pâte réalisée à partir du haricot de soja. Ce haricot est cuit et fermenté, puis réduit en une pâte différente selon le degré de fermentation. On distingue, entre autres, *aka miso*, la pâte de soja rouge, et *shiro miso*, la pâte de soja blanc. Le miso ne doit être ajouté aux préparations qu'en toute fin de la cuisson afin qu'il garde tout son parfum.

Miti (Philippines)
Pâte, genre tagliatelle, aux œufs.

Mochigome (Japon), voir **Riz gluant**.

Mochiko (Japon))
Farine de riz gluant (voir ce mot).

Nam pla (Thaïlande), voir **Sauce nuoc mam**.

Napa (Japon), voir **Chou chinois**.

Ngapi (Birmanie), voir **Pâte de crevettes**.

Noix de cajou
Petite noix en forme de haricot recourbé; dans les pays d'Asie, on la consomme fraîche; elle est légèrement sucrée et un peu laiteuse. Chez nous, on la trouve le plus souvent grillée et salée, très rarement crue.

Noix de coco
Fruit du cocotier que l'on trouve le plus souvent sec, recouvert d'une peau faite de filaments bruns. Fraîche, elle est vert pâle, et sa chair est tendre et très sucrée. Sèche, sa chair est plus ferme mais beaucoup plus parfumée. Pour bien la couper, il faut d'abord percer deux des trois trous qui se trouvent à une extrémité du fruit, puis faire couler le jus qui se trouve au cœur du fruit. Soit vous consommerez ce jus comme boisson, soit vous le mélangerez à la pulpe de coco, si vous devez la râper. Après avoir fait couler le jus du fruit,

sciez-le en deux par le milieu et retirez ensuite la pulpe blanche, en éliminant l'écorce brune et la petite peau brune qui adhère au fruit. La pulpe peut être croquée, râpée ou passée au mixer, puis au tamis afin d'en faire du lait. Une fois coupée, la noix de coco se conservera pendant quelques jours au réfrigérateur, plongée dans une terrine d'eau. Il existe également de la noix de coco en poudre.

Noix de kemiri
Noix dure et très huileuse, la noix de kemiri (appelée *buah keras* en Malaysie) parfume tous les plats indonésiens; elle est assez rare à trouver chez nous, mais vous pouvez la remplacer par la noix du Brésil, au parfum un peu plus sucré.

Noix muscade
Fruit du muscadier, originaire d'Indonésie, la noix muscade se présente comme une petite noix ovale, de couleur brune. Fraîche, cette noix se présente comme un petit abricot qui, à maturité, libère un noyau dur, la noix muscade, enveloppée par une membrane dentelée, le *macis* (voir ce mot). Cette noix doit se râper sur une fine râpe. On la trouve également sous forme de poudre.

Nori (Japon)
Algue noire vendue en grande plaque ou en petites rectangles, ou encore en lanières. Cette algue est très parfumée et est surtout utilisée pour la confection des Riz sushi (voir page 195).

Nouilles de haricots mung
Nouilles très fines et transparentes; elles doivent tremper pendant environ 10 mn dans de l'eau froide avant toute cuisson.

Nouilles japonaises (Japon)
On distingue plusieurs sortes de nouilles : *harusame* : nouilles de haricots. Une fois cuites, elles deviennent blanches et gonflées; *soba* : nouilles de farine de sarrasin; *somen* : très fines nouilles de blé. Elles sont assez proches de nos pâtes, qui peuvent aisément les remplacer; *udon* : très grosses nouilles de blé. Comme les précédentes, elles peuvent être remplacées par des pâtes de chez nous, genre tagliatelle.

Nouilles de riz, voir **Vermicelle de riz**.

Oreilles de chat, voir **Champignons séchés**.

Ormeau
En Asie, on trouve les ormeaux frais; chez nous, ils se vendent en boîte. Ces gros coquillages aux merveilleuses coquilles de nacre colorée sont

très parfumés mais un peu fermes. En Chine et au Japon, avant de les déguster — crus au Japon et cuits en Chine —, on frappe la chair contre une surface dure afin de l'attendrir.

Paku
Pousses de fougères comestibles. Introuvables chez nous.

Panko (Japon)
Chapelure grossière, vendue toute prête. Pour les plats japonais, préférez-la à la chapelure ordinaire.

Papaye
Fruit exotique qui se déguste en dessert, ou qui entre dans la composition de certains plats salés, surtout lorsqu'il n'est pas mûr. Il se présente comme un fruit allongé, vert, puis tirant sur le jaune ou à l'orange à sa maturité. La papaye n'a pas de noyau, mais son centre est formé de plusieurs graines de couleur brune ou noire.

Pâte de crevettes
De nombreux pays d'Asie préparent une pâte à partir de crevettes écrasées. Ces pâtes sont en général très parfumées et il en faut très peu dans un plat. Elles se vendent chez nous le plus souvent en boîte, sous les noms de *blachan* (Malaysie), de *kapi* (Thaïlande) ou de *ngapi* (Birmanie) et de *trasi* (Indonésie).

Pâte de haricots sucrée (Chine, Japon)
Cette pâte est utilisée pour garnir les desserts; elle se trouve en boîte.

Pâte de poissons
La pâte de poissons se trouve dans de nombreux pays d'Asie. Il faut l'utiliser en très petites quantités; on la trouve en boîte. Aux Philippines, cette pâte est connue sous le nom de *bagoong*.

Pâté de soja, voir **Fromage de soja**.

Pâte de soja fermenté (Japon), voir **Miso**.

Pavot
Plante de la famille des Papavéracées. En Inde, on se sert de ses graines, entre autres, pour épaissir la sauce des curries.

Piment
Frais, secs, en poudre, les piments sont souvent utilisés dans la cuisine asiatique. Les variétés sont très nombreuses et beaucoup sont introuvables chez nous. Mais il est facile de les remplacer. Les piments frais, verts ou rouges, de provenance différente, se trouvent sur nos marchés pratiquement toute l'année. La couleur ne signifie pas plus ou moins piquant; la partie la plus piquante d'un piment est

sans aucun doute les graines. Sauf si vous adorez vraiment le piment, éliminez-les. Lorsque vous préparez un piment frais, hachez-le avec un petit couteau très coupant ou découpez-le très finement à l'aide d'une paire de ciseaux ; lavez-le bien, ainsi que vos mains, dès que vous avez fini de toucher au piment, car celui-ci peut causer des brulûres graves ; attention aussi à ne pas vous toucher les yeux ou à ne pas vous lécher un doigt. Les piments secs doivent, selon leur taille, être émiettés ou hachés dans une préparation. Quant à la poudre, il faut la mesurer avec une petite cuillère.

Poivre du Sseu-tch'ouan (Chine)
Ce poivre se présente comme de petites baies éclatées brunes rosées. Il est très parfumé, légèrement anisé et particulièrement excellent dans les salades ou les plats à base de porc ou de volailles.

Pousses de bambou
Ce sont des pousses du bambou et on les déguste fraîches, en boîte ou séchées ; dans ce dernier cas, il faut les faire tremper pendant 2 h dans de l'eau avant toute utilisation.

Pousses de soja
Ce sont des pousses du haricot de soja ou, le plus souvent, du haricot mung (voir ces mots). On les déguste crues, en salade ou cuites, dans des plats de viandes ou de légumes. Il faut les laver dans une grande terrine d'eau froide, puis les égoutter en éliminant soigneusement les haricots non germés qui tombent au fond de la terrine.

Quatre-épices
Mélange d'épices qui se compose de poivre, de noix muscade, de clou de girofle et de gingembre. Les Chinois y mettent du poivre du Sseutch'ouan.

Riz basmati
C'est un riz aux petits grains allongés ; il est très parfumé et accompagne parfaitement les plats de la cuisine indienne.

Riz gluant (Chine, Japon)
Riz utilisé pour certains plats très précis et les desserts. Ce riz est petit, très rond et très blanc.

Safran
Le safran est une espèce de crocus à grandes fleurs violettes, qui s'épanouissent en septembre. Ce sont les stigmates orangées de ces fleurs qui portent aussi le nom de safran. On le trouve en poudre ou bien en stigmates séchées. Le prix du safran est très élevé, car pour obtenir 1 kg de safran, il faut les stigmates de 100 000 fleurs ! Le safran doit cependant être utilisé en petite quantité, car il est très parfumé. On l'utilise aussi beaucoup pour son pouvoir colorant. Attention, les safrans en poudre contiennent souvent très peu de safran, beaucoup de curcuma et de colorant.

Saké (Japon)
Alcool de riz japonais.

Salam (Malaysie)
Ce sont les feuilles d'une plante très répandue en Malaysie et dans la cuisine de ce pays. On peut quelquefois les remplacer par des feuilles de laurier.

Sansho (Japon)
Feuilles utilisées dans la cuisine japonaise pour leur parfum. On les trouve aussi séchées et réduites en poudre. Cette poudre est excellente comme assaisonnement des potages et des plats cuisinés.

Santen (Malaysie), voir Lait de coco.

Saté (Malaisie)
On écrit aussi *satay*. Nom générique donné aux viandes, volailles ou poissons coupés en dés et enfilés sur des brochettes, puis grillés.

Sauce de haricots (Chine)
Sauce à base de haricots écrasés avec de la farine, du vinaigre, des épices et du sel. Cette sauce se vend en boîte.

Sauce de haricots noirs
Proche de la Sauce de haricots, celle-ci est réalisée avec des haricots noirs. Elle sert de base à d'autres sauces et est surtout utilisée en Chine.

Sauce hoisin (Chine)
On la connaît aussi sous le nom de sauce barbecue. Elle est préparée avec des haricots de soja, de la farine, du sucre, des épices et du colorant rouge. Elle se vend en boîte et se conserve très bien au réfrigérateur dans un bocal hermétiquement fermé.

Sauce d'huître (Chine)
Sauce très épaisse, brune, réalisée à partir de sauce de soja et d'huîtres. Elle se vend en bouteille et se garde fermée au réfrigérateur pendant plusieurs mois. Cette sauce ne se consomme pas telle quelle mais on l'utilise dans les plats cuits.

Sauce nuoc mam (Cambodge, Laos, Vietnam)
Cette sauce est préparée à partir d'anchois frais et de sel ; on range les anchois par couches dans de grandes jarres, puis on les laisse fermenter. Le premier liquide qui s'écoule est de première qualité, les autres — deux extractions — sont de moins bonne qualité et de couleur plus sombre. En Thaïlande, cette sauce s'appelle *nam pla*.

Sauce de soja et sauce de soja légère
Sauce réalisée à partir de haricots de soja fermentés et de sel. Cette sauce s'utilise dans la cuisine chinoise, japonaise, indonésienne, malaysienne et dans celle de Singapour en particulier. Il en existe plusieurs types, mais les sauces les plus connues sont les deux citées plus haut. La première est surtout utilisée en Chine, et la seconde au Japon.

Sauce tonkatsu (Japon)
Sauce à base de fruits et de légumes.

Sésame
La plante donne de grandes fleurs blanches, qui donnent des capsules allongées divisées en quatre compartiments contenant un grand nombre de graines. On utilise les graines telles quelles mais on en extrait aussi une huile très parfumée qu'il faut utiliser très rapidement, car elle rancit vite ; cette huile ne supporte pas les trop fortes températures ; il faut donc l'ajouter en fin de cuisson, au moment où l'on retire le plat du feu. Les graines sont très utilisées dans toute l'Asie et on en distingue deux variétées, les noires et les blanches. Pour réaliser des graines de sésame salées, voir **Gomasio**.

Shichimi toragashi (Japon)
Mélange de sept épices utilisé comme assaisonnement.

Shiitake (Japon)
Champignons japonais que l'on ne trouve chez nous que secs. Ils sont extrêmement parfumés et il faut les laisser tremper pendant environ 30 mn dans de l'eau tiède avant de les faire cuire ; si c'est possible, utilisez l'eau de trempage, en la filtrant.

Shirataki (Japon)
Longues pâtes de **konnyaku** (voir ce mot) que l'on trouve prêtes à cuire.

Shiro miso (Japon), voir Miso.

Soba (Japon), voir Nouilles japonaises.

Somen (Japon), voir Nouilles japonaises.

Su (Japon)
Vinaigre de riz.

Tahu, taukwa (Indonésie, Malaysie), voir Fromage de soja.

Tamarin (Birmanie, Inde, Malaysie, Thaïlande, Vietnam)
Fruit acide ressemblant à un haricot dans sa gousse, mais de couleur brune et recouvert d'une sorte de peluche. On peut le trouver frais, mais il se vend le plus souvent sec, sous forme d'un bloc dont on casse des morceaux. Il faut le faire tremper dans de l'eau tiède ou chaude, pendant au moins 10 mn. Certains utilisent tamarin et eau de trempage, d'autres ne gardent que l'eau.

Tofu (Japon), voir Fromage de soja.

Trasi (Indonésie), voir Pâte de crevettes.

Udon (Japon), voir Nouilles japonaises.

Ugli
Agrume hybride de la tangerine et du pamplemousse. Assez semblable d'aspect à ce dernier, bien que plus vert et à la peau boursouflée. Sa chair est douce et très peu aqueuse. On peut le trouver dans les épiceries asiatiques, frais ; sinon, vous le remplacerez par du pamplemousse rose.

Vanille
Le vanillier est une liane géante et grimpante et fait partie de la même famille que les orchidées, aux larges feuilles d'un vert brillant, aux fleurs vert pâle sans parfum mais qui donnent des fruits en forme de gousses allongées et charnues, très parfumées. Elles se vendent séchées, entières et également en poudre.

Varak (Inde)
Feuilles très fines d'argent comestibles. Se vendent dans les épiceries indiennes.

Vermicelle de riz
Vermicelle très fins préparés à partir de farine de riz (voir ce mot). Appelés *laksa* en Malaysie.

Vermicelles de haricots mung, voir Nouilles de haricots mung.

Wakame (Japon)
Algue japonaise vendue séchée qu'il faut faire tremper dans de l'eau tiède.

Wasabi (Japon)
Racine d'une variété de raifort que l'on vend en poudre et qu'il faut additionner d'eau afin d'en faire une pâte, ou bien en tube, toute prête. Cette pâte est servie avec le Poisson cru (voir page 181) et entre dans la préparation des Riz sushi (voir page 195).

Wonton (Chine, Corée, Malaysie)
Très fine pâte découpée en rondelles ou en carrés qui servent à la confection des raviolis chinois.

Table des recettes

Les temps de préparation et de cuisson sont donnés
à l'exclusion des temps de marinade, de trempage et
de repos. Lorsque le temps de préparation et de cuisson
se confondent, celui-ci est indiqué dans la colonne
de temps de cuisson.

  temps de préparation

  temps de cuisson

*   très facile

**   facile

***   difficile

Inde, Pakistan, Bangla Desh

	Page	Recette	Préparation	Cuisson
*	12	Garam masala		20 mn
*	12	Bombay duck		5 mn
*	13	Sauce au curry	15 mn	15 mn
***	13	Poppadoms		5 mn
*	14	Beignets au curry (Samosas)	10 mn	10 mn
**	14	Crêpes de riz croustillantes (Hoppers)	10 mn	10 mn
**	14	Beignets épicés (Pakoras)	10 mn	10 mn
**	15	Crêpes roulées (Dosas)	15 mn	10 mn
*	16	Soupe aux épices (Mulligatawny)	10 mn	20 mn
*	16	Œufs brouillés épicés (Ekoori)	20 mn	5 mn
*	17	Crevettes à la sauce au coco (Jhinga sambal)	10 mn	—
*	18	Crevettes aux épinards (Saag jhinga)	15 mn	15 mn
*	18	Crevettes au lait de coco (Jhinga pathia)	10 mn	10 mn
*	19	Crevettes comme à Madras (Jhinga kari Madrasi)	10 mn	5 mn
*	20	Crevettes en curry (Jhinga kari)	10 mn	10 mn
*	21	Poisson aux épices (Masala dum machchi)	20 mn	30 mn
**	21	Canard à la sauce au coco (Meen molee)	10 mn	50 mn
**	22	Poulet mariné au yaourt (Kookarh korma)	10 mn	1 h 05
**	22	Poulet aux légumes secs (Murgh dhansak)		1 h 30
**	23	Poulet à la mode de Hyderabad (Murgh Hyderabad)	10 mn	1 h
**	24	Poulet tandoori (Tandoori murgh)	15 mn	45 mn
**	25	Poulet au curry (Kukul curry)	20 mn	1 h
**	25	Poulet épicé rôti (Murgh mussalam)	30 mn	50 mn
**	26	Curry de porc (Shikar kari)		2 h
*	26	Curry de porc vindaloo (Shikar vindaloo)	20 mn	1 h 10
*	27	Hachis de bœuf épicé (Keema)	15 mn	30 mn
**	28	Curry de Madras (Madrasi kari)	15 mn	1 h 45
**	28	Curry de Calcutta (Calcutta kari)		2 h 10
**	28	Boulettes de bœuf au curry (Kofta kari)	20 mn	1 h
*	30	Sauté de bœuf express (Bhuna gosht)		30 mn
*	30	Curry d'agneau (Mhaans kari)	20 mn	1 h 10
**	31	Bœuf au yaourt (Pasanda)		2 h
*	32	Brochettes d'agneau épicées (Tikka kabab)	20 mn	20 mn
**	32	Agneau épicé au yaourt (Roghan gosht)		1 h 40
*	33	Agneau épicé aux oignons (Dopiazah)		1 h 45
*	33	Chutney à la menthe (Padina chatni)	10 mn	—
*	34	Yaourt maison (Dahi)		5 mn
*	34	Salade mélangée (Salat)	30 mn	—
*	35	Yaourt au concombre (Raeta)	10 mn	—
*	35	Sauce aux épices (Sambal)		15 mn
*	36	Aubergines aux tomates (Baigan tamatar)	20 mn	35 mn
*	36	Épinards aux oignons (Saag)	15 mn	10 mn
*	36	Légumes épicés (Aloo gobi)		1 h
**	38	Petits pois au fromage (Matar panir)	15 mn	20 mn
*	39	Fromage blanc (Panir)		40 mn
*	39	Gombos à la noix de coco (Bhindi foogath)	30 mn	10 mn
*	39	Gombos épicés (Bhindi bhaji)	30 mn	15 mn
*	40	Riz sauté (Pilau)		45 mn
*	41	Riz aux lentilles (Kitcheri)		45 mn
*	41	Riz sauté aux légumes (Sabzi pilau)	30 mn	25 mn
**	42	Lentilles rouges en purée (Tarka dal)		30 mn
**	43	Riz doré à la viande (Biryani)		30 mn
*	44	Riz blanc (Chawal)		50 mn
**	44	Galettes non levées (Chappatti)		45 mn
**	45	Riz safrané (Kesari chawal)		30 mn
**	45	Galettes levées (Naan)		45 mn
**	46	Galettes de farine de pois chiches (Besani roti)		45 mn
**	47	Galettes frites (Puri)		45 mn
**	47	Galettes non levées frites (Paratha)		45 mn
**	48	Vermicelle sucré (Sewaiian)		30 mn
**	48	Petits gâteaux à la semoule (Halwa)	5 mn	1 h
*	49	Salade de fruits épicée (Chaat)	20 mn	—
**	49	Glace aux pistaches et aux amandes (Kulfi)		30 mn
**	50	Boulettes aux fromage blanc (Rasgullah)		45 mn
**	50	Entremets à la carotte (Gajjar kheer)		1 h 15
**	50	Beignets en spirales (Jallebi)	10 mn	20 mn
**	51	Boulettes aux amandes (Gulab jamun)		45 mn
**	52	Gâteau à la noix de coco (Beveca)	30 mn	30 mn
**	52	Riz sucré épicé (Kesar pilau)	30 mn	30 mn
*	53	Crème de riz à la rose (Kheer)	5 mn	15 mn

Malaysie, Singapour, Indonésie

	Page	Recette	Préparation	Cuisson
**	56	Soupe de poulet épicée (Soto ayam)		1 h
**	56	Soupe aux crevettes (Laksa lemak), SINGAPOUR		1 h
***	57	Soupe aux boulettes de viande (Mie bakso), INDONÉSIE		45 mn
***	58	Soupe de légumes au coco (Sayur lodeh Jakarta), INDONÉSIE		45 mn
***	58	Soupe épicée au bœuf (Soto Madura), INDONÉSIE		1 h 45
***	59	Galettes croustillantes aux cacahuètes (Rempeyek kacang)		1 h

	Page	Recette		
**	108	Omelettes fourrées *(Kai yad sai)*		30 mn
**	109	Bœuf grillé aux légumes crus *(Nua nam toak)*		20 mn
**	109	Bœuf à l'horapa *(Pad ho-ra-pa kub nua)*		25 mn
**	109	Œufs durs aux échalotes *(Kai look koei)*		15 mn
*	110	Salade thaïlandaise *(Som tum)*	10 mn	—
***	110	Curry masaman *(Kang masaman)*		1 h 10
**	111	Sauce au lait de coco *(Tao chiew lon)*	10 mn	10 mn
***	112	Boulettes caramélisées aux haricots mung *(Maled khanun)*		1 h 15
*	112	Gâteau de riz aux haricots noirs *(Kow neo tua dom)*	10 mn	3 h
***	112	Riz et crème renversée au lait de coco *(Kow neo sang kaya)*		2 h

Cambodge, Laos, Vietnam

	Page	Recette		
**	117	Soupe de poisson *(Num banh choc)*, CAMBODGE		45 mn
**	117	Soupe au poulet *(Môn sngôr)*, CAMBODGE		45 mn
**	118	Sauté de poulet au gingembre *(Sach môn cha khnhei)*, CAMBODGE		25 mn
*	119	Côtes de porc grillées *(Choeeng chomni chrouc chean)*, CAMBODGE	15 mn	20 mn
**	119	Bœuf braisé en sauce *(Somlâr mochu sachko)*, CAMBODGE	15 mn	1 h 20
**	120	Hachis de poulet aux épices *(Lap kay)*, LAOS	15 mn	20 mn
*	120	Soupe au poulet laotienne *(Ken kay)*, LAOS	15 mn	20 mn
*	121	Carottes piquantes *(Tam sôm)*, LAOS		35 mn
**	122	Cuisson du riz gluant, LAOS		15 mn
**	123	Porc aux légumes parfumés *(Ocklam)*, LAOS		45 mn
**	123	Bœuf épicé *(Shin ngoa lap)*, LAOS		45 mn
*	124	Pâtés impériaux *(Cha gio ga)*, VIETNAM	30 mn	1 h 30
*	125	Nuoc cham, VIETNAM	10 mn	—
*	125	Plateau de crudités *(Dia rau song)*	15 mn	—
*	126	Soupe de perles au crabe *(Cua nâu bôt báng)*, VIETNAM		25 mn
**	126	Soupe au chrysanthème et au porc *(Canh tân ô thit heo)*, VIETNAM	10 mn	15 mn
**	127	Soupe au canard et aux pousses de bambou *(Vit xáo măng)*, VIETNAM		1 h 45
*	128	Poisson braisé à l'ananas *(Cá kho thòm)*, VIETNAM	10 mn	35 mn
*	128	Crevettes grillées aux cacahuètes *(Tôm nùông bánh hòi)*, VIETNAM		20 mn
*	129	Poulet épicé au lait de coco *(Gà xào sã nùôc dùà)*, VIETNAM		45 mn
*	130	Travers de porc grillé *(Sùòn nùòng)*, VIETNAM	15 mn	45 mn
*	130	Fondue vietnamienne *(Thit bò nùòng vi 'săt)*, VIETNAM		30 mn
**	131	Petits gâteaux ronds *(Bánh cam)*, VIETNAM		1 h

Chine

	Page	Recette		
*	136	Soupe aux filaments d'œufs *(Niurou danhua tang)*		15 mn
*	136	Soupe au porc et aux carottes *(Luopu roupian tang)*		25 mn
*	136	Soupe au porc et aux tomates *(Fanqie roupian tang)*		20 mn
*	137	Soupe au porc et aux légumes *(Zhacai roupian tang)*		15 mn
*	138	Soupe aux boulettes de porc *(Rouwan tang)*	15 mn	10 mn
*	138	Soupe de poulet aux champignons *(Donggu dun ji)*	10 mn	2 h 15
*	139	Velouté de chou-fleur *(Caihua geng)*	10 mn	15 mn
**	139	Soupe de porc aux nouilles *(Rousi tangmian)*		10 mn
*	139	Soupe au canard et au chou *(Yagu baicai tang)*		50 mn
*	140	Soupe au soja et aux épinards *(Bocai doufu tang)*		10 mn
**	141	Calmars aux légumes *(Zajin chao xianyou)*		30 mn
*	141	Omelette au crabe *(Xierou chao dan)*		10 mn
*	141	Omelette vapeur *(Zhen jidan)*	10 mn	20 mn
*	142	Ormeaux à la sauce d'huître *(Haoyou baoyu)*		5 mn
**	142	Fromage de soja aux crevettes *(Xiaren shao doufu)*	10 mn	5 mn
*	143	Crevettes frites *(Youbao xianxia)*	10 mn	5 mn
*	143	Crevettes aux petits pois *(Qingdou xiaren)*		20 mn
**	144	Carpe en sauce aigre-douce *(Tangcu liyu)*	25 mn	25 mn
**	145	Daurade aux oignons et au gingembre *(Jiangcong shao yu)*	15 mn	20 mn
**	145	Crevettes sautées aux brocolis *(Jielan chao xiaqiu)*	15 mn	15 mn
*	146	Ailes de poulet aux champignons *(Hongmen jichi)*		30 mn
**	146	Ailes de poulet aux brocolis *(Jichi hui jielan)*		35 mn
*	146	Poisson à la sauce de haricots *(Jian doubian yu)*	10 mn	10 mn
**	148	Poulet froid à la cantonaise *(Baiqie ji)*		40 mn
***	149	Poulet rissolé *(Youlin ji)*	20 mn	45 mn
***	149	Poulet au soja *(Chiyou ji)*		50 mn
**	149	Poulet aux deux poivrons *(Chijiao chao jisi)*		20 mn
*	150	Poulet vapeur *(Donggu zheng ziji)*		45 mn
**	150	Poulet aux trois couleurs *(Yuxiang jisi)*	20 mn	10 mn
**	151	Poulet au jambon *(Zinhua yushu ji)*		3 h 30
**	152	Cuisses de poulet frites *(Zha jitui)*	10 mn	10 mn
**	152	Blancs de poulet en papillotes *(Yinxiang bao ji)*	10 mn	5 mn
**	153	Beignets de poulet *(Furong ji)*		20 mn
*	154	Canard aux champignons *(Congyou ya)*	10 mn	3 h
*	155	Poulet sauté au céleri *(Jiecai chao jiding)*		30 mn
*	155	Poulet blond *(Ganjian jipu)*		15 mn
***	156	Canard laqué *(Beijing kao ya)*	10 mn	1 h
***	157	Canard à l'orange *(Yashao ya)*		1 h
**	157	Crêpes mandarin *(Bo bing)*	20 mn	5 mn
**	158	Sauté blond *(Chao sanbai)*		30 mn
**	158	Œufs en sauce au porc *(Lu jidan zhurou)*		30 mn
**	159	Porc aux germes de soja *(Douya chao rousi)*	15 mn	5 mn
**	159	Émincé de porc au chou-fleur *(Caihua chao roupian)*		35 mn
*	160	Jarret de porc laqué *(Hongshao zhuti)*	10 mn	2 h 45
*	160	Travers de porc en sauce de haricots *(Chizhi zheng paigu)*	15 mn	30 mn
**	161	Émincé de porc aux pousses de bambou *(Dongsun chao rousi)*	15 mn	5 mn
**	161	Boulettes de porc mijotées *(Hongshao rouwan)*	20 mn	30 mn
**	162	Porc aux nouilles dorées *(Mayi shangshu)*	10 mn	10 mn
**	163	Porc aux œufs brouillés *(Chao muxu rou)*	15 mn	5 mn

Quelques adresses utiles

Angers (49) : Le Phnom, 39, rue Beaurepaire
Bordeaux (33) : Tien-quoc, 32, cours Balguerie-Stuttenberg
Caen (14) : Extrême Orient, 38, rue Bras
Lille (59) : Tran Van-tuu, 11, place Vanhoenacker
Limoges (87) : Weber Phay-thoune, 131, rue Aristide-Briand
Lyon (69) (La Part-Dieu) : Daimaru
Marseille (13) : Henne Drog, 15, rue Auphan, 3e arr.
Marseille (13) : Van Lu Asia, 4, rue des Phocéens, 2e arr.
Nancy (54) : Lahmar Abdellaziz, 18, rue de la Source
Nantes (44) : Exopotamie, 3, rue Contrescarpe
Nice (06) : Saigon Exotic, 52, rue Lamartine
Paris (75) : Afrique-Antilles, 9, rue Léopold-Robert, 14e arr.
Paris (75) : Daimaru, Boutiques du Palais des Congrès, 17e arr.
Paris (75) : Lao Asia, 23, rue Nationale, 13e arr.
Paris (75) : Osaka-Shokuhin, 13, rue du Helder, 9e arr.
Paris (75) : Rehana Store, 30, rue Delambre, 14e arr.
Paris (75) : Sha et Cie., 33, rue Notre-Dame-de-Lorette, 9e arr.
Paris (75) : Société S.I.A., 53, rue Saint-Denis, 1er arr.,
et 102, rue Saint-Charles, 15e arr.
Perpignan (66) : Taj Mahal Diffusion, 29, avenue Marcelin-Albert
Reims (51) : Vinh Xuong, 70, rue de Vesle
Rennes (35) : Exopotamie, Centre commercial Alma
Rennes (35) : Khothavongs Ounlam, 40, rue Bigot-de-Préameneu
Roubaix (59) : Chankongsil Kaysone, 38, rue Alouette
Strasbourg (67) : Vietnam, 34, rue Première-Armée
Toulouse (31) Kim-chau, 39, rue des Frères-Lion

Certaines grandes surfaces, aussi bien à Paris qu'en province,
ont ouvert un «rayon» de produits exotiques.

Remerciements

Les photographies de cet ouvrage sont de Robert Golden.
Les plats ont été préparés par Caroline Ellwood, à l'exception des
plats japonais, qui ont été préparés par Susumu Okado.
Styliste : Antonia Gaunt.
L'éditeur tient à remercier les personnes ou les organisations citées
ci-après qui l'ont autorisé à reproduire les documents des pages
suivantes :
Alan Hutchinson 114 ; Sonia Halliday Photographs (Jane Taylor) 132 ;
Korean Embassy 204-205 ; Roland Michaud 205 ; Syndication
International 9 ; Vision International (Paolo Koch) 133 ; Zefa (Bitsch)
86-87, (Schmidt) 55, (Starfoto) 101, (Steinhaus) 176-177.
L'éditeur tient à remercier également les sociétés londoniennes
suivantes pour lui avoir prêté des accessoires :
Ajimura Japanese Restaurant, 27 Endell St WC2 ; Collet's Gallery &
Bookshop, 40 Great Russell St WC1 ; Craftsmen Potters Shop,
William Blake House, Marshall St W1 ; Frida, 111 Long Acre WC2 ;
Ikeda Japanese Restaurant, 30 Brook St W1 ; Mitsukiku, 15 Old
Brompton Road SW7 ; New Neal Street Shop, 23 Neal St WC2 ;
Nice Irma's Floating Carpet, 46 Goodge St W1 ;
Paul Wu Ltd, 64 Long Acre WC2.